De weduwen van
11 september

PATRICIA CARRINGTON ❖ JULIA COLLINS
CLAUDIA GERBASI ❖ ANN HAYNES
EVE CHARLES

De weduwen van
11 september

*Een waar gebeurd verhaal
over echte liefde*

SIJTHOFF

Eerste druk augustus 2006
Tweede druk september 2006
Derde druk oktober 2006

© 2006 Patricia Carrington, Julia Collins, Claudia Gerbasi,
Ann Haynes en Eve Charles
All Rights Reserved
© 2006 Nederlandse vertaling
Uitgeverij Luitingh ~ Sijthoff B.V., Amsterdam
Alle rechten voorbehouden
Oorspronkelijke titel: *Love You, Mean It – A True Story of Love, Loss, and
Friendship*
Vertaling: Bob Snoijink
Omslagontwerp: Karel van Laar
Omslagfotografie: Ann Billingsley & Chad Weckler/Corbis

ISBN 90 245 5581 7 / 9789024555819
nur 740

www.boekenwereld.com

'Op De Jongens...'

Jeremy 'Caz' Carrington,
Thomas J. Collins,
W. Ward Haynes
en Bart J. Ruggiere.

❖

Inhoudsopgave

Woord vooraf   9
De Weduwenclub   11

Deel een
  1 Claudia en Bart   29
  2 De eerste herdenking   57
  3 Het zou verkeerd zijn om het niet te doen   68
  4 *Love you!* Echt waar!   81
  5 Ann en Ward   91
  6 Voorzichtig er weer op uit   121
  7 De volmaakte weduwe   126
  8 Er zijn ergere dingen   137
  9 Julia en Tommy   143
 10 Je bent zo jong als je je voelt   173
 11 Pattie en Caz   181
 12 Gered door Lola   214
 13 Echt een perfect moment   221
 14 Keerpunt   228
 15 *I Love Him, I Love Him Not*   240
 16 De tweede herdenking   246

Deel twee
 17 *Good To Go*   251
 18 Is dit een date?   264
 19 Metamorfosen   268
 20 De mantra   274
 21 Het geschenk   280

22 Een ander licht   289
23 Stel dat   308
24 Godsgeschenk   314
25 *Lady Liberty*   322

Deel drie
26 De derde herdenking   327
27 De lijst   330
28 Het nieuwe jaar   338
29 Zwarte schapen   345
30 De werkelijkheid   360
31 Kruispunt   375

Nawoord   391
'Op De Jongens': mei 2005   393
Woord van dank   399

Woord vooraf

❖

Veiligheid is voornamelijk bijgeloof.

In de natuur bestaat geen veiligheid, en de kinderen van de mensheid ervaren die ook niet. Het mijden van gevaar is op de lange duur niet veiliger dan het gevaar opzoeken.

Het leven is ofwel een riskant avontuur, of niets.

Als we de blik op verandering gericht houden en ons in het aangezicht van het lot als vrije geesten gedragen, zijn we onoverwinnelijk.

HELEN KELLER

De Weduwenclub

Claudia, Julia, Pattie en Ann

Het was een dinsdag in juli, de tweede dinsdag die ons leven voorgoed zou veranderen. We hadden afgesproken in een café in Park Avenue South, niet ver van ons werk in Manhattan. 'Laten we maar vroeg iets gaan drinken,' zeiden we, alsof we een afspraakje hadden en de kat uit de boom wilden kijken voordat we ons zouden vastleggen voor een etentje.

Toen we onze kantoren verlieten, begon de helderblauwe lucht boven de City al een tint donkerder te worden. Het was zo'n volmaakte zomeravond die New Yorkers de kriebels geeft om naar buiten te gaan en iets te doen. En iedereen ging die avond ergens heen, samen met iemand anders, althans zo leek het. Dat ons leven tot stilstand was gekomen, hoefde niet te betekenen dat de wereld voor alle andere mensen was opgehouden met draaien. Gelukkige stellen wandelden gearmd naar hun etentje. Getrouwde stellen babbelden aan de borrel op een terrasje. Waar we maar keken, zagen we herinneringen.

Onderweg naar het café deden we ons best om ons op de komende avond te concentreren en niet om te kijken. Tien maanden na dato waren we nog steeds te zeer verslagen voor zoiets als opwinding; of we nu in een café in Park Avenue zaten, of op de top van de Mount Everest, we wisten dat we die constant zeurende pijn hadden meegenomen. Maar in elk geval waren we blij dat we plannen hadden voor die avond en dat we elkaar zouden treffen. Inmiddels waren we allemaal met Claudia bevriend en hadden we stuk voor stuk ieder ander lid van de groep minstens een keer ontmoet. We waren allemaal aangetrokken door Claudia's vastbesloten weigering om haar leven voorgoed door het ondenkbare te laten verzieken. We hadden het gevoel dat we veel meer gemeen hadden dan datgene wat voor de hand lag. En laten we wel wezen, als we niet met iemand – wie ook – afspraken, restten er aan het eind van elke werkdag nog zoveel avonduren dat het gewoon weer de zoveelste keer vroeg-naar-bed zou worden, met een schietgebedje dat de tijd maar snel mocht verstrijken. De tijd leek wel een eeuwigheid.

ANN:

Ik was er het eerst. Ik ging aan de bar beneden zitten en bestelde een borrel om mijn zenuwen de baas te worden. Terwijl ik de deur in het oog hield, was mijn voornaamste zorg dat ik een buitenbeentje zou zijn, de vreemde eend in de bijt. Ik kende Julia en Pattie al, dus ik wist dat ze net als Claudia stadsmeisjes waren. En hier zat ik dan, rechtstreeks uit de buitenwijk, een moeder met drie kinderen. Ik woonde al jaren niet meer in de City. Mijn leven stond nu in het teken van jongleren met een fulltime baan en het alleen grootbrengen van mijn kinderen, met een poging om mijn gebroken gezin bijeen te houden, en niet van kroegentochten in Manhattan. Ik vroeg me af of ik er wel bij paste. Wat maakte ik me druk? Dat was niets voor mij. Of toch wel? Het viel niet mee om me dat te herinneren.

PATTIE:

Ik arriveerde als tweede. Destijds leefde ik als een robot, ik functioneerde nog maar net. Ik stond mezelf niet toe om meer te doen dan de basisvereisten van opstaan, aankleden, naar mijn werk en weer naar huis gaan.

Ik herkende de mooie vrouw met het blonde haar aan de bar direct. Claudia had ons een paar weken geleden even aan elkaar voorgesteld. Ik zat met collega's in een café en Claudia en Ann zaten toevallig iets te drinken aan het tafeltje naast ons.

'Hallo, weet je nog wie ik ben?' zei ik tegen Ann.

Ze trok me naar zich toe voor een kus op de wang. 'Maar natuurlijk!'

De afgelopen tien maanden was het me heel zwaar gevallen om aansluiting bij nieuwe mensen te vinden. Maar met Ann had ik meteen een vlot contact en ik voelde een bereidheid bij mezelf om me eerlijk en kwetsbaar op te stellen.

Los van alles was ik opgelucht dat ik geen antwoord hoefde te geven op de vraag: 'Hoe gaat het?' Ik wist nooit wat ik daarop moest zeggen, en Ann vroeg het niet.

Die avond droeg ik zoals gewoonlijk zwarte kleren, niet omdat ik traditionele richtlijnen voor een rouwperiode aanhield, maar omdat het licht voor mij was uitgegaan.

JULIA:

Ik weet nog hoe zenuwachtig ik was voor de ontmoeting met de groep. Ik was destijds zo ongelukkig dat ik me dikwijls zorgen maakte over hoe ik in maatschappelijke situaties zou reageren. Vroeger had dat nooit een rol voor me gespeeld. Nog niet zo lang daarvoor had ik zelfs de reputatie van een meisje dat karaokefeestjes gaf en altijd in was voor een verzetje. Hoewel ik onderweg naar het café nerveus was, was er ook sprake van een matte onderstroom, omdat ik inmiddels mijn pogingen om me beter te voelen vrijwel had opgegeven. Het was alsof ik met een witte vlag zwaaide. Ik had me overgegeven. Ik had het gevoel dat ik niets te verliezen had.

Ik zag Ann en Pattie aan de bar, haalde diep adem en liep erheen.

CLAUDIA:

Ik kwam als laatste. 'Ik ben zo blij dat het ons eindelijk is gelukt om bij elkaar te komen,' zei ik, en ik meende het.

Alle drie de vrouwen hadden me al zoveel gegeven. Zij waren er voor mij en lieten mij er voor hen zijn. Alle kleine hindernissen die zij hadden genomen: alleen een vertrouwde route rijden zonder in tranen uit te barsten, slapen zonder pillen, een dag doorkomen zonder in te storten: als zij het konden, kon ik het ook. Dat gaf me hoop. Dus was ik blij dat ze de kans kregen om tijd met elkaar door te brengen, omdat mijn intuïtie me zei dat ze het goed met elkaar zouden kunnen vinden.

Ik zag dat de andere drie inmiddels hun lievelingscocktail hadden besteld. Dat was een goed begin. 'Wodka-martini met olijven,' zei ik tegen de barkeeper.

Die bewuste avond was ik net als Pattie in het zwart, maar niet omdat ik in de rouw was. Dit is New York. Iedereen in New York draagt zwarte kleren. Zelfs wanneer het hoogzomer is. Ook als je niet in de rouw bent om je man die tien maanden daarvoor om het leven is gekomen in het World Trade Center en je je draai nog niet hebt gevonden.

Wie ons die avond op weg naar het restaurant was gepasseerd, of vlak naast ons had gezeten in het café, zou waarschijnlijk niet hebben geraden dat we weduwen waren. In de ogen van de barkeeper moeten we eruit hebben gezien als het zoveelste vriendinnenclubje dat na het werk wat gaat drinken, misschien om mee te leven met het jongste mislukte afspraakje, met het slachtoffer van de prins op het witte paard die niet heeft gebeld, of van de man die een van ons weer eens had laten zitten. We waren allemaal in de dertig. We waren stuk voor stuk geslaagde, onafhankelijke zakenvrouwen. Zo zagen we er ook uit. Ondanks de omstandigheden wisten we de maskerade vol te houden.

Maar wie iets beter keek, zou door de kleren die we droegen en het masker dat we iedere ochtend opzetten heen zien. We waren veranderd. We waren de persoon die we voor 11 september waren geweest zo goed als vergeten. Wanneer we in de spiegel keken, probeerden we ons te herinneren hoe ons gezicht eruit had gezien zonder de verbittering die zich erop aftekende. Het leed dat we ervoeren, drong door tot alle hoeken en gaten van ons wezen. We waren niet alleen lichamelijk, maar ook geestelijk magerder dan we geweest waren. We hadden niet meer het gevoel dat we helemaal onszelf waren. Het was een duister, neerslachtig gevoel. We misten onze echtgenoten meer dan draaglijk leek.

En hoewel het pas half juli was, begonnen de zorgen om de eerste gedenkdag zich al af te tekenen. De eerste mijlpaal kwam te snel in zicht, en geen van ons wilde eraan. We zouden er alles voor overhebben om de tijd stil te kunnen zetten. Het leek een onmogelijk denkbeeld dat we het een heel jaar zonder onze man hadden gesteld. Het was onvoorstelbaar dat al die maanden al waren verstreken, waarin elke dag ons verder van zijn feitelijke bestaan had gebracht. Wat we het liefst wilden, was hem niet aan zijn lot overlaten in het verleden, als een herinnering. We wilden hem eeuwig blijven vasthouden. In onze verbeelding streelden we zijn vingers en tenen, en stelden we ons een knuffel, of het gevoel van zijn hand op onze huid voor. Alleen al de gedachte aan 11 september rakelde een keur aan diepe en heikele emoties op, als hoge golven die op ons inbeukten waardoor we ons evenwicht verloren, kopje onder gingen en niet meer konden ademen.

Van meet af aan sloegen we de koetjes en kalfjes over het weer en de film over en kwamen we direct ter zake.

'Heeft iemand nog nieuws?' vroeg Claudia.

Dat was altijd haar eerste vraag aan de andere weduwen. Claudia was verlamd van angst dat de politie zou komen met het nieuws dat het lichaam van haar man Bart was geïdentificeerd. Ze had verhalen gehoord over gezinnen die midden in de nacht waren gewekt omdat er een politieman had aangeklopt. De gedachte waarmee ze elke morgen wakker werd, was: vandaag misschien?

'Echt waar, jullie zouden de eersten zijn die het hoorden...' bracht Ann uit.

'Dat geldt ook voor mij,' zei Pattie. Ook Pattie en Ann wachtten nog.

Claudia vervolgde: 'Afgelopen winter kwam ik thuis van mijn werk en toen trof ik een politieagent in de hal van mijn appartementencomplex. Ik dacht dat hij voor mij kwam. Dat was niet zo, maar dat deed er niet toe. Tegen de tijd dat hij me had uitgelegd dat hij even naar binnen was gegaan om weer warm te worden, was ik al in huilen uitgebarsten.'

Barts werklegitimatie en zijn creditcards waren op Ground Zero boven water gekomen, maar Bart zelf niet. Claudia hield haar mans Amex-pasje soms in haar hand en vroeg zich af hoe zo'n stukje plastic het in godsnaam had overleefd en Bart zelf niet. Ze liet de pasjes wel eens aan mensen zien en die keken dan alsof ze bang waren ze aan te raken, alsof vermoord worden een besmettelijke ziekte was.

'Het maakt niet uit; wel iets horen, niet iets horen, voor allebei ben ik doodsbang,' zei Claudia tegen de anderen.

Wij kampten allemaal constant met zulke gedachten, en ze bleven ons maar achtervolgen. Het waren verlammende gedachten die ons 's nachts uit onze slaap hielden en ons er 's morgens van weerhielden om uit bed te komen.

'Ik ben geobsedeerd door beelden van wat er in dat gebouw is gebeurd,' vervolgde Claudia. 'Heeft Bart geprobeerd de trap naar beneden te nemen en was de trap soms verdwenen? Of was er geen trap maar een muur van vlammen? Probeerden ze de trap naar het dak op te komen en was dat afgesloten? Ik weet dat hij nooit zou springen, dus ik ben bang dat hij in de val heeft gezeten.'

Ze vertelde de anderen over een gesprek met haar zwager Larry. Op een dag hadden ze het tijdens de lunch gehad over Claudia's geobsedeerdheid door wat er precies was gebeurd. Larry besefte dat ze van die beelden verlost moest worden.

'Larry zei: "Claudia, we moeten een aanvaardbaar verhaal verzinnen en daar moet je het bij houden."'

'Dus dat hebben we gedaan,' legde Claudia uit. 'We hebben geprobeerd ons in Bart te verplaatsen. We besloten dat Bart tegen zichzelf zou hebben gezegd: "Nou, ik kan hier op de honderdvijfde etage worden gered, of ik kan naar boven gaan, naar de bar van Windows on the World, een glas Macallan-whisky inschenken, en dan mag de brandweer me daar komen redden." Dus als ik nu weer door zulke gedachten word geplaagd, zeg ik bij mezelf: Windows on the World, Macallan, Bart...'

Julia hield zichzelf voor dat zij tenslotte een van degenen was geweest die hadden 'geboft'. Het lichaam van haar man Tommy en zijn eigendommen waren direct gevonden. Een week na 11 september had ze een dodenwake en een fatsoenlijke begrafenis gehad, een van de eerste van duizenden begrafenissen en herdenkingsdiensten die in de loop van het jaar erna zouden plaatsvinden. Toen ze naar de anderen luisterde, besefte ze dat ze haar eigen ervaringen met hen wilde delen. Dat een begrafenis niet wilde zeggen dat zij ergens een streep onder kon zetten of Tommy's dood kon aanvaarden. Dat zij in heel veel opzichten precies zo was als de rest.

'Weet je, toen ik naar de begrafenisondernemer ging om een doodskist voor Tommy uit te kiezen...' Julia zweeg halverwege haar zin. 'Moet je mij nou horen! Tien maanden later kan ik nog altijd niet geloven dat ik het over een doodskist voor mijn man heb. Hoe kan dat nou? Tommy's begráfenis? Bij die begrafenisondernemer smeekte ik die... hoe noem je zo'n man ook weer? De uitvaartleider? Ik smeekte of ik het lijk mocht zien,

om zijn hand of zoiets te kunnen vasthouden. Ik zei dat ik hem
móést zien om zeker te weten dat het Tommy was. Dat mocht
niet van die man. Hij bezwoer me dat ik me hem moest herinneren zoals hij was geweest. Ze hadden me verteld dat Tommy's
lichaam nog intact was. Waarom mocht ik hem dan niet zien?'

Julia legde de anderen uit dat zij er destijds van overtuigd was
geweest dat Tommy nog leefde. Ze had het door. De CIA had de
wijze waarop Tommy uit het gebouw had weten te komen vast
en zeker zo geniaal gevonden dat ze hem direct in dienst hadden genomen. Ze hadden gezegd dat hij een poosje moest verdwijnen, maar dat hij over een jaar of twee weer terug zou zijn
wanneer zijn opdracht was volbracht. Tommy kon niet dood zijn.

Julia had een lijk, een wake, een begrafenis, een zerk en een
graf. Ze had zelfs zijn portefeuille, zijn mobiele telefoon, computer en agenda, alle dingen die hij de bewuste dag bij zich had
gehad.

'Maar zal ik je eens iets vertellen?' zei ze tegen de rest. 'Zoveel maanden later denk ik nog steeds dat hij terugkomt. Het
heeft de pijn er niet minder om gemaakt. Ik put er geen troost
uit.'

Misschien wisten we het al door onze eerdere ontmoetingen,
maar aan die bar werd het nog eens bevestigd: een van de redenen waarom we ons tot elkaar aangetrokken voelden, had te
maken met de ruimte die we elkaar gaven om maar gewoon te
praten en praten zonder bang te hoeven zijn om anderen tekort
te doen, of om verkeerde dingen te zeggen, of iemand zich slecht
op zijn gemak te laten voelen door de mate van ons verdriet.

Die avond wisselden we verhalen uit. We leerden elkaar kennen. De onzichtbare draden en schakels die ons verbonden werden steeds duidelijker. We spraken over onze echtgenoten en
over hoe bijzonder de tijd was geweest die we met hen hadden
doorgebracht. Het deed ons goed om over onze huwelijken te
praten. Onze mannen waren onze beste vriend geweest, onze
zielsverwant, en we hadden er niet aan getwijfeld dat hij de per-

soon was met wie we oud zouden worden. Die mannen hadden deel van ons leven uitgemaakt en nu waren ze weg. Wat moesten we? Hoe moesten we de draad van ons leven weer oppakken? Hoe is het mogelijk dat je de ene dag nog toekomstplannen maakt en dat je vervolgens in één klap weet dat al die plannenmakerij nergens op slaat? We zaten allemaal met dezelfde vragen.

Had de nostalgie toegeslagen? Misschien denkt iedere weduwe wel dat haar man volmaakt is wanneer ze terugkijkt... Het is veel makkelijker om iemand te idealiseren die er niet meer is, die niet meer maakt dat je de ogen ten hemel slaat wanneer hij zijn vuile ondergoed op de badkamervloer laat slingeren, of te hard rijdt, of de afstandsbediening van de tv niet wil afstaan. Niet dat we dachten dat onze mannen volmaakt waren geweest. We wisten best dat ze fouten hadden. We lieten die kleine ergernissen alleen niet tussen ons komen. We hadden een dusdanige band dat muggen geen olifanten werden.

Nu zouden we er alles voor overhebben om de wc in te lopen en de bril weer omhoog aan te treffen.

Er ging geen dag voorbij zonder afwezige momenten die je het gevoel gaven dat hij nog leefde. Bij elke prestatie, elk succes, elke mislukking, elke zorg hadden we direct de neiging om hem te bellen en het te vertellen. Dan dachten we: dit moet hij weten, en reikten we zelfs naar de telefoon. We droomden dat we hem op straat tegen het lijf liepen en fantaseerden er zo op los dat we echt geloofden dat we hem weer zouden zien. Dan werden we 's morgens wakker en wentelden we ons naar hem toe en in die ene fractie van een seconde waren we vergeten dat ons leven verwoest was. En vervolgens werden we opnieuw met de verschrikkelijke werkelijkheid geconfronteerd. Op zulke momenten was het alsof hij weer helemaal opnieuw was doodgegaan.

Nu was er niemand om het leven mee te delen. Zelfs de kleinste dingen, zoals beslissen wat we 's avonds zouden eten of wat we in het weekeinde gingen doen, waren alledaagse genoegens waarvan we waren beroofd. In plaats daarvan zaten we hier in een godvergeten café aan Park Avenue te drinken en te praten, nog altijd vergeven van de pijn en heel ver verwijderd van de vrouwen die we ooit waren geweest. Dit was een club waarvan niemand van ons lid wilde zijn. Maar de cocktails deden hun werk, namen de scherpe randjes weg, lieten de ruimte tussen ons vervagen en maakten de band hechter. Het ging er niet alleen om dat we weduwe waren, of dat onze echtgenoten in het World Trade Center waren omgekomen. De band had ook te maken met wat voor soort man onze echtgenoten waren geweest en met de overeenkomsten tussen onze relaties.

Toen we het over ons huwelijk hadden, zei iemand: 'Het is weliswaar weg, maar het is er tenminste wel gewéést...'

We hadden het tenminste wel meegemaakt.

Iemand anders hief haar glas en zei: 'Daar drink ik op!'

Niemand kan zich herinneren wie het 't eerst zei. Het gebeurde gewoon. Iets logischers konden we niet zeggen. Sinds die eerste bijeenkomst is het altijd onze toast geweest en zo zal het ook altijd blijven. Ons eerste glas – en neem maar van ons aan dat er heel wat achterovergeslagen zijn – heffen we altijd op hen.

'Op De Jongens...' zeiden we.

'Op De Jongens...'

Inmiddels was Ann over haar zorgen heen dat ze een vreemde eend in de bijt zou zijn. Wanneer ze naar de andere vrouwen keek, voelde ze dat die er net zo kapot van waren als zij. Ann zag in dat een deel van de beschikbare troost eruit bestond dat ze zich geen zorgen hoefde te maken dat ze iemands gevoelens moest sparen.

'Weet je, vorige week bracht ik mijn oudste zoon naar zijn zomerkamp,' vertelde ze de vrouwen aan de bar, 'en het enige waaraan ik kon denken, was dat dit het eerste kamp was, de eerste zomer zonder zijn vader, en ik deed mijn uiterste best om niet te huilen, omdat ik degene ben die sterk moet zijn. Maar de tranen biggelden algauw over mijn wangen. Mijn zoon gaf me een klopje op de arm en zei: "Het is goed, mam, het komt allemaal wel goed." En ik zei: "Nee, nee, ik moet jóú juist troosten!"'

Omwille van haar gezin had ze zich heel sterk gehouden en mocht ze van zichzelf niet totaal instorten. Maar in dat groepje weduwen aan de bar was er niemand die naar haar keek, niet haar ouders, niet haar schoonfamilie, niet haar kinderen, niet haar buren. Anns gemis van Ward was schrijnender, intenser en overweldigender dan ze ooit onder woorden zou kunnen brengen. Maar nu hoefde dat ook niet. De andere vrouwen hadden aan een half woord genoeg. Ann mocht precies zo zijn als ze zich voelde.

We zaten al ruim twee uur aan de bar voordat we beseften dat we maar beter iets konden eten. Toen we in een eethoekje schoven, kwam het gesprek op het onderwerp dat we allemaal vreesden: de eerste herdenking van 11 september.

'Wat gaan jullie doen?' vroeg Julia.

De vraag was beladen met een kolossale benauwdheid. De elfde van iedere maand was al een datum om rekening mee te houden. We telden alle dagen, weken en maanden die ons door de vingers glipten. Hoe kon het al drie maanden geleden zijn dat we elkaar voor het laatst hadden gesproken? Hoe kon het al zeven maanden geleden zijn dat we hem voor het laatst hadden zien glimlachen? Hoe was het mogelijk dat het over zes weken al een jaar geleden zou zijn?

'Ik wil niet dat de tijd zo hard gaat,' zei Ann. 'Het voelt veel te vers om al een jaar verder te zijn.'

'Ik weet het,' zei Claudia. 'Het is pas juli en ik word nu al niet goed.'

We wisten allemaal dat er een plechtigheid in het centrum zou zijn, en we voelden stuk voor stuk de dwang en de drang om erbij te zijn.

'Ik wil erheen,' zei Pattie tegen de anderen. 'Na alles wat onze mannen die dag hebben doorgemaakt, kan ik het me niet voorstellen dat ik ergens anders zou zijn.'

We wisten dat Pattie gelijk had. En als we samen gingen, zouden we het die dag misschien redden.

Pattie wilde haar glas wijn pakken, maar toen haar hand naar haar mond ging voor de broodnodige teug, schoot haar elleboog van tafel. Het volle glas wijn viel over het tafelkleed en over Pattie zelf. Ann, Claudia en Julia pakten servetjes. Ons viertal barstte opeens in lachen uit en riep de serveerster nog meer servetjes te brengen. Zoals zoveel dingen viel dit incident in de categorie 'geen probleem'. Vroeger hadden we misschien van een 'ramp' gesproken. Het hoeft geen verbazing te wekken dat het woord inmiddels een heel andere betekenis had gekregen.

Claudia zocht in haar tas. Ze herinnerde zich dat ze een cadeautje voor Ann en Julia had meegebracht. Pattie had altijd een klein zwart fotoalbum bij zich met foto's van haar man Caz; Claudia had het idee overgenomen en hetzelfde met foto's van Bart gedaan.

'Hier dames, kies maar een kleur,' zei Claudia. 'Dit zijn *brag books*, boeken om mee op te scheppen. Ze zijn bedoeld voor kersverse ouders om met foto's van hun kroost te kunnen pronken, maar Pattie en ik gebruiken de onze voor foto's van De Jongens.'

Onderling konden we wel lachen om dingen als foto's van een dode echtgenoot meesjouwen in een brag book. Of de lege urn op het nachtkastje welterusten wensen. Je afvragen of iemand zich wel kan 'omdraaien in zijn graf' als hij geen graf heeft. Op momenten van galgenhumor voelden we ons verbonden en vervuld van hoop. Want als we elkaar konden laten lachen, wilde dat zeggen dat we onszelf stapje voor stapje van de bodem van de put omhoog konden werken. Die hilariteit hadden we met een miljoen tranen betaald.

Iemand hief het glas op weer-kunnen-lachen.

'Daar drink ik op,' zeiden we, voordat we ons herinnerden dat Pattie het laatste restje wijn had gemorst.

Als op een teken verscheen de serveerster met een nieuwe fles rode wijn.

'Deze is van de zaak,' zei ze.

Die avond werd er een band gesmeed. Er vielen geen ongemakkelijke stiltes. Niemand had medelijden met iemand anders. Geen mens zei: 'Het komt wel goed.'

We waren vier vrouwen die elkaar in de ogen konden kijken en herkenden wat we daar zagen.

En aan het eind van de avond hadden we het volgende afgesproken: we zouden naar Ground Zero gaan voor de herdenking. We beseften dat het ongelooflijk moeilijk en pijnlijk zou worden, maar de wetenschap dat we op elkaar konden steunen, leek het voor het eerst mogelijk te maken. We wilden onze echtgenoten eren, maar ook de duizenden anderen die op die bewuste dag waren omgekomen.

Verder zouden we er het weekeinde daarop samen op uitgaan. Toen Claudia een uitstapje voorstelde, zei de rest ja. We hadden het gevoel dat het simpele feit dat we iets hadden om ons op te verheugen, ons de kracht zou geven om de volgende weken door te komen. Iemand stelde Scottsdale in Arizona voor. Waarom niet? Het maakte niet uit waar we heen gingen.

De laatste dronk van die avond droegen we weer op aan 'De Jongens'. En aan onszelf.

'Op de Weduwenclub.'

JULIA:
Ik herinner me dat ik, toen ik die avond met een taxi naar huis reed, echt een gevoel van hoop had, zoals je na een eerste afspraakje hebt, als je weet dat je diegene nog een keer wilt ontmoeten. Ik wist dat ik die vrouwen vaker wilde zien; ik wilde mijn hart bij hen uitstorten. Ze begrepen wat ik doormaakte en ik voelde me geborgen in hun gezelschap. Die avond had ik het gevoel alsof ik uit het diepe van het zwembad omhoog was gekomen, net boven water was en weer kon ademen.

PATTIE:

Tien maanden na dato functioneerde ik amper, en kon ik met niemand echt contact maken. Het leek alsof ik altijd net buiten het leven zweefde. Maar die vrouwen gaven me het gevoel dat ik me niet in een isolement hoefde terug te trekken; dat ik wél bij andere mensen betrokken kon raken. Het lag niet aan de hoeveelheid tijd die we met elkaar hadden doorgebracht – Ann en Julia kende ik nog maar net – maar aan de ervaringen die we al gemeen hadden. Nu was ik nieuwsgierig naar wat we in de toekomst verder nog konden delen.

ANN:

Ten tijde van die eerste bijeenkomst was ik door het leven zonder Ward nog kapot van verdriet en angst en eenzaamheid. Hij was de enige die me het zelfvertrouwen kon geven om vooruit te komen, en de eigenwaarde om te geloven dat ik het alleen kon redden. Ik zat te springen om zijn troostende en geruststellende woorden dat het goed zou komen. Ik had hem nodig om me te helpen, om me vast te houden en me een beter gevoel te geven. Maar hij was er niet. Nu waren die drie vrouwen in mijn leven gekomen en gingen wij elkaar helpen. Dat was van meet af aan een onuitgesproken belofte aan elkaar. Zij waren mijn nieuwe vriendinnen en wij gingen proberen het leven op de een of andere manier wat draaglijker te maken. Ik stond ervan versteld hoe snel die gelofte tot stand was gekomen. Het was alsof er tussen ons allemaal een vonk was overgesprongen, als een levensteken na een winter die tot in juli had geduurd.

CLAUDIA:

Ik kon merken dat iedereen erg goed met elkaar op kon schieten. Ik wist dat we elkaar weer zouden zien. Ik hoopte echt dat we samen dat uitstapje naar Scottsdale konden maken. Toch overviel het ons allemaal weer toen we door de deur van het café het aardedonker in stapten. Onze mannen waren weg, vermoord. En op dat moment viel al het positieve weer in het niet.

Niettemin konden we ons allemaal vinden in wat Julia die avond in haar dagboek schreef: 'Deze avond is de gelukkigste geweest sinds Tommy dood is. In een logboek van slechte dagen is dit een goede geweest.'

Deel een

❖

September 2002 tot september 2003

Wat we waren, zijn we nog steeds.
Wat we hadden, hebben we nog steeds.
Een gedeeld verleden, onuitwisbaar hier en nu.

NICHOLAS EVANS

1 ❖ *Claudia en Bart*

CLAUDIA:

Op dinsdag 6 augustus, een paar weken na de eerste bijeenkomst van de Weduwenclub, had ik overgewerkt en kwam ik 's avonds om een uur of tien thuis. Uitgeput duwde ik me door de draaideur van mijn appartementencomplex. Toen ik de hal in liep, zei ik Gus, onze portier, gedag.

Gus kwam met de handen diep in zijn zakken en neergeslagen ogen achter zijn bureau vandaan. Hij zei dat er eerder op de avond een rechercheur van de gemeentepolitie was langsgekomen die naar mij vroeg.

'Hij wilde dat ik hem belde zodra u thuiskwam,' legde Gus uit. 'Maar dat mag ik eigenlijk niet zeggen.'

Toen de informatie tot me doordrong, tuimelden mijn gedachten over elkaar heen. Ik ging met de lift omhoog naar mijn appartement. Ik moest weten wat ik vreesde te zullen horen, maar ik was als de dood. Ik belde de rechercheur.

'Hallo, met Claudia Ruggiere. U bent vandaag bij mij aan de deur geweest.'

Hij vroeg of hij langs mocht komen.

'Is Bart geïdentificeerd?'

De rechercheur antwoordde: 'Dat mag ik niet telefonisch bespreken.'

Ik zei smekend: 'Doe me dit niet aan, dat is niet eerlijk.'

'Ja, uw man is geïdentificeerd.'

Ik belde mijn zus Marcella en Barts zus Kathleen. Daarna belde ik Julia, die tien blokken bij mij vandaan woont. Die kwam meteen. Omdat Tommy de enige van de jongens was wiens lichaam direct was geïdentificeerd, was Julia's aanwezigheid die avond goud waard. De rechercheur kwam. Hij legde uit dat Barts stoffelijke overschot dankzij DNA-onderzoek was geïdentificeerd. Hij wist niet wat er was aangetroffen. Ik moest de volgende morgen om acht uur naar het bureau van de lijkschouwer, zodra dat openging. Mijn zus zou meegaan.

Als er een dag kon zijn die even pijnlijk was als 11 september, kwam deze in de buurt. Die avond had ik een huis vol familieleden en vrienden die me hun onvoorwaardelijke liefde en steun boden. Het was alsof ik de dag dat Bart was gestorven opnieuw beleefde, maar dan zonder de hoop dat hij het had overleefd.

We stelden de dag van de begrafenis vast op 11 september. Die godvergeten datum zou al zo pijnlijk zijn dat niets het erger kon maken. Ik was drieëndertig en zocht een plekje om mijn man te begraven. Maar waar? Moesten we zijn stoffelijk overschot laten cremeren? Wat moest er op de zerk staan? Ik ging lunchen met mijn schoonvader, Frank senior, en nam een foto mee van de zerk die ik had uitgekozen. Ik liet hem zien waar het kruis zou komen, de naam, zijn geboorte- en sterfdatum en de ruimte voor mijn naam.

'Mijn hart zal breken als jij daar ook belandt, Claudia,' zei Frank. 'Jij moet een nieuw leven beginnen.'

Ik was ruim anderhalf jaar getrouwd geweest. Ik wilde die ruimte met alle geweld openhouden. Iets anders kon ik me niet voorstellen.

Ik had het volgende grafschrift uitgekozen: 'Leven wordt niet afgemeten aan het aantal keren dat je ademhaalt, maar aan de keren die je de adem benemen.' Een vriendin had me een kopie van het citaat gestuurd omdat het haar aan Bart deed denken. Ik was het ermee eens. Mijn man zou gruwen van het traditionele beminde man, zoon, broer, vriend. Dit grafschrift klonk tenminste als Bart.

In de zomer dat we elkaar leerden kennen, was ik zevenentwintig. Destijds ging mijn zus Marcella uit met haar latere man John Crewe (JC), Barts huisgenoot. Die zomer huurden wij vieren en twintig goede vrienden een huis aan het strand in Westhampton. We waren jong en stonden rood, dus we dachten: hoe meer zielen, hoe meer vreugd.

Zo leerde ik Bart kennen, aan zee, in de zon, bij het zwembad.

Dit kwam ik die zomer over Bart te weten: hij was opgegroeid op Long Island, in een plaatsje vlak bij het mijne, en ongeveer in dezelfde tijd als ik naar de City verhuisd. In dat huis aan het strand was Bart degene die het voortouw nam: hij bereidde altijd de feesten voor, schreef de boodschappenlijstjes en stond achter de barbecue. Die zomer kreeg hij de bijnaam 'Leisure Boy' – Vrije Jongen – omdat hij destijds eigenaar was van een visverpakkingsbedrijf en die week vanuit het huis aan het strand kon werken. Als de rest uitgeput van kantoor kwam, stond Bart al te wachten: gebruind, ontspannen en met een cocktail in de hand. En zelfs als hij een keer terug moest naar de City, verzon hij wel een smoes om tot zondagavond laat te blijven en haalde hij een van ons over om voldoende nuchter te blijven om hem erheen te rijden.

Bart en ik hadden die zomer allebei iets met iemand anders, dus ik koesterde geen romantische gevoelens voor hem. In plaats daarvan raakten we bevriend. Door de week belde Bart me dikwijls op voor tips over waar hij zijn vriendinnetje mee naartoe kon nemen. Ik weet nog wel dat ik die bewuste zomer op zeker moment naar hem keek en hem op een flitsende manier knap vond, zoals Cary Grant. Hij was lang en slank, had donkerbruine ogen, een bril met een dun metalen montuur en een Romeinse neus. Op achtentwintigjarige leeftijd had hij al een flinke bos peper- en zoutkleurig haar, wat hem iets gedistingeerds gaf. Hij zag er altijd onberispelijk uit, zelfs op het strand. Zijn poloshirts en vouwloze kakibroeken waren steevast kreukloos. Hij had een zeker charisma en een ongelooflijk gevoel voor humor. Maar hij was de huisgenoot van het vriendje van mijn zus. Hij was gewoon te dichtbij om hem anders te zien dan als een vriend.

De zomer liep ten einde, maar we bleven contact houden, voornamelijk via Marcella en JC. Ik was altijd oprecht blij als ik Bart tegen het lijf liep.

In de loop van dat najaar, om precies te zijn op 20 november, belde Marcella me op om te zeggen dat ze een kaartje over had voor een whiskyproeverij in Soho. Geweldig. Ik verheugde me erop om wat qualitytime met mijn zus door te brengen. Zojuist was de man met wie ik omging – iemand die ik bijzonder had gevonden en die op het eerste gezicht veel in huis leek te hebben – een doorslaande teleurstelling gebleken. Ik was gehavend door de verbroken relatie en was er belabberd aan toe. Ik ging ervan uit dat alleen Marcella en ik van de partij zouden zijn en dat ik die avond bij mijn zus mijn hart kon uitstorten.

Toen ik in het Puck Building arriveerde, bleek Marcella daar met JC en Bart te zijn. Marcella en JC waren in die irritante, kleffe fase van hun verliefdheid en ik wist dat ik niet echt in de stemming was om de avond met het gelukkige paar door te brengen. Gelukkig was ik wel in de stemming om whisky te proeven.

En Bart was er tenminste, die er even nonchalant als anders uitzag. Donkerblauwe blazer, antracietkleurige broek en een geblokt overhemd: een sportieve combinatie voor een avondje stappen met vrienden.

De laatste keer dat ik Bart had gesproken, had hij het net uitgemaakt met zijn vriendin en had ik hem getroost. Nu waren de rollen omgedraaid. Bart was meelevend, maar op zo'n typisch mannelijke manier. Zijn voornaamste raad was: 'Hé, Claude, bekijk het gewoon positief, die vent is gewoon een sukkel...'

We maakten de ronde door de zaak en ondertussen praatten we elkaar bij. Aan het eind van de avond moesten we meer whisky hebben weggewerkt dan goed voor ons was. Toch vond Bart dat er nog wel een slaapmutsje bij kon. Hij stelde voor om met z'n vieren naar de Temple Bar aan de overkant te verkassen, een donker, sexy café in het centrum.

Marcella en JC bleven niet lang. Al na een paar slokjes glipten ze weg om alleen te zijn. Ik weet nog dat ik me duizelig voelde toen mijn zus en JC eenmaal weg waren, en niet alleen door de whisky. Het klikte tussen mij en Bart; de snedige opmerkingen vlogen over en weer.

Op een zeker moment draaide Bart zich naar me toe en zei: 'Volgens mij ben je met me aan het flirten, Claudia...'

'Je bent niet goed wijs,' antwoordde ik lachend.

Voordat ik het wist, kuste Bart me vol op de mond. Ik moest weer lachen en zei dat hij dat niet verkeerd moest opvatten.

Maar hij bleef me kussen. Bart bleek voortreffelijk te kunnen zoenen.

We bleven tot de laatste ronde. Toen het tijd werd om te vertrekken, namen we samen een taxi en we bleven elkaar de hele weg naar mijn huis zoenen. Maar toen we bij mijn appartementencomplex waren, vroeg ik Bart om de een of andere reden niet om mee naar binnen te gaan. Hoe leuk het ook was geweest, het kwam niet bij me op dat we ooit iets anders zouden zijn dan vrienden. Voordat ik uitstapte, liet ik Bart zweren om niets tegen Marcella en JC te zeggen over wat er tussen ons was voorgevallen. Hij beloofde het.

En ja hoor, Bart belde me de volgende dag al op, maar ik was de hele week bezet. Ik wist dat ik hem de vrijdag daarop zou zien op een surpriseparty waar ik met Marcella en JC heen zou gaan.

Op dat feest kwam Bart naast me staan en hij pakte mijn hand.

'Wat doe je nou?' vroeg ik. 'Iedereen kan het zien.'

'Maak je geen zorgen,' zei Bart. 'Ik heb je zus al de volgende dag over ons verteld.'

Geweldig. Nu moest ik mijn zus bekennen dat ik haar de hele week niets had gezegd.

Ik ging haar zoeken.

'Maak je niet dik,' zei Marcella. 'Bart belde me de volgende dag al op om te vertellen dat hij je had gekust. O, en daarna zei hij dat hij met je ging trouwen.'

Ik kon nog altijd niet geloven dat Bart zijn mond voorbij had gepraat. Ik ging weer terug om hem ervan langs te geven.

De volgende morgen werd er een enorm boeket spierwitte lelies bij me bezorgd. Er zat een handgeschreven briefje van Bart bij. Er stond op dat het hem speet, maar dat hij geen spelletjes wilde spelen. Geïntrigeerd en, moet ik bekennen, gevleid, belde ik hem om te bedanken. We babbelden een poosje en maakten een echte afspraak voor de volgende week.

Het was de vooravond van Thanksgiving en we waren allebei op Long Island op bezoek bij onze ouders. Hij haalde me op bij mijn moeder en we reden naar een plaatselijk restaurant. Omdat we al vrienden waren, konden we ongedwongen met elkaar praten. Het was voor het eerst dat we echt samen gingen eten. Onder het eten moest ik mezelf bekennen dat Bart iets ongelooflijk speciaals had. Hij sprankelde. Hij maakte me aan het lachen. De volgende dag zou hij naar Londen en Praag gaan.

Net als ik was hij dol op reizen. Het afspraakje draaide erop uit dat we elkaar weer zoenden; dit keer op de divan bij mijn moeder, als een stel tieners.

Na die avond hielden we ermee op om geheimzinnig te doen over onze relatie en werden we een stel. Op een dag keek ik op en besefte ik dat ik uitging met mijn beste vriend, mijn zielsverwant en iemand die me het gevoel gaf dat ik honderd procent bemind werd. Er waren geen geheimen tussen ons, geen stiekeme vriendinnetjes van wie ik nog niet wist. Verliefd worden op Bart ging vanzelf. Onze reeds drukke sociale levens vloeiden snel in elkaar over. We vonden het heerlijk om iedere avond uit te gaan. Onze agenda's waren maanden van tevoren volgeboekt. We zeiden nergens nee tegen. Of je op de valreep dinsdagavond wilde komen? Ja. Of je een dagje naar Newport op Rhode Island wilde? Ja. We waren altijd in beweging.

Het leven was goed. Ik was dol op de levenslustige energie van mijn vriend. Barts naam werd onder zijn vrienden als bijvoeglijk naamwoord gebruikt. Iets was 'zo Bart'. Baan opgezegd, nog geen ander werk en toch een zwarte Mercedes leasen? 'Heel Bart.' Tachtig vrienden voor een vakantiefeest in een appartement van zeventig vierkante meter? 'Erg Bart.' Pakken van bobbeltjesstof en tweekleurige schoenen bij een barbecue? Je begrijpt het al. Het is geen toeval dat Bart New York City als thuishaven had gekozen. New York met zijn geweldige restaurants en cafés, zijn zwierige energie en glamour was echt een stad voor hem.

Bart had de gave om van het leven te genieten zonder zich al te veel zorgen om de gevolgen te maken. Neem zijn eetgewoonten. Mijn man had een eclectische benadering van de voedselpiramide. Zijn basisbehoeften waren biefstuk, kalfslapjes, whisky en goede wijn. Hij weigerde fruit of groente te eten. Zelfs nu, vier jaar na zijn dood, komen zijn vrienden nog altijd de eerste donderdag van de maand bij elkaar in The Grill

van Smith and Wollensky om zijn levensstijl te vieren. Ondanks zijn gebrek aan belangstelling voor groenvoer was Bart
een geweldige kok en zette hij in recordtijd een exquise maaltijd op tafel. Wanneer we niet uit eten gingen, trof ik bij thuiskomst een heerlijke dis die hij voor me had bereid. Onder
voortdurende pressie wilde hij wel wat groenten voor me klaarmaken.

Hoewel Bart was toegewijd aan zijn eigen bedrijf, kreeg hij
na onze kennismaking een baan in Wall Street aangeboden. Hij
wist dat hij het zou missen om eigen baas te zijn, maar nam de
baan toch aan. Bart was niet gefixeerd op werk, integendeel. Hij
bewaarde zijn hartstocht altijd voor mensen, en familie en vrienden waren het middelpunt van zijn leven. Bart had vrienden van
elke lagere school, middelbare school, universiteit en baan die
hij ooit had bezocht en gehad. Hij was het type dat contact hield
met al zijn ex-vriendinnen. Hij organiseerde vakantiehuizen aan
het strand of in skigebieden, nam altijd mensen mee en betrok
steevast anderen in zijn leefkring. Bart was altijd degene die feesten organiseerde.

Zijn levensfilosofie was aanstekelijk. Toen ik hem net kende,
werkte ik voor een klein, Italiaans modebedrijf in een team dat
voelde als familie. Ik verdiende niet veel, maar ik was een toegewijde werknemer, deed overwerk en werkte vaak in het weekeinde. Toen Cole Haan me wilde rekruteren en me een aan-
zienlijke salarisverhoging bood, wilde ik de baan eerst niet
aannemen. Ik zei tegen Bart dat ik me lekker voelde waar ik was
en het niet zag zitten om voor een grotere firma te werken. Bovendien zou ik het missen om een paar keer per jaar voor mijn
werk naar Italië te gaan.

Bart zag het anders. 'Wij zijn niet van die mensen die leven
om te werken, Claudia. Wij werken om te léven.'

Bart wees me op alle extra reisjes die we dankzij mijn nieuwe
salaris konden maken. We konden best naar Italië gaan, maar
dan op vakantie. Ondanks mijn aanvankelijke weerstand besloot
ik de nieuwe baan toch aan te nemen, en ik stond versteld van

het zelfvertrouwen waarmee ik over de arbeidsvoorwaarden onderhandelde en mezelf een nieuwe reeks verantwoordelijkheden aanmat. Ik had mezelf altijd beschouwd als iemand met zelfvertrouwen, maar zoals bij zoveel jonge mensen was mijn bravoure dikwijls een masker voor mijn onzekerheid. Bart hielp me mijn zelfvertrouwen te bolsteren. Hij gaf me de liefde, de steun en de aanmoediging die me deden geloven dat alles mogelijk was.

Op een tintelfrisse lentedag in maart 1999 vroeg Bart me in Central Park ten huwelijk. We waren naar een afgelegen plekje op een grashelling bij de vlaggenmast gewandeld, toen Bart zich op één knie liet zakken en iets uit zijn jaszak haalde. Ik hoefde niet na te denken over mijn antwoord.

We begonnen aan de voorbereidingen voor de trouwerij, voor ons leven samen. Ik wist dat ik de rest van mijn leven met deze man wilde doorbrengen. Wat me in Bart aantrok, was zijn aangeboren vastbeslotenheid om zonder verontschuldigingen te leven. Het is bijna altijd makkelijker om de weg van de minste weerstand te kiezen, om te bestaan in plaats van te leven, maar Bart wist hóé je moest leven. Met een griezelig voorgevoel besefte hij dat iedereen maar een beperkte hoeveelheid tijd in deze wereld krijgt toegewezen, en dat we stuk voor stuk iedere dag zelf de moeite waard moesten maken.

Voor mij is het ook belangrijk om het leven niet tussen mijn vingers door te laten glippen zonder zo veel mogelijk te ervaren. Volgens mij nemen mensen die op jonge leeftijd een ouder verliezen wel vaker zo'n houding aan. Ik was negentien en net klaar met mijn tweede jaar op Maryland, toen ik het bericht kreeg dat mijn vader onverwacht aan een hersenbloeding was overleden, terwijl mijn ouders op vakantie in Italië waren. Hij was pas tweeënvijftig. We begroeven hem op de vijftigste verjaardag van mijn moeder. Ik weet nog dat ik naar mijn oom Nick keek, de enige broer van mijn vader, en besefte dat hij van de ene op de andere dag grijs was geworden. Voor mij was dat het eerste te-

ken dat verdriet mensen onaangekondigd en in een oogwenk totaal kan veranderen.

Ik had mijn ouders altijd als gelijken beschouwd en mijn moeder als een sterke, extraverte persoonlijkheid. Maar toen mijn
vader stierf, veranderde alles. Zonder haar man Sal verloor mijn
moeder de wil om te leven. Het kostte haar twee jaar voordat
het tot haar begon door te dringen dat hij er niet meer was. Als
ik 's morgens beneden kwam, trof ik mijn moeder al huilend aan
de keukentafel, en soms kwam ze zelfs helemaal haar bed niet
uit. Ze weigerde het huis uit te gaan en auto te rijden. Ze wilde geen televisie of radio aan hebben. Ze kon niet slapen. Ze
viel af en was in alle opzichten steeds minder zichzelf. In die tijd
huilde ze of sloot ze zich af. Je kon haar regelmatig horen jammeren. Dan zeiden we: 'Hou op met dat gejammer, mam.' En
dan zei ze: 'Jammerde ik?'

Ontredderd zei mijn moeder tegen ons dat ze niets meer had
om voor te leven, dat het leven zonder haar man geen waarde
had. Ik weet nog hoe boos ik werd wanneer ze dat zei; alsof mijn
vaders leven meer waard was dan het hare.

Mijn vader, Salvatore Gerbasi, had ons hele huis met zijn aanwezigheid gevuld en vervolgens vulde hij het met zijn afwezigheid. Mijn zus en ik misten hem ongelooflijk. Hij was echt zo'n
gezellige vader die altijd plannen maakte, altijd feesten gaf en
mensen uitnodigde; hoe meer zielen, hoe meer vreugd. Hij was
een ongelooflijk dynamische, populaire, extraverte man, met een
tomeloze energie. Hij was een meter vijfentachtig en had een
grote bos golvend grijs haar, lichtbruine ogen en een bril met
een zwart montuur. Hij had brede schouders, kolossale handen
en schoenmaat 46 plus. Door zijn imposante postuur kwam hij
nogal intimiderend over op mensen, maar dat was hij helemaal
niet. Kleine kinderen waren misschien heel even bang in zijn
buurt, maar al gauw beseften ze dat hij in wezen gewoon een
goeie sul was, zodat ze in een oogwenk als was in zijn kolen-
schoppen waren.

Toen ik opgroeide, waren mijn vader en ik elkaars handlangers. Ik was zijn trouwe hulpje. Wanneer mijn vader zei: laten we op vakantie gaan, belde ik de luchtvaartmaatschappijen om achter de goedkoopste tarieven te komen. Als mijn vader zei: Ik wil vanavond kreeft eten, dan was ik de eerste die in de auto zat om drie kwartier met hem mee te rijden naar de haven, waar ze die vers uit zee haalden. Toen ik klein was, leerde hij me backgammon en *gin rummy* spelen. Toen we met z'n allen op vakantie in Puerto Rico waren, won ik de backgammoncompetitie van het hotel tegen een man van zestig. De hoofdprijs bestond uit twee flessen rum. Ik was twaalf. Ik was zonder meer mijn vaders dochter. In de zomer van mijn eerste jaar aan de universiteit mocht ik voor hem werken. Toen hij weigerde me opslag te geven, zegde ik het baantje op met de mededeling dat ik ander werk zou zoeken dat beter betaalde. Ik ging huis aan huis vleesmessen verkopen en verdiende drie keer zoveel. Mijn vader was nog nooit zo trots op me geweest.

Mijn moeder is een verbazingwekkende vrouw. Toen ze kinderen had gekregen, hing ze haar loopbaan als lerares aan de wilgen om fulltime moeder te worden, een besluit waarvan ze nooit spijt heeft gehad. Maar dat betekende wel dat mijn vader de enige kostwinner was. Zoals zoveel vrouwen van haar generatie was mijn moeder niet financieel onafhankelijk. Mijn vader had altijd de rekeningen betaald en voor alles gezorgd. Hij waande zich onsterfelijk. Na zijn dood brachten mijn zus en ik samen met mijn moeder vele uren door met het uitpluizen van de familiefinanciën, in een poging om de uitgaven op een rijtje te krijgen en een huishoudbudget te creëren.

Voor mijn moeder was het een verschrikkelijke tijd. Ze zei altijd dat ongeluk in drieën kwam. Zij was de derde jonge weduwe in onze familie. Zowel haar moeder als grootmoeder had haar man verloren. Mijn overgrootmoeder was negenentwintig toen haar man stierf aan de griep en zij achterbleef met vier jonge kinderen. Vervolgens had je mijn grootmoeder. Een jaar na hun huwelijk kreeg haar man kanker. Ze was vijfendertig toen hij stierf en haar dochter, mijn moeder, was toen vijf. Ik had heel veel verhalen over mijn grootmoeders gehoord toen ik opgroeide. Voor mij en mijn zus waren ze rolmodellen geworden: sterke, onafhankelijke, hardwerkende vrouwen die hun lot stoïcijns accepteerden.

Nu was het door een onvoorstelbare gril van datzelfde lot mijn beurt.

Niets kan je voorbereiden op de dingen die je in het leven te wachten staan. Hoe hard je ook je best doet, er duikt altijd iets op wat je begrip te boven gaat, zelfs wanneer het achter de rug is en je kunt terugkijken.

De ochtend van 11 september om 8.46 uur ging de telefoon. Het was Bart. Ik lag nog in bed in ons appartement in *midtown* en was versuft en half in slaap. 'Moet je dit horen,' zei Bart en hij hield de hoorn in de lucht. Ik hoorde alleen maar een hoop kabaal, maar dacht dat er een soort grap op de beursvloer werd uitgehaald. Nadat ik voor mijn gevoel minutenlang had gewacht, hing ik op. Hij belde direct weer. 'Heb je net opgehangen? Weet je niet wat er aan de hand is? Zet de tv aan, Claudia. Er heeft zich een vliegtuig in ons gebouw geboord.' Bart dacht dat het een klein privétoestel was en klonk eerder geïrriteerd dan wat ook. 'Mij mankeert niets, dat wilde ik je alleen even laten weten. Het is hier een gekkenhuis. Ik moet ervandoor.' Vervolgens hoorde ik een soort aankondiging op de achtergrond. Bart zei: 'Ik moet weg', en hing op. Sinds de allereerste keer dat Bart had gezegd dat hij van me hield, besloten we nooit een telefoongesprek zonder 'ik hou van je' te zeggen. Opeens kreeg ik een heel akelig voorgevoel, maar dat verdrong ik. Bart had een tikje geërgerd geklonken, maar toch voornamelijk kalm en beheerst. Hij klonk typisch Bart.

Ik wentelde me op mijn andere zij en zette het journaal aan. Ik zag een van de Twin Towers van het World Trade Center in brand staan. Omdat Bart had gezegd dat hem niets mankeerde, zette ik de douche aan en stond op het punt om eronder te stappen toen mijn zwager Larry belde. Ik zei dat hij zich geen zorgen hoefde te maken, dat ik Bart had gesproken en dat hem niets mankeerde. Larry's kantoor staat in New Jersey, recht tegenover de Twin Towers en hij besefte dat de enormiteit van het gebeurde nog niet tot me was doorgedrongen. Hij bleef maar herhalen: 'Dit ziet er vreselijk uit, Claudia.' Ik hield mijn blik op de tv. Opeens zag ik een wolk van vuur uit de South Tower barsten en ik hoorde Larry zeggen: 'Godverdomme, wat was dat?' Ik bleef proberen hem gerust te stellen: ik had Bart gesproken en hij was al op weg naar buiten.

Ik hing op en zette de douche uit. Ik kon vandaag wel iets later op mijn werk komen. Ik begon mijn familie te bellen om ze te laten weten dat ik Bart had gesproken en dat hij in orde was. Mijn moeder wist ook van niets en ik zei dat ze de tv moest aanzetten. Ik hoorde het woord 'terrorisme' vallen in de *Today Show* en dacht: dit kan niet gebeuren. Paulette, een vriendin van ons, belde en ik zei dat het wel goed zat met Bart, maar ze bood aan te komen en samen met mij te wachten tot hij thuiskwam.

Ik weet nog vaag dat Paulette kwam. Ik zal de precieze volgorde van de gebeurtenissen van die dag hebben verdrongen. Volgens Paulette was ze naar de keuken gegaan om een glas water voor me te halen toen Tower One instortte. Ik was aan de telefoon met Barts zus Kathleen, en Paulette hoorde me uit alle macht gillen: 'Hij is net ingestort! O mijn god! Hij is ingestort! Barts gebouw is ingestort!!'

Op een gegeven moment arriveerde mijn zwager JC. Hij had de mouw van zijn overhemd afgescheurd om zijn gezicht te bedekken tegen de rook. Onze vriendin Chrissy wankelde ook naar binnen. Ze waren te voet van Wall Street naar midtown gekomen. De blik in hun ogen verried nauwverholen afgrijzen.

Uiteindelijk zei iemand dat ik me moest aankleden. Vrienden druppelden een voor een binnen met sterkedrank, voedsel, papieren borden, tandenborstels en bloemen.

Iemand vroeg of ik nog iemand kende om informatie in te winnen. Bart werkte pas zes maanden bij Cantor Fitzgerald en eigenlijk kende ik nog geen collega's. Toen herinnerde ik me Ward Haynes. Ik had hem twee keer ontmoet, omdat hij al eerder een collega van Bart was geweest, in diens vorige baan. Ward was pas een maand daarvoor bij Cantor begonnen. Ik weet nog dat Bart over Ward sprak als 'de burgemeester van Rye' omdat hij iedereen in die kleine voorstad van New York kende.

Ik belde inlichtingen en kreeg het nummer van Ward Haynes. Een vrouw nam op. Ik vroeg naar Wards vrouw en legde uit dat mijn man en Ward op kantoor naast elkaar zaten. De vrouw vroeg me aan de lijn te blijven, dan zou ze Ann meteen halen.

Ann zei dat ze niets van Ward had gehoord, maar dat ze erg blij was dat ik haar had gebeld en om te horen dat ik Bart had gesproken. We hadden allebei het gevoel dat Ward ook in veiligheid was omdat onze echtgenoten naast elkaar zaten. We spraken af om elke dag contact met elkaar op te nemen.

Ik weet nog dat ik iemand om een uur of drie 's morgens in mijn bed liet slapen. Ik bleef op de bank – met het gezicht naar de deur – voor het geval Bart zou binnenkomen. Het was niet bij me opgekomen dat hij misschien niet thuis zou komen.

Bart en ik hebben vrienden bij de geheime dienst en de volgende dag belde ik hen voor het geval er nieuws was dat de media achterhielden. Volgens geruchten waren er mensen in het winkelcentrum onder de torens. Ik besloot dat Bart de winkel van Duane Reade had gehaald en best een week op Oreo-koekjes en cola light kon overleven.

De volgende zeven dagen was het een constant komen en gaan van mensen in ons appartement van zeventig vierkante meter. We hadden een eigen researchploeg. We belden alle ziekenhuizen in de stad. Er gingen mensen kaarten halen voor onze mobiele telefoons en naar Kinko's om kopieën van oproepjes te maken; ik kreeg alle hulp. Ik keek eindeloos naar herhalingen van de beelden van de instortende torens en speurde de menigte af naar het gezicht van Bart, om te kijken of hij eruit was gekomen.

Ik had één regel: je werd alleen in ons appartement toegelaten als je geloofde dat Bart nog in leven was. En ik wilde niemand zien die hysterisch was. Marcella en JC hielden me continu gezelschap en halverwege de ochtend droeg Marcella me steeds op om een douche te nemen. Dan draaide ik de kraan aan en ging ik op de grond zitten huilen tot ik geen tranen meer over had. Natuurlijk hoorde iedereen in huis me, maar ik had het gevoel dat het de enige plek was waar ik alleen kon zijn. Het was het enige moment van de dag waarop ik me volledig liet overspoelen door de enormiteit van wat er gebeurde en me helemaal kon laten gaan.

In die week ging ik kennismaken met Ann in het Pierre Hotel, waar Cantor een crisiscentrum had ingericht. We hadden elkaar snel gevonden en vielen elkaar in de armen. Hoewel we met vrienden en familieleden naar het hotel waren gekomen, wilden we eigenlijk alleen maar bij elkaar zijn. We bleven elkaar hoop geven. Later op de avond trok Larry mé naar de slaapkamer en zei: 'Claudia, vroeg of laat moet je misschien de mógelijkheid overwegen dat Bart misschien niet thuiskomt.' Ik zei dat ik het niet op zou geven zolang burgemeester Giuliani zei dat er nog hoop was.

Op dinsdag de achttiende, precies een week na 11 september, kwam de burgemeester rond het middaguur op de televisie om te zeggen dat er 'geen reële hoop op overlevenden' meer was. Het leek wel alsof er een lading bakstenen op mijn borst viel. Ik ging in kleermakerszit op de grond zitten en liet mijn hoofd op mijn knieën zakken. Niemand kon iets uitbrengen. Kathleen sloeg haar armen om me heen, hielp me overeind en liep met me naar buiten.

We liepen naar een beschut zitje aan de East River. Het was weer zo'n prachtige dinsdag in september met een strakblauwe lucht en vanaf het water kwam een briesje. We bespraken wat voor dienst Bart zou willen. Die zou in Manhasset moeten worden gehouden, waar ik was opgegroeid, vlak bij Port Washington, waar Bart in zijn jonge jaren had gewoond. Ik zou Larry, die getuige was geweest op onze trouwerij, vragen een toespraak te houden. Ik weet nog dat Bart, toen zijn stiefvader Julius het jaar daarvoor was gestorven, zich naar me omdraaide en zei: 'Ik zou echt nooit een wake willen, Claude. Als ik doodga, wil ik dat je een feest geeft en niet vergeet om "My Way" van Frank Sinatra te draaien.' Ik moest lachen en zei dat hij gek was. Wie was er nu gek?

Er was een overweldigende hoeveelheid herdenkingsdiensten in de kerk van Manhasset. Bij de terreuraanval waren bijna vijftig mensen uit mijn geboorteplaats omgekomen. We moesten nog een week op Barts dienst wachten. Intussen wilde niemand me alleen laten. We bedachten het scenario van de dienst en de receptie; een boekje met een aantal favoriete citaten van Bart om in de kerk uit te reiken. Foto's. Een diashow. Muziek.

Toen ik Barts vader opzocht, wist ik helemaal niet meer waar ik het zoeken moest. Die hele eerste week had ik Frank senior verzekerd dat zijn zoon nog leefde. Ik had Frank herhaaldelijk gebeld om te zeggen dat ik diep vanbinnen wist dat Bart niets mankeerde, dat we de hoop niet op zouden geven. Toen ik Barts vader zag, kon ik niet stoppen met huilen. Op de een of andere manier had ik het gevoel dat ik hem had laten zitten.

Ik weet nog dat ik op de dag van de dienst met Barts moeder Pat door het middenpad liep. We moesten op elkaar steunen om overeind te blijven. Er waren heel veel mensen in de kerk, ontelbaar veel. Wie zal het zeggen? Meer dan duizend?

Ook Ann was bij de dienst. Ik vond het vreselijk belangrijk om bij haar te zijn. Hoewel vele familieleden en vrienden bijeen waren gekomen om Bart te gedenken en mij te steunen, wilde ik eigenlijk alleen met Ann praten en dat had ik ook nodig. Zij was echt de enige persoon die wist hoe ik me voelde. We hadden gezegd dat we, wat er ook gebeurde, ons lot zouden delen. En hier waren we dan.

De avond na Barts herdenkingsdienst besloot ik een van de 24-uursdiensten van slachtofferhulp te bellen. Ik was bij mijn zus en glipte naar de logeerkamer om te bellen. Een vrouw nam op. Ik probeerde de woorden over mijn lippen te krijgen en uit te leggen waarom ik belde. De vrouw aan de andere kant van de lijn bleef maar zeggen: 'Wat? Ik kan u niet verstaan...'

'Mijn man... is... vermoord... op 11 september.' Het was voor het eerst dat ik het woord 'vermoord' gebruikte. Ik viel bijna van het bed door de schok van de enormiteit van het woord dat uit mijn mond kwam.

De vrouw gaf me het nummer van een therapeut in de City en ik maakte een afspraak met hem voor de volgende dag.

Op de dag van de afspraak had ik amper benul van wat ik deed. Ik nam een taxi naar de praktijk van de therapeut. Ik was nog nooit in therapie geweest.

De therapeut kwam uit zijn kamer en begroette me in de wachtkamer. Het was een kleine man met een bril en zwarte krullen. Ik nam plaats in zijn praktijkruimte en liet de woorden eruit tuimelen. Ik huilde. Ik vertelde over Bart en zei hoeveel ik van hem hield. Ik zei tegen de therapeut dat ik bang was om gek te worden. Dat ik nooit meer gelukkig zou worden, dat ik alle kansen op een gezin kwijt was. Het was alsof iemand mijn hele toekomst had geselecteerd om vervolgens op delete te drukken.

De therapeut knikte en zei af en toe: 'Mm'.

Ik bleef maar praten; het was een stortvloed van pijn.

Halverwege de sessie zei de therapeut het volgende:

'Claudia, op een gegeven moment zul je de draad van je leven weer moeten opvatten. Je wilt niet eindigen als een oude Italiaanse weduwe in het zwart die de hele dag op haar stoepje zit.'

Daarna sloot ik me af en wachtte ik tot de sessie voorbij was.

Ik ging naar huis, waar Bart moest zijn, maar waar Bart niet was. Klootzak, klootzak, klootzak. Mijn razernij voelde als een mes dat door mijn ingewanden kerfde. Ik was razend op de therapeut, ik was razend op de terroristen, ik was razend op de wereld. Ik trok mijn kleren uit en stapte onder de douche. Ik ging in de badkuip zitten zodat ik mijn hoofd tussen mijn knieën kon laten zakken en het water op me neer kon laten stromen. Ik kon alleen maar huilen.

Uiteindelijk lukte het me om onder de douche vandaan te komen en Marcella te bellen. Ze vroeg hoe het bij de therapeut was gegaan. Ik zei dat de man een eikel was en dat ik nooit meer naar hem toe zou gaan. Geen wonder dat de man gratis sessies bood. Wie wilde zo iemand betalen?

Wanneer er herinneringen aan dat eerste jaar bovenkomen, is het in een verwarde kluwen. Ze komen zonder enige volgorde opzetten omdat er geen gevoel van volgorde wás, alleen maar een reeks momenten die ik moest doorstaan. Ik herinner me dat de huid op mijn gezicht ruw en gevoelig was van de tranen. Dat mijn lichaam vanbinnen pijn deed van het huilen; ik was schor van het verdriet. Alles aan mijn lichaam en persoonlijkheid voelde anders; mijn hoofd voelde anders, mijn gezicht, mijn haar. Mijn lichaam deed zeer van mijn kaken tot de puntjes van mijn vingernagels. Wanneer ik in de spiegel keek, had ik naar mijn gevoel niets gemeen met die vreemde, van afgrijzen vervulde vrouw die me aankeek.

Ik moest iets van mijn man horen. Hij moest me bellen om te zeggen dat hem niets mankeerde, dat het allemaal goed zou komen. Bart placht wel tien keer per dag te bellen; hij was een echte telefoonjunk. We hadden continu contact. Aan het eind van de werkdag ging mijn telefoon altijd over. Het was altijd Bart, om te zeggen dat ik nog acht minuten had om naar huis te lopen, dat hij net water op had gezet om de pasta te koken, of dat hij zojuist een biefstuk onder de grill had gezet, of om te vragen hoe laat ik naar huis zou komen zodat we samen konden eten. Nu bleef de telefoon zwijgen, maar hield ik mijn innerlijke dialoog met Bart toch gaande, evenzeer uit liefde als uit gewoonte. Hallo, schat, hoe is het? Ik sta nu op; ik ga mijn haar wassen. Ik weet dat je graag wilt dat ik mijn haar was. Oké, nu dan...

De nachten waren een bezoeking. Ik lag met een malend hoofd wakker, of ik droomde tegen zonsopgang, wanneer ik eindelijk toch in slaap was gevallen, van brandende gebouwen waarin ik gevangen zat, waarbij ik de hitte van de vlammen lichamelijk kon voelen. Ik slikte slaappillen om het bewustzijn een paar uur op afstand te houden, maar niets anders. Ik weigerde andere medicijnen te slikken om die lawine van pijn te onderdrukken.

'Mijn man is vermoord,' zei ik tegen mensen die me aanrieden om hulp te zoeken. 'Het is normaal dat ik verdrietig ben.'

De hulp waarnaar ik hunkerde, kon niemand me geven. De dagen waren een boosaardige, eindeloze kwelling. Gewoon om de tijd te doden ging ik weer aan het werk, en ik volgde een hersenloze routine van opstaan, naar mijn werk gaan, proberen te functioneren en weer naar huis gaan.

Ik zorgde ervoor dat mijn avondprogramma gevuld was. Van maandag tot en met donderdag ging ik uit, omringde ik me met mensen en bleef ik bezet. In het weekeinde liet ik mezelf gaan. Ik kroop onder de dekens en keek urenlang tv, nam niet één keer een douche, at geen hap en van vrijdagavond tot maandagochtend nam ik de telefoon niet op. De weekeinden zijn om tijd met je man en je gezin door te brengen, en ik miste de kracht om bij mensen te zijn die hadden wat Bart en ik hadden móéten hebben. De telefoon liet ik overgaan. Mijn koelkast zat vol eenpersoonsmaaltijden en kwark. Bart had altijd de inkopen voor het eten gedaan, en alleen al van de gedachte om naar d'Agostino op First Avenue te gaan ging ik hyperventileren. Ik poetste niet eens meer mijn tanden voordat ik in een bed kroop dat opeens twee keer zo groot was geworden.

Ik richtte al mijn energie op de nagedachtenis van Bart en deed mijn uiterste best om die hoog te houden. Ik wilde met alle geweld een luciferboekje van alle restaurants waar mijn man en ik ooit hadden gegeten. In een taxi kon ik opeens 'stop!' tegen de chauffeur roepen als ik weer een restaurant zag waar we samen waren geweest. In heel New York kwamen taxi's met gierende banden tot stilstand zodat ik eruit kon springen om weer een boekje lucifers te gaan halen. Mijn vriendin Jules en ik bleven een keer op zaterdagavond tot de volgende morgen drie uur op om een in leer gebonden album vol te plakken met alle foto's en brieven die mensen me na Barts dood hadden gestuurd. Ik ben niet erg kunstzinnig, maar ik wist wel dat ik het perfect wilde hebben. Jules begreep dat dit het mooiste knipselboek aller tijden moest worden en dat elke foto exact in het midden van iedere pagina moest zitten. Die avond had ze een engelengeduld.

Hoewel ik in de mode werk, wilde ik elke dag per se iets van Bart dragen. Op de slechtste dagen betekende dit dat ik in een van zijn spijkerbroeken en zijn favoriete trui met v-hals van grijs kasjmier, die als een zak om mijn steeds dunnere lijf hing, op mijn werk verscheen. Ik herinnerde me dat mijn moeder er jaren over deed om door mijn vaders kleren te gaan, en vervolgens die treurige zondagmiddag toen ze het eindelijk deed: de ervaring bracht haar op de rand van een inzinking. In de maanden na Barts dood dacht ik: laat ik zijn kleerkast uitruimen nu ik nog verdoofd ben. Ik bewaarde de kleren die belangrijk voor me waren en gaf de rest weg aan zijn twee broers, Mark en Frank junior, en aan zijn beste vrienden. Van Barts chique overhemden liet ik een lappendeken maken, die ik urenlang omgeslagen hield, of het nu warm of koud was. Dezelfde naaister maakte van de resterende overhemden en dassen zeven teddyberen voor onze neefjes en nichtjes, zodat ze iets van hun oom hadden om vast te houden.

In december ging ik naar Miami, mijn eerste uitstapje sinds de dood van Bart. Kathleen had het reisje georganiseerd en de Fontana's gevraagd om mee te gaan. De Fontana's waren opgegroeid in het buurhuis van de familie van Bart, de Ruggieres. Ze beschouwden Bart als een broer. Ik kon me geen betere mensen bedenken om mee op reis te gaan, omdat ik het te pijnlijk vond om mensen in de buurt te hebben die Bart niet hadden gekend en niet van hem gehouden hadden. Ik wist dat ik nergens heen wilde waar Bart nooit was geweest. Ik werd heel boos van ervaringen die hij nooit zou hebben. Dus gingen we naar een hotel waar ik twee keer met mijn man was geweest, en het was een troost om te weten dat ik op een plek was waarvan hij had genoten. Ik kon me hem voor de geest halen op mijn kamer, aan de bar en bij het zwembad.

Ik bleef gericht op Bart, op zijn nalatenschap, op het doen van de juiste dingen. Op nieuwjaarsdag kocht ik het appartement dat we van zijn moeder hadden gehuurd. Ik was niet van plan om te verhuizen. Ik maakte plannen voor een verbouwing. Dat was een droom van ons geweest, dus wendde ik me tot Barts zus Kathleen, die binnenhuisarchitect is, om me te helpen. Dat was de enige manier waarop ik veranderingen in huis kon aanbrengen: samen met Kathleen besluiten nemen was bijna zoiets als dingen met Bart beslissen. Mijn man had een wonderbaarlijk oog voor de kleinste details. Kathleen en ik hadden Bart zo goed gekend dat we wisten of hij een staaltje of een monster mooi zou vinden. 'Heel Bart,' zeiden we dan. Het plan was om een muur uit te breken, de keuken leeg te halen, een bar te bouwen en een splinternieuwe badkamer te maken. Dit zou een eigen plek worden waarop Bart trots zou zijn.

Ik probeerde troost te zoeken in activiteiten die ik niet met Bart zou doen. Ik volgde een filmcursus omdat hij niet graag naar de bioscoop ging: zijn benen waren te lang voor de stoelen. Ik ging sushi eten omdat ik daarvan hield en Bart niet. Dit was mijn vorm van rebellie. Het werkte niet. Daarna probeerde ik cursussen te doen die Bart wél leuk zou vinden, zodat ik me dichter bij hem zou voelen. Ik volgde een wijnproefcursus omdat Bart dol op wijn was. Ik nam een theaterabonnement omdat Bart van experimenteel toneel hield. Ik volgde een schrijf-

cursus omdat ik dacht dat het therapeutisch was om mijn gevoelens op papier te zetten. Wat het onderwerp ook was, iedere week schreef ik toch weer over mijn dode man. Uiteindelijk
stelde de lerares voor om over iets anders te schrijven, dus
schreef ik over mijn dode vader. Ik kon het best!

Op een zeker moment besefte ik dat ik ging malen. Het was
duidelijk dat dat andere leven, het leven waaraan ik gewend was
geweest, zich elders afspeelde. Dit leven, waarin ik gevangen
zat, was gewoon een soort nachtmerrie, waaruit ik op een gegeven moment wakker zou worden. Tot die tijd was ik uit de
hemel naar de hel verbannen, zat ik gevangen in Dantes infer-
no. Net als ik dacht dat ik de diepste cirkel had bereikt, opende zich onder me weer een nieuwe. Er waren talrijke momenten waarop ik geloofde lichamelijk geen minuut meer te kunnen
verdragen.

Ik voelde hoe moeilijk het voor mijn moeder was om mij te
zien, omdat ze alles wist wat voor haar dochter in het verschiet
lag. Ze probeerde me nooit voor te schrijven wat ik moest doen.
Ze ried me alleen aan niets te proberen waartoe ik me niet in
staat achtte, mezelf nooit tot situaties te forceren waarvoor ik
de kracht miste, en vriendelijk voor mezelf te zijn. Ze was zich
meer dan wie ook bewust van mijn behoefte om op mijn manier
te rouwen.

Mijn moeder vroeg wel eens: 'Heb je niet het gevoel dat je je
identiteit kwijt bent?'

'Nee,' zei ik nadrukkelijk. 'Ik ben mijn zielsverwant, mijn
partner en mijn beste vriend kwijt, maar ik ben nog steeds ik.'

Ik was nog 'ik', maar wel een totaal uitgeklede versie. Wat
weg was, waren alle dingen die we hadden gepland. We zouden
die septembermaand naar Frankrijk zijn gegaan. Geannuleerd.
We zouden kinderen krijgen. Van de baan. We zouden samen
een huis gaan kopen. Afgeblazen. We zouden samen oud worden. Kans verkeken. De mythe van een lang en gelukkig leven
was geannuleerd. Mij was een gelukkig einde ontzegd, omdat
mijn man op een ochtend was opgestaan om naar zijn werk te

gaan. Als iemand mij kon uitleggen hoe ik daar mentaal greep op kon krijgen, graag.

Het duurde een poos voordat ik opnieuw individuele therapie probeerde. Eerst sloot ik me aan bij een praatgroep van gezinnen van Cantor Fitzgerald en nog een andere groep van 11-septemberweduwen. Ik was helder genoeg om te beseffen dat ik dankbaar gebruik moest maken van alle hulp die ik kon krijgen. Mijn vriendin Sarah haalde me over om, ondanks mijn aanvankelijke slechte ervaringen, individuele therapie nog een kans te geven. Ze ried me een intelligente, gevoelige therapeute aan, Cheryl Cornelius, die ik hoog heb zitten omdat ze me heeft geholpen een weg door het moeras te vinden.

Hoezeer ik die eerste therapeut ook haatte omdat hij het beeld van die 'oude Italiaanse weduwe op het stoepje' had opgeroepen, hij had wel een tere snaar geraakt. Die oude vrouw was wel het laatste wat ik wilde worden. Bart zou nooit willen dat ik veranderde in een bittere oude vrouw die het had opgegeven. Ik wist dat ik me gewonnen had gegeven als ik mezelf niet dwong om door te gaan. Elke dag was een gevecht, maar ik weigerde als een bang vogeltje thuis te blijven. Ik liet die terroristen me niet meer afnemen dan ze al hadden gedaan. Ik had de volle laag gekregen en was woedend, maar ook vastbesloten eroverheen te komen. Overleving werd een vorm van protest, overleving was het tegenovergestelde van moord, het tegenovergestelde van vernietiging, het tegenovergestelde van uitroeiing. Ze hadden Bart wel vermoord, maar mij zouden ze niet krijgen. Door de bittere ervaring van mijn moeders rouwproces wist ik dat ikzelf de architect van mijn toekomst moest zijn. Mijn leven zou zijn wat ik ervan maakte.

Mijn nieuwe vriendin Ann maakte daar deel van uit. We zouden elkaar helpen. We zouden krachtig zijn. Ik had nog nooit iemand ontmoet die zo ongelooflijk sterk, gracieus en moedig was. Ze was een vrouw die voor haar dertigste was gescheiden, op haar vijfendertigste een gehandicapt kind had gekregen en voor haar veertigste weduwe was geworden. Dwars door al die onvoorstelbare pijn en hartzeer heen zag zij al dat er nog hoop voor ons was. Ann bleef me aansporen sterk te blijven, goed voor mezelf te zijn, om alles te blijven doen wat me hier doorheen kon helpen, iets wat voor een kersverse weduwe buitengewoon moeilijk is.

Zij begreep hoe razend ik werd van mensen die het onderwerp niet ter sprake brachten. Mensen die me niet goed kenden, klapten vaak dicht en durfden er niet over te praten. Of ze zeiden iets wat hun ongemak verried. Mensen zeiden tegen me: 'Maak je geen zorgen, het komt wel weer goed.' Ze zeiden dat ze 'wisten hoe ik me voelde'. Mensen wilden doen wat ze konden; ze boden hun medeleven en steun aan. Maar ik kreeg de pest in wanneer iemand die advies bood geen idee had hoe het af zou lopen, of hoe ik me voelde, of wanneer iemand probeerde mijn verlies te bagatelliseren. Het ergste was de huisarts die ik al acht jaar had en die het lef had om te zeggen: 'Het had erger kunnen zijn. Je had ook negenendertig en dik kunnen zijn en gordelroos kunnen hebben.' Het behoeft geen betoog dat ik een andere dokter heb gezocht.

Zelfs wanneer ik onder familieleden of goede vrienden was, de mensen op wie ik me verliet, kon ik altijd voelen hoe moeilijk het voor hen was. Het was verschrikkelijk voor hen om mij zo te zien lijden. Ik begon terughoudend te worden hen met mijn steeds intensere verdriet te confronteren. Wanneer ik verstikt van tranen mijn zus belde en: 'Ik wil dit niet meer' zei, antwoordde Marcella: 'Hoe bedoel je? Ik ben binnen een halfuur bij je.'

Maar wanneer ik Ann met dezelfde mededeling belde, wist ze wat ik bedoelde. Wat een waardeloos leven. Ik wil dat er een eind aan deze dag komt. Ik wil gewoon in bed kruipen en doen alsof ik niet besta.

Bij Ann was ik veilig. Ze wist altijd de juiste woorden te vinden. Als ik bij Ann was, hoefde ik mijn extreme pijn niet te verdoezelen.

Eind oktober ontmoette ik Julia en in het nieuwe jaar Pattie. Die drie vrouwen werden mijn veilige haven. Ik troostte me met het besef dat Bart de rode draad was geweest die ons verbond. Op zijn werk zat hij naast Ward, de man van Ann. Hij kende Caz, de man van Pattie, via een wederzijdse vriendin, Chrissy. Tommy had hij leren kennen via een andere gemeenschappelijke vriendin, Maureen. Dat was een troost: Bart had de Weduwenclub bijeengebracht.

Ik wilde alles doen wat in mijn vermogen lag om in de geest van Bart verder te leven. Bart en ik hadden een motto: 'Zeg nooit dat je je geen vakantie kunt veroorloven, want herinneringen zijn onbetaalbaar.' Het jaar voor zijn dood waren we in Zwitserland, Italië, Puerto Rico, Florida en Colorado geweest en we hadden plannen om in september naar Frankrijk te gaan. Het reisje met de weduwen naar Scottsdale maakte deel uit van de voortzetting van zijn traditie.

Ik dank God voor de meisjes en voor het uitstapje dat na de herdenking op ons programma stond. De steun van de meisjes en de wetenschap dat we eropuit gingen, gaf me iets positiefs om me op te richten tijdens de weken die aan de bewuste dag voorafgingen.

De avond voor de eerste gedenkdag ging ik naar Il Mulino met Marcella, Kathleen en Peggy Fontana, een van Barts oudste vriendinnen, die de toespraak zou houden op de begrafenis die de volgende dag zou plaatsvinden. Ik wilde ieder jaar per se op 10 september naar Il Mulino om het glas op Bart te heffen. Dat was een ander soort herdenking, een gedenkdag ter nagedachtenis van Barts leven, niet van de omstandigheden van zijn dood.

Dit was het restaurant waar ik met Bart was geweest op de laatste avond van zijn leven.

Je moet een maand van tevoren een tafel bij Il Mulino reserveren, tenzij je het 'geheime nummer' kent. Hoewel Bart het nummer niet had, had hij altijd al een keer in dit oorspronkelijk Italiaanse restaurant met zijn verrukkelijke eten en vriendelijke bediening willen eten. Dus reserveerde hij op 10 augustus voor 10 september. Ik keek op mijn kalender.

'Dat is een maandag Bart, kunnen we niet in het weekeinde gaan?'

Bart antwoordde: 'Waarom zouden we wachten?'

Dankzij het aandringen van mijn man waren we er de bewuste maandagavond gaan eten met Kammer, Barts chef en vriend, en hadden we een fantastisch etentje. Aan het eind van de avond had Bart tot zijn verrukking het geheime nummer voor toekomstig gebruik bemachtigd. Toen we naderhand duizelig van de champagne thuiskwamen, bedreven we de liefde en vielen we in elkaars armen in slaap.

De volgende ochtend werd ik wakker met een lichte hoofdpijn van de champagne van de avond tevoren. De douche stond aan. Bart stond altijd als eerste op. Warm en naakt nestelde ik me onder de dekens, blij met de extra slaap die ik kon meepikken. Bart kwam de slaapkamer weer in om zich aan te kleden. Hij liep naar mijn kant van het bed en vroeg of er iets in zijn oog zat. Ik was amper wakker, en zonder mijn ogen te openen zei ik: 'Nee'. Hij wilde met alle geweld dat ik nog een keer keek en ik zei dat het waarschijnlijk een strontje was, weer met mijn ogen dicht. Bart bukte zich, greep mijn schouders en zei: 'Word wakker en kijk me aan, Claudia.' Ik was op slag wakker, keek hem recht aan en hij zei: 'Ik hou van je.' Ik glimlachte met mijn ogen wijd open en zei: 'Ik ook van jou, lieveling.' Toen hij de slaapkamer uit liep, keek hij over zijn schouder en zei: 'Ik hou van je – ik bel je!'

Hoe ik mijn oren ook spitste, een jaar later was er geen geluid van stromend water, van Bart onder de douche. Een jaar later keek ik naar de deur zoals ik elke ochtend deed en stelde ik me Bart voor die op die laatste ochtend de kamer uit liep met de woorden: 'Ik hou van je – ik bel je', het laatste moment dat we bij elkaar waren. Bart had me wakker geschud zodat ik hem nog één keer in de ogen kon kijken om te zeggen dat ik van hem hield, maar toch wilde ik dat ik wakkerder was geweest. Waarom had ik mijn ogen niet meteen opengedaan? Dan hadden we nog wat kunnen praten. Dan zou ik me herinneren wat hij aanhad. Dat Bart één jaar later niet onder de douche stond, me geen afscheidskus gaf en niet zei: 'Ik hou van je, ik bel je', was totaal absurd. Het was een parodie op de werkelijkheid.

2 ❖ De eerste herdenking

Boven v.l.n.r:
Bart, Caz
Hiernaast
v.l.n.r: *Tommy,*
Ward

We gingen die ochtend allemaal op eigen gelegenheid naar Ground Zero met een loodzwaar gevoel van ongemak en verdriet. De lucht was strak blauw. Het was opnieuw een griezelig volmaakte, onbewolkte septemberdag.

We wisten dat er heel veel slachtoffers waren, maar pas toen we ons bij de menigte rouwenden aansloten, beseften we de ware omvang van het uitdijende effect. Drieduizend doden vermenigvuldigd met moeder, vader, partner, minnaar, dochters en zoons, vrienden en vriendinnen, broers en zussen, neven en nichten, vertrouwenspersonen en mentors. We hadden chaos verwacht, maar de sfeer was juist ongelooflijk rustig. Iedereen liep langzaam en met een ernstig gezicht naar de locatie.

De leden van de Weduwenclub hadden elkaar binnen enkele

minuten met het grootste gemak gevonden; het gaf aan dat we elkaar nodig hadden om deze moeilijke dag door te komen. Stuk voor stuk kwamen we met een groep vrienden en familieleden. We omhelsden elkaar en niemand zei een woord.

We liepen in stilte naar de plek. Toen we de locatie betraden, werden we benaderd door rouwhulpverleners en vrijwilligers van het Rode Kruis, die ons water, snacks en papieren zakdoekjes overhandigden met een blik van mededogen die erkende dat niemand ons kon geven wat we echt nodig hadden.

We liepen met de stroom mee en kwamen langzaam en natuurlijk tot stilstand op een plek tegenover de plaats waar de gebouwen hadden gestaan, niet ver van het podium waarop de plechtigheid zou plaatsvinden.

Om 8.46 uur werden de klokken op Ground Zero geluid en werd er een minuut stilte in acht genomen. Een jaar daarvoor, exact op dat moment, veranderde ons leven voorgoed. Een deel van ons wilde weghollen in de waan dat dit nooit was gebeurd.

Burgemeester Giuliani hield een inleidende toespraak, riep Winston Churchill aan, maande ons om sterk te blijven en verwees naar de vorige generatie die oorlog en strijd te verduren had gekregen. Met krachtige en gezaghebbende stem begon hij de namen van de slachtoffers voor te lezen. Achter hem speelde Yo-Yo Ma, en de celloklanken dreven als een diepe, zuchtende bede over de menigte. Terwijl de namen werden voorgelezen, nam het briesje dat de hele morgen had gewaaid in kracht toe. Weldra tilden rukwinden het stof van de grond en wervelde het in de lucht boven ons hoofd. Het drong in onze mond, neus, ogen, haren en kleren. Het werd een deel van ons. De wind nam nog verder in kracht toe tot een constant gehuil dat door de microfoons raasde, vlaggen van gebouwen en bordjes van omheiningen rukte. Drieduizend zielen die gehoord wilden worden en lieten weten dat ze er nog altijd waren. De wind was een fysieke blijk van hun aanwezigheid.

Mensen hielden foto's van hun geliefden omhoog en huilden, en toen we naar hen keken, was het alsof we in de spiegel van onze eigen smart keken. We wachtten, luisterden naar elke naam en vroegen ons af wie die personen waren. Waren ze getrouwd? Hadden ze een gezin? Hoe deden hun nabestaanden het? We wilden dat de mensen die de namen van De Jongens voorlazen hun recht zouden doen. Het was belangrijk dat de namen niet verkeerd, maar wel met kracht en overtuiging werden uitgesproken. De eerste naam die we verwachtten was Caz (Jeremy Mark Carrington).

Om 9.02 uur werd er weer een minuut stilte gehouden en de klokken gaven het moment aan waarop de tweede Tower werd getroffen.

Pattie herinnerde zich later dat ze dacht dat dit alles misschien niet echt zou zijn als ze de naam van Caz niet zouden noemen. Toen we in de buurt van de C kwamen, voelde ze haar hart bonken, haar adem oppervlakkig worden, haar knieën slap worden en het bloed in haar oren ruisen. Ze zette zich schrap alsof ze een fysieke klap verwachtte. We gingen allemaal dicht om Pattie heen staan. Ze was ontroostbaar.

Daarna was het de beurt aan Thomas Joseph Collins. De tijd tussen de Ca van Carrington en de Co van Collins leek wel een eeuwigheid te duren. We herkenden namen van mensen die we kenden via ons werk, via vrienden, via praatgroepen en van de *Portraits of Grief*, een serie profielen van slachtoffers die in *The New York Times* had gestaan. Als we de mensen om ons heen zagen verschrompelen bij het horen van een naam, wisten we welke familieleden bij welke naam hoorden.

Om 9.59 uur stortte de tweede Tower in. Opnieuw een minuut stilte. Dit was Tommy's gebouw. Wat was het exacte tijdstip van zijn dood geweest? Leefde hij nog toen de Tower instortte? Een heel jaar lang had Julia de gebeurtenissen van die dag eindeloos in haar hoofd herhaald. Hoewel ze nooit zekerheid zou krijgen, had ze diep vanbinnen het gevoel dat dit het ogenblik was geweest. Onder het luiden van de klokken werd haar nietige gestalte overspoeld door het overweldigende verlies.

Anns zoon TJ zat op de grond met zijn hoofd tussen zijn opgetrokken knieën naar een portret van zijn vader te kijken. Hij
had zijn honkbalpet diep over zijn ogen getrokken om zijn tranen te verbergen. Maar aan het schokken van zijn lichaam kon
je zien dat hij huilde. Hij was veertien. Anns ouders stonden
dicht om haar heen. Uit iedere hulpeloze beweging bleek hun
onmacht om hun dochter en kleinzoon te beschermen. Anns vader troostte TJ. Ann was heel dankbaar dat haar vader dat deed,
want ze wist dat het meer was dan ze aankon als zij dat zelf zou
proberen.

Om 10.28 uur was Tower One ingestort. Opnieuw een minuut stilte.

We wachtten op de R. We wachtten en wachtten. We stonden er al drie uur en waren pas halverwege het alfabet.

Mensen gingen zitten van de warmte en de uitputting. Claudia wilde niet gaan zitten. Ze zei geen woord. Ze wilde blijven
staan en uit respect naar elke naam luisteren. Larry onder-
steunde haar en de meisjes hadden alle drie een hand op haar
schouder gelegd. Toen ze de naam Bart Joseph Ruggiere voorlazen, schokte haar lichaam van de snikken. Toen de namen eenmaal waren genoemd, was er geen weg terug. Het verlies stond
voorgoed in ons hart geëtst.

Nadat we het eind van het alfabet hadden bereikt, liepen de
families over een lange oprit naar de plek waar de torens hadden gestaan. De locatie, een soort kom, was een woestenij met
een lege hemel erboven, waar wind en stof vrij spel hadden. De
mensen hadden foto's, brieven en bloemen bij zich. Pattie bracht
prachtige witte lelies, Caz' lievelingsbloemen. Een vrijwilliger
reikte aan iedereen een roos met een lange steel uit. Er waren
duizenden rozen. We legden onze bloemen op een geïmproviseerd gedenkteken van karton in de vorm van een ring. We
schreven allemaal een briefje aan onze man en gingen bij elkaar
staan voor een laatste gebed.

Bij het vertrek raapte Claudia een steen op en stopte hem in
haar tas. Die middag ging ze de stoffelijke resten van haar man

begraven. De rest van de dag hield ze die steen vast alsof ze een stukje van Bart vasthield.

CLAUDIA:
Na de plechtigheid op Ground Zero vertrokken Larry en ik naar de begrafenis. In de auto naar Manhasset draaide Larry voor het eerst een nieuwe cd van Bruce Springsteen, *The Rising*, voor me. Onderweg las ik de tekst. Iedere regel ging recht naar mijn hart. In de daaropvolgende maanden bleef ik die cd maar draaien.

We kwamen bij de kerk en deze keer liep ik rustig door een zijdeur naar binnen en ging ik vooraan zitten. We hadden er een kleine, privéplechtigheid van willen maken, maar de mensen die er het meest toe deden waren er allemaal. Pattie, Julia en Patties vriendin Kia die uit de City waren gekomen, en onze beste vrienden en naaste familie.

Na de dienst huilde de wind nog harder dan daarvoor. Ik ging terug naar de auto, zette mijn zonnebril op, staarde in het luchtledige en kon geen woord uitbrengen. Na wat een heel lange tijd leek, besefte ik dat het verkeer stilstond. De storm had de elektriciteitsleidingen vernield en de stoplichten deden het geen van alle. Toen we uiteindelijk op het kerkhof kwamen, bleek de auto met de urn nog niet gearriveerd. En toen we eindelijk zover waren dat we konden beginnen, vroeg iemand: 'Waar is de pastoor?' Blijkbaar waren we vergeten een pastoor aan het graf te bestellen.

Als Bart dan toch moest gaan, dan moest dat kennelijk met veel misbaar. Ik kon hem praktisch hóren zeggen: 'Je hébt me nog niet begraven.'

We hielden elkaars hand vast en spraken een gebed uit. Iemand zei dat ik naar het graf moest lopen om als eerste mijn bloem neer te leggen. Ik probeerde stoïcijns te blijven. Ik wilde dat Bart trots op me was. Ik voerde een innerlijke dialoog met hem, vertelde hoeveel ik van hem hield en hoezeer ik zijn kracht nodig had om hier doorheen te komen. Ik legde mijn bloem op het graf en op dat moment werd het me allemaal net te veel. Ik holde naar de auto. Ik wilde alleen zijn en huilen tot de pijn me van het leven had beroofd of voldoende had verdoofd om niets meer te voelen. Er was niets wat iemand kon zeggen om me te troosten. Naderhand gingen we naar het huis van Barts moeder Pat. De rest van de dag bracht ik door met onze familie en vrienden en met Bart-verhalen, en deden we ons best om elkaar te troosten.

PATTIE:
Claudia was heel dapper op de begrafenis. Ik weet nog dat ik me afvroeg hoe ze het ging redden. Hoe moest ze op één dag de herdenking op Ground Zero én de begrafenis van haar man verduren? Toen de namen van De Jongens in de kerk weer werden opgelezen, drong het definitieve, het gevoel dat dit allemaal echt gebeurde, tot me door met een heftigheid die ik nauwelijks aankon.

Naderhand ontmoette ik Claudia's familieleden en vrienden. Toen we een glaasje dronken, voelde ik me aangetrokken tot Claudia's moeder Annette en haar vriendin, de weduwe Phyllis. De laatste was een van de vier vrouwen met wie Annette na de dood van haar man een band had gekregen. Beide vrouwen hadden iets uitbundigs over zich – zelfs op deze aangrijpende dag – iets wat ik sindsdien associeer met mensen die de wil hebben om te overleven.

Gezamenlijk konden we ons hart luchten over de uitdaging van een eenpersoonshuishouden. Phyllis en Annette vertelden me over de keer dat ze samen naar een ijzerwinkel waren gegaan. Annette had een spiegel nodig en Phyllis een hordeur. Toen de verkoper aanbood om de spullen de volgende dag te bezorgen, zei Phyllis dat ze niet thuis was omdat ze werkte. De dag daarop zou Annette werken, dus dat ging ook niet.

'Werken?' vroeg de verkoper. 'Ik krijg mijn vrouw niet zo gek om iets anders te doen dan mahjong spelen. Wat heeft jullie man gedaan om je zover te krijgen?'

Annette en Phyllis keken elkaar aan voordat ze als uit één mond zeiden: 'Doodgaan.'

Die bevrijdende lachbui na zo'n zware dag...

Ik vertelde Annette en Phyllis over de keer dat er bij het huis aan het strand een ondergrondse rioolbuis was gesprongen en ik een enorme plas water in de achtertuin had. Toen de loodgieter kwam en de situatie had bekeken, vroeg hij of hij de zaak met mijn man kon bespreken. Ik zei dat mijn man er niet was. Maar de loodgieter wilde met alle geweld de heer des huizes spreken. Ik zei dat mijn man in het buitenland zat. De loodgieter wilde weten wanneer hij terugkwam. Ik stond met mijn rug tegen de muur. Ik had geprobeerd de man te sparen. Maar hij had erom gevraagd. 'Mijn man is in de hemel. Hij komt niet terug. Nooit. Wilt u me nu alstublieft de situatie uitleggen en beginnen met graven?'

Nog meer gelach, nog meer tranen.

We bespraken hoezeer weduwen behoefte hebben aan steun van andere weduwen, al was het alleen maar om iemand te hebben aan wie we ons verhaal kwijt konden en bevestigd te zien dat we niet alleen stonden in onze pogingen om greep op de hele situatie te krijgen.

Op een zeker moment richtte Annette zich tot mij en zei: 'Geloof me, ik ben erg blij dat jullie elkaar hebben. Deze Weduwenclub wordt jullie redding.'

En daarom moest ik, toen het tijd werd om naar het vliegveld te gaan, aan Annettes weduwen denken en hoezeer die haar hadden geholpen. Ik verliet huis en haard om vier dagen door te brengen met vrouwen die ik niet echt goed kende – ik had alleen Ann en Julia een paar keer ontmoet. Ik had zo mijn twijfels over de rol die de groep in mijn leven zou spelen. Reizen betekende gescheiden worden van mijn hond Lola in een bijzonder pijnlijke en verwarde periode, waarin ik mijn vertrouwde omgeving meer dan ooit nodig had. Maar toch. Ik wist dat achterblijven een gebrek aan verbeeldingskracht van mijn kant betekende. Misschien zou ik er iets aan hebben – wat had ik tenslotte te verliezen?

In een opwelling gooide ik een lichtblauw hemd in mijn koffer, zonder te weten of ik het wel zou dragen. Ik wilde nog steeds niets anders dan zwart dragen. De rest van de kleren in de koffer was zwart: zwart badpak, zwarte T-shirts, zwarte broeken. Het hemd had tenminste het voordeel dat het de voorgaande zomer was gekocht, toen Caz het nog had kunnen zien.

ANN:

De aanloop van de eerste herdenking was slopender dan ik me ooit had kunnen voorstellen. Er kwamen familieleden van buiten de stad voor een herdenking in Rye en onze plaatselijke vrienden wilden ook graag van de partij zijn. Wie moest ik uitnodigen? Wie moest de toespraak houden? Er waren erg veel logistieke beslommeringen en bovendien maakte ik me constant zorgen of wat ik deed wel juist was. Ik wilde dat Ward trots op me zou zijn; ik wilde zijn vrienden en familieleden tevreden stellen. Ik bleef maar denken: wat zou Ward gewild hebben? Wat zou hij hebben gedaan?

Ik weet nog hoe trots Ward na het overlijden van zijn vader was geweest op zijn beslissing om bij wijze van eerbetoon een golfuitstapje te organiseren. Ward had het dikwijls over die dag, en zijn vrienden herinnerden zich de bewuste middag als van grote betekenis. En wat mij betreft, was de beslissing eenvoudiger omdat ik Wards ideeën kende. Natuurlijk moest ik een golftoernooi voor hem organiseren. Er zouden meer dan vijftig mensen aan meedoen en naderhand zou er een feest zijn. Het was een perfecte plechtigheid om eer te bewijzen aan Wards leven.

Na de herdenking op Ground Zero keerde ik met mijn familie terug naar Rye. Hoewel het toernooi en het feest een doorslaand succes waren, had mijn aandeel in de organisatie van zo'n emotioneel evenement alleen maar bijgedragen aan mijn gevoel van totale uitputting. En nu moest ik huishoudelijke voorbereidingen treffen voor het uitstapje met de Weduwenclub. Ik vond het hartverscheurend om mijn kinderen te moeten achterlaten om naar Scottsdale te gaan, maar ik besefte ook dat het volstrekt noodzakelijk was. Ik besefte dat ik om voor hen te kunnen zorgen mijn geestelijke gezondheid moest bewaken. Ik moest ook voor mezelf zorgen, zodat ik sterk kon blijven voor hen. TJ en Billy waren ongelooflijk dapper, maar het was zo'n zware tijd van het jaar. Voor de kinderen van de slachtoffers van 11 september was die maand ook het begin van het nieuwe schooljaar. Ze hadden de extra heisa van nieuwe leraren, nieuwe klassen en nieuwe programma's. Ik was niet in staat hen te behoeden voor de eindeloze reportages op tv en in de krant.

Hoewel ik me zoals gewoonlijk zorgen maakte omdat ik hen achterliet, wist ik dat het de juiste stap was. Toen Ward nog leefde, gingen we af en toe alleen met elkaar op stap om weer contact met elkaar te hebben en tijd voor elkaar te maken. Elke zondag gingen we een paar uur golfen, alleen wij tweeën. De tijd die we alleen met elkaar doorbrachten, zorgde voor een gezond evenwicht in het gezinsleven. Nu kon de Weduwenclub me dat geven: even vrijaf van de dagelijkse beslommeringen van het moederschap.

Mijn gezin loslaten, al was het maar voor vier dagen, vergde de voorbereiding van een militaire operatie. De kinderen waren toevertrouwd aan de zorg van hun gewone babysitter. Ophalen van school, van bijles en van sport: alles moest geregeld worden. Bij alle voorbereidingen op mijn vertrek liep ik voortdurend tegen dezelfde muur op: Ward was er niet om een handje te helpen; de situatie was niet tijdelijk; ons gezin zou nooit meer compleet zijn.

JULIA:
Dat reisje met de Weduwenclub was een grote stap voor me. Toen Tommy nog leefde, leek ons hele leven wel om reizen te draaien. Ik trof hem ofwel op een zakenreis, of we gingen op vakantie. Ieder weekeinde hadden Tommy en ik wel iets gepland. Onafhankelijk van elkaar reisden we allebei voor ons werk, dus we wisten hoe belangrijk het was om de weekeinden met elkaar door te brengen, of we nu naar Florida gingen om cliënten be-

zig te houden, naar Long Island reden om golf te spelen, of vrienden of familie bezochten. Zo leefde Tommy; hij was altijd in beweging. Na zijn dood hield dat op. Mijn leven maakte een pas op de plaats. Het eerste jaar ging ik de stad niet uit om voor langer dan een paar dagen ergens heen te gaan, laat staan om op vakantie te gaan.

Ik wist dat ik er eens uit moest. Het was een jaar zonder Tommy geweest; nu strekte zich weer een jaar voor me uit en het eind was niet in zicht. De afgelopen zes maanden had ik mezelf extra belast met de organisatie van een golfevenement in naam van Tommy om geld in te zamelen. De organisatie van het evenement dat twee weken voor de herdenking plaatsvond was liefdewerk geweest, waaraan al mijn familieleden en vrienden meededen. Het was een geweldige gelegenheid voor iedereen om Tommy eervol te gedenken en iets positiefs te doen na zo'n treurig jaar.

Bij de prijsuitreiking moest ik een video over het leven van mijn man inleiden. Tegen de tijd dat het mijn beurt was om naar de microfoon te lopen, wilde ik me het liefst terugtrekken. Er waren meer dan driehonderd mensen in de zaal. Ik wist niet wat ik moest zeggen, hoe ik hun moest vertellen wat dit voor me betekende.

'Ik kan het niet,' zei ik tegen een vriendin die naast me zat.

Mijn vriendin zei: 'Denk maar aan Tommy. Hij zou willen dat je dit deed; doe het voor hem.'

Ik had geen idee wat ik zou gaan zeggen. Toen ik naar het podium liep, kon ik alleen maar denken aan het feit dat alle ogen op mij gericht waren. Wees een waardige weduwe, hield ik mezelf voor. Zeg de juiste dingen. Ik was zo nerveus dat ik bijna rechtsomkeert maakte om naar mijn plaats terug te gaan.

Ik beklom het podium. Het was doodstil. Je kon een speld horen vallen. Ik deed mijn mond open en de woorden rolden eruit.

'Tjonge, ik heb niets meer in een microfoon gezegd sinds mijn ontslag bij Burger King...'

Het hele publiek barstte in lachen uit en de opluchting dat ik niet gewoon in elkaar was gezakt voor het podium was bijna tastbaar. Het gekke is dat ik helemaal niet van plan was om dat grapje te vertellen. Het kwam uit het niets. Ik geloof echt dat Tommy daarachter zat.

Maar toen het evenement voorbij was, voelde ik me verloren. Het toernooi had me een doel gegeven, iets om me op te richten, een reden om 's morgens uit bed te komen. Wat moest ik nu? Ik wist niet meer hoe ik de dagen door moest komen. Maar door mee te gaan op dit reisje van de Weduwenclub dwong ik mezelf tot iets meer dan domweg overleven. Ik doorbrak de dagelijkse sleur van opstaan, naar mijn werk gaan, het eind van de dag halen en dat dan nog eens en nog eens en nog eens.

Door er met de weduwen op uit te gaan, maakte ik tijd voor een paar dingen die tijdens mijn huwelijk met Tommy boven aan onze prioriteitenlijst hadden gestaan: reizen en vrienden. Niet dat ik geen schuldgevoel had omdat ik iets goeds voor mezelf deed, want dat had ik wel. Het was bijna alsof ik Tommy ontrouw was door hierheen te komen. Niettemin had ik met vallen en opstaan iets positiefs gevonden en bovendien was ik in goed gezelschap.

3 ❖ Het zou verkeerd zijn om het niet te doen

Julia, Ann, Pattie en Claudia

Twee dagen na de herdenking bevonden we ons in de rij voor de incheckbalie voor onze vlucht naar Scottsdale. Ondanks al onze zorgvuldige voorbereidingen hadden we het geen van allen vanzelfsprekend gevonden dat we zover zouden komen. Heel wat maanden was ons leven overheerst geweest door de angst voor de herdenking. En wat nu? Wat ging er nu gebeuren?

We herinneren ons nog hoe surrealistisch het voelde. Door de intensieve voorbereidingen en angst die voorafgingen aan de herdenking en de begrafenis konden we ons met geen mogelijkheid iets na 11 september voorstellen. Hoe kon je die dag overleven en er weer ongeschonden uit tevoorschijn komen? Maar hier stonden we dan. We voelden ons er bijna schuldig

om, want hoe kon iemand na zulke ervaringen gewoon doorgaan met leven? We keken naar alle mensen om ons heen die
huns weegs gingen en zich over de luchthaven haastten. De wereld was teruggekeerd tot een mate van gewoonheid waarmee
wij geen contact hadden. We wilden alleen maar gaan liggen slapen en alles buitensluiten. Uitgeput sleepten we onze bagage
achter ons aan.

Claudia stelde voor om een klasse hoger te boeken. 'Waarom
kijken we niet of ze ons willen upgraden? Ik heb zonder meer
voldoende airmiles om alle kosten te dekken...' Het voornaamste waaraan Claudia op dat moment behoefte had, was slaap.

We protesteerden. Het waren haar airmiles. Dat was te royaal.

Maar Claudia hield voet bij stuk. Wanneer moest ze ze anders gebruiken? Net als de rest leefde Claudia slechts bij de dag:
we waren niet meer in staat om plannen te maken of te sparen
voor een toekomst die we ons niet voor de geest konden halen.
En hoe dan ook, upgraden was 'heel Bart', voerde Claudia aan.

En vervolgens sprak Claudia de magische woorden:

'Dames, het zou verkeerd zijn om het niet te doen...'

Het zou verkeerd zijn om het niet te doen... In geen enkel
zelfhulpboek over rouwverwerking hadden we iets gevonden
wat zoveel troost bood als die negen woorden.

Kort na het opstijgen viel Claudia in slaap. Ze droomde dat er
beelden van de skyline van Manhattan langs haar raampje flitsten en ze voelde hoe het vliegtuig neerstortte met de neus in de
richting van de City. Weldra kliefden de vleugels van het toestel door de gebouwen aan Fifth Avenue en koerste het af op
haar kantoor en St. Patrick's Cathedral, waar zij en Bart waren
getrouwd. Claudia was in de greep van de doodsangst en kon
ademen noch gillen. Ze wist dat ze ging sterven. Maar tegelijk
met dat besef verdween de angst en voelde ze zich alleen nog
maar sereen. Het zou goed komen. Ze ging naar Bart.

Op het moment van de klap werd Claudia weer wakker.

Ze wendde zich tot de anderen om haar droom te vertellen en hoe echt die had gevoeld. Haar moment van kalme berusting voelde vertrouwd; we kenden het niet alleen uit ons droomleven, maar ook van ons wakende bestaan. We droegen een constant besef van sterfelijkheid met ons mee. Soms voelden we ons totaal overweldigd door de broosheid van het bestaan, maar meestal bracht dat besef een zekere onbevreesdheid met zich mee. Er was heel veel waarop we nooit invloed konden uitoefenen. Vroeger hadden we zoveel toekomstplannen gemaakt – we hadden gespaard, voorbereidingen getroffen, routes uitgestippeld – maar nu beseften we dat het er allemaal niet toe deed. Het maakte niets uit. Er waren uitkomsten waarover we niets te zeggen hadden.

Maakte het echt iets uit dat onze vlucht op vrijdag de dertiende was? Toen we boekten, hadden we er zelfs grapjes over gemaakt. Het maakte totaal niet uit. We hadden niet het gevoel dat we buiten de gevarenzone waren als we op een andere dag zouden boeken. Waar moesten we bang voor zijn? Onze mannen waren gedood omdat ze op een ochtend naar hun werk waren gegaan. Veiligheid was een illusie.

'O, mijn god,' zei Julia. 'Dat zou een mooie kop zijn. Vier 11-septemberweduwen gedood bij vliegtuigongeluk op vrijdag de dertiende...'

Van niets kikkerde een weduwe zo op als van een beetje galgenhumor.

We kregen het erover hoe graag we iets van De Jongens zouden horen. Een jaar geleden was de communicatie van de ene op de andere dag gestaakt. Geen e-mail, geen telefoontje, geen reactie. De stilte was oorverdovend.

'Ik droom vaak dat Bart me negeert,' zei Claudia. 'Ik zie hem in de andere kamer, ik timmer op het raam, maar hij draait zich niet om. Of ik bel hem op zijn mobiel en dan zie ik hem naar de nummerherkenning kijken maar niet opnemen.'

Die dromen kenden we allemaal: waarin we hem zagen, waarin we zijn naam riepen en hij zich niet wilde omdraaien.

'Hebben jullie ooit gedroomd dat hij langskomt en dat je enorm verrast en opgewonden bent om hem te zien? En hij begrijpt maar niet waarom je zo opgewonden bent. Je zegt: "Ik ben opgewonden omdat je leeft! Ik dacht dat je dood was, maar je leeft!" En vervolgens doet hij alsof er niets is gebeurd en schudt hij je van zich af als je hem probeert aan te raken.'

Pattie had gedroomd dat Caz nog leefde, maar wel met iemand anders. Toen ze naar die andere vrouw informeerde, begreep hij niet waarom ze zo van haar stuk was.

Er waren dromen waarin we zijn aanwezigheid heel sterk voelden.

Toen Julia een maand na Tommy's dood weer alleen in haar eigen bed sliep, droomde ze dat hij weer bij haar was.

'We waren op vakantie en ik vroeg: "Tommy, hoe kan het in godsnaam dat je hier bent?" Hij zei: "Ik heb een verlofpasje gekregen!" We brachten samen de dag door en 's avonds gingen we naar bed, naar ons eigen bed. We lagen lepeltje lepeltje en Tommy lag achter me. Ik herinner me hoe opgelucht ik daar lag. Hij was terug. Ik was weer veilig. Ik zei: "Ik wou dat je kon blijven. Je moet terugkomen, ik heb je nodig." Toen fluisterde hij in mijn oor: "Julia, ik ben niet lichamelijk bij je, maar er gaat geen dag voorbij dat ik niet bij je ben." En toen kuste hij me. Die kus was zo echt dat ik wakker werd. Ik voelde die kus. Tommy was er, hij was bij me langsgekomen...'

Ann vertelde dat ze had gedroomd dat ze met Ward en de kinderen ging skiën, zelfs haar dochter Elizabeth, die niet kan lopen. Het was een volmaakte, kristalheldere dag met een blauwe lucht, niet te koud, geen wind.

'Toen we naast elkaar de heuvel af skieden, ging Ward steeds harder en werd de afstand tussen hem en ons steeds groter. Ik riep: "Ward, niet zo hard, de kinderen kunnen je niet bijhouden..." Ward zei: "Ik ga vast vooruit, er kan jullie niets overkomen."'

Inmiddels waren we alle vier in tranen. Of het nu een akelige of mooie droom was, we waren het erover eens dat we, als we wakker zouden worden, het liefst weer zouden gaan slapen om nog een tijdje bij hem te kunnen zijn.

Toen we buiten de aankomsthal van Scottsdale in de rij stonden voor de taxi, stopte er een oude, gehavende witte limousine. De chauffeur stak zijn hoofd uit het raampje en vroeg of we naar ons hotel gebracht wilden worden.

'Nou, het zóú verkeerd zijn om dit niet te doen...' zeiden we met een glimlach naar elkaar.

In het hotel deelden we twee kamers, maar er was nog niet besproken wie er bij wie zou slapen. Claudia en Pattie namen de ene kamer. Ann en Julia de andere. Het gemak waarmee dat gebeurde, is opvallend. Een weduwe brengt haar dagen voornamelijk door met tegen de stroom in zwemmen. Het is zwaar en uitputtend werk, maar daarom is ze wel dankbaar voor elke kleine kans om met de stroom mee te gaan. Het gebeurde dikwijls wanneer we bij elkaar waren en het viel ons altijd op.

Er wachtte ons een fles champagne van Kathleen, Barts zus, dus die namen we mee naar het terras van Claudia en Pattie en we zeiden hoe royaal we dat gebaar vonden. Claudia legde uit hoezeer Barts familie haar steunde. Dit attente geschenk bevestigde hoe gezegend ze was om de Ruggieres om zich heen te hebben.

Het uitzicht van het terras was adembenemend en het woestijnlandschap had direct zijn uitwerking op ons. Die zuivere uitgestrektheid. De droge lucht en het magische licht. Zelfs Pattie, die aan het water was opgegroeid en liever aan zee zat, was getroffen door de sfeer. De geheimzinnige woestijn had zijn eigen stille kracht, anders dan die van de oceaan, maar net zo majestueus. Hij schonk ons een soort aardse kalmte. Pattie, nog niet zo lang geleden huiverig om haar huis te verlaten, betrapte zich erop dat ze al zat te bedenken hoe ze nog een paar dagen langer kon blijven. Vier dagen zou niet lang genoeg zijn om

de spirituele sfeer van deze omgeving voldoende op je in te laten werken.

Die eerste avond aten we in het restaurant van het hotel.
Onze jongens zouden verrukt zijn geweest over deze plek. We
zeiden hoe moeilijk het was om hier zonder hen te zijn. We gingen helemaal op in gesprekken over onze echtgenoten, over de
herdenking, over het schuldgevoel van de overleving. Hoe zou
het zijn als we terug waren en we ons niet op de herdenking
hoefden te richten?

Claudia herinnerde ons aan een van haar lievelingscitaten, die
ze van de moeder van haar tante Barbara had gekregen: 'Genieten van het leven is de beste wraakneming.'

Daar proostten we op.

Daarna gingen we bijtijds naar bed en zonken we in het koele comfort van de hotellakens waar zijn kant van het bed niet
bestond.

De volgende morgen gingen we naar de fitnessruimte: onze eerste ervaring met de personal trainer van de Weduwenclub, Julia Collins. Na een warming-up van een halfuur liet ze ons sprin-
ten op het loopapparaat met de snelheid opgeschroefd tot 8,5.

'Twee minuutjes maar,' beloofde ze. Twee minuten later ging
de snelheid wel omlaag, maar de helling omhoog. Vervolgens
ging de helling omlaag en de snelheid weer omhoog. Julia noemde dat 'intervaltraining'. Wij noemden het marteling. Claudia
herinnerde Julia eraan dat ze bijna een heel jaar amper aan fitness had gedaan – ze was al meer dan genoeg afgevallen, dus
waarom zou ze? – terwijl ze maar bleef hollen om er niet afge-
gooid te worden.

Maar Julia hield ons bij de les. Als we het volhielden, zouden
we er misschien net zo goed uitzien als Julia met haar gespier-
de buik en bovenarmen. Dus ondanks de gillende pijn in de borst
en het brandende gevoel in de benen bleven we hollen.

Hoewel de rest het maar moeilijk kon geloven, was Julia pas

onlangs weer met fitness begonnen. Na de dood van Tommy had ze de sportschool er helemaal aan gegeven. Tommy en zij gingen dikwijls samen naar fitness en alleen wilde ze er niet aan. Hoezeer ze zich er ook van bewust was dat lichaamsbeweging goed voor haar zou zijn, ze kon zich moeilijk iets voorstellen waarvan ze op zou knappen. Julia bleef maar zeggen dat ze weer naar fitness wilde, maar ze bleef het even vaak uitstellen. Ze deed nooit iets vandaag wat ze tot morgen kon uitstellen.

Dat was niets voor de Julia van vroeger, integendeel. Voor Tommy's dood ging ze zelfs prat op haar levenslust en efficiëntie. Doorgaans hoorde fitness bij haar dagelijkse programma. Ze was een harde werker, kon goed een aantal dingen tegelijk doen en haar archief, haar bureau en haar appartement waren altijd op orde. Maar ook daarin was verandering gekomen. Iedere dag werd Julia's 'te-doen'-lijstje een beetje langer en er werd niets afgevinkt. Het kostte te veel energie om het nodige enthousiasme op te brengen. De praktische bijzonderheden van haar leven begonnen haar door de vingers te glippen. Eenvoudige bezigheden die voorheen zonder nadenken gebeurden – rekeningen betalen, de boekhouding bijhouden, de was doen, het huis schoonhouden – dingen die vroeger vanzelf gingen, kostten nu zoveel inzet en concentratie dat het meestal eenvoudiger was om op de bank te zitten en tv te kijken.

'Zonder de hulp van vrienden en familieleden hadden ze de bank langs chirurgische weg van mijn achterwerk moeten verwijderen.'

Julia had niet alleen haar bagage voor het uitstapje naar Scottsdale bij zich, maar ook een grote tas met administratie. Daarin zaten formulieren van het Federal Emergency Management Agency, het Rode Kruis en het Victims Compensation Fund. Er waren formulieren van verzekeringsmaatschappijen, brieven van advocaten, van de belasting, van Worker's Compensation en de lijst ging maar door. Julia had er alles voor over om maar niet naar die formulieren te hoeven kijken, dus bewaarde ze in die tas ook condoleancekaarten. Op die manier kon ze bedankjes schrijven aan de mensen die bij de eerste herdenking aan Tommy hadden gedacht, in plaats van te worden geconfronteerd met stapels formulieren met alle vragen die ze van haar leven niet wilde beantwoorden.

'Telkens wanneer ik een van de taken op mijn lijstje probeer te doen, is het net alsof ik weer helemaal opnieuw word geconfronteerd met de realiteit dat Tommy er niet meer is...' legde Julia uit, en we antwoordden dat we wisten hoe dat voelde.

Een jaar na dato ging niet alleen Julia gebukt onder een huizenhoge stapel papierwerk. We zaten allemaal met een ellenlang 'te-doen'-lijstje. Het was de akelige werkelijkheid van vrouwen met een vermoorde man. Met of zonder lijk vulden we nog steeds een eindeloze reeks formulieren in van advocaten, verzekeringsmaatschappijen en liefdadigheidsorganisaties. We namen de belangrijkste beslissingen van ons leven, en het moeilijkste was dat er geen man in de buurt was om die beslissingen mee door te nemen.

'Als je getrouwd bent, is het geweldig als je de juiste beslissing neemt,' zei Ann. 'Maar als je de verkeerde beslissing neemt, weet je tenminste dat je een gedeelde verantwoordelijkheid hebt en kom je er samen wel uit. Nu doe ik dit allemaal in mijn eentje, en als ik het verknal, verknal ik misschien de hele toekomst van mijn gezin. De inzet is nog nooit zo hoog geweest. En ik zet mezelf nog meer onder druk omdat ik Ward eer wil bewijzen door het goed te doen.'

We zagen Julia's tas voor het eerst in het vliegtuig New York uit, waar hij aan haar voeten stond toen ze sliep. Wanneer we in het hotel 's middags naar het zwembad gingen, nam ze de tas mee. De tas werd de grap van de vakantie; hij was half zo groot als Julia zelf. Misschien waren haar bovenarmen daarom wel zo gespierd.

We leerden veel over elkaar op deze reis. We legden de vinger op alle overeenkomsten van ons rouwproces: de totale neerslachtigheid, de ogenblikken waarop je je afvraagt of je soms gek

aan het worden bent, de woede over het feit dat je in dat geha-
te keurslijf bent gedwongen. We praatten over onze slapeloze
nachten en vervolgens over al die dagen dat we ons bed niet uit
konden komen.

Dan waren er de herinneringen die maar bleven komen, al
die gekke dingen die hij placht te doen, dingen waar we nooit
bij stilstonden toen hij nog leefde en die nu vol betekenis leken.

In de middaghitte verschenen obers die ijsjes uitdeelden.

'Ik mag dit eigenlijk niet eten in mijn badpak,' zei iemand.

'Caz zou zeggen: "Wat er niet af gaat, laat je maar bruin worden",' zei Pattie.

Genietend aten we onze ijsjes, terwijl we keken naar de igu-
ana's die zich koesterden in de zon en die nu eens langzaam in
de woestijnhitte rondkropen en dan weer doodstil bleven zitten.

In de loop van de middag namen we een kijkje in het kuurcen-
trum. Claudia had de leidersrol op zich genomen en een massage voor ons allemaal geboekt. Ze legde uit dat een diepgaan-
de weefselmassage haar in staat stelde fysieke pijn te voelen, iets
wat ze mentaal kon bevatten en beheersen. Ze ging gebukt onder een grote emotionele pijn, maar daar kreeg ze geen greep
op. Ze had behoefte aan lichamelijke pijn die opwoog tegen haar
innerlijke.

In het centrum werd ons gevraagd of we de voorkeur gaven
aan een mannelijke of vrouwelijke masseur. Als uit één mond
zeiden we: 'Een man, graag.'

Als we toch mochten kiezen, dan ja, zonder meer een masseur. We wilden best bekennen dat we nieuwsgierig waren naar
hoe het voelde om weer eens door een man te worden aangeraakt. We waren in één klap vanuit een liefhebbende, intieme
relatie in een alleenstaande situatie beland. Als je gewend bent
aan dagelijkse fysieke genegenheid, is het heel onnatuurlijk om
een jaar niet te worden aangeraakt. Dus hoewel het een armza-
lig substituut was, was de keuze tussen een masseur of masseu-
se snel gemaakt.

Toen we de volgende morgen op weg waren naar fitness, stelde de vriendelijke hotelportier zich aan ons voor. We noemden onze namen en hij onthield ze voor de rest van de vakantie. Natuurlijk had hij geen idee hoezeer we vragen als: 'Hallo, waar komen jullie vandaan en wat doen jullie hier?' schuwden.

We merkten dat we steeds meer moeite hadden om onze situatie aan vreemden uit te leggen. Niet omdat we niet wilden dat anderen wisten dat onze mannen waren vermoord, maar omdat we beseften dat ons verhaal, ons verlies, een schokeffect zou hebben waarvan mensen niet vrolijker werden. Het was niet mogelijk om het tussen neus en lippen door te vertellen, dus we moesten er wel van op aan kunnen dat we het hele verhaal kwijt konden, want we konden die bom niet zomaar laten vallen en doorlopen. In het algemeen betekende het dat er tranen geplengd zouden worden; het betekende dat je je hart bij iemand uitstortte.

En ja hoor...

'En, waar komen jullie vandaan?' vroeg de portier.

We vertelden hem dat we uit New York kwamen en gingen ervan uit dat hij de link wel zou kunnen leggen. Voor ons leek het voor de hand te liggen dat we vier weduwen waren die na de herdenking op adem wilden komen.

'Jullie bedoelen zoiets als de *Sex and the City*-meisjes?' vroeg hij. Oké, misschien moesten we het hem maar niet vertellen, althans nog niet.

'Nee, meer zoiets als Geen Sex and the City-meisjes,' antwoordden we en we wierpen hem alle vier een brede glimlach toe voordat we onze weg vervolgden.

Maar het was niet altijd makkelijk om de waarheid achter te houden. De dag daarvoor liet Ann haar handen en voeten behandelen en de manicure vroeg:

'Waar kom je vandaan?'

Ann aarzelde. 'New York'

'O, ken je iemand die bij de terreuraanval is omgekomen?'

Ann zat een halve meter bij de vrouw vandaan en besefte dat

ze niet kon liegen. Opeens merkte ze dat ze tegenover een volslagen vreemde zat te huilen. De vrouw was heel open en begon ook te huilen. Ze vertelde Ann dat ze wist hoe moeilijk het was, dat ze een alleenstaande moeder was die zelf twee kinderen moest grootbrengen. Ieder huis heeft zijn kruis. Door het verhaal te vertellen was er snel een band van medeleven geschapen.

En vervolgens waren er andere gelegenheden waarbij het vriendelijker was om ons in te houden. Die zondag in Scottsdale verzamelden we ons in het restaurant van het hotel voor de brunch. Toen we daar zaten, las Claudia het wekelijkse modekatern van *The New York Times*, en we merkten dat het prachtige zwarte stel dat in de trouwrubriek geïnterviewd was, aan de andere kant van de eetzaal zat. Pattie stelde voor om het paar bij wijze van felicitatie een fles champagne te laten brengen. Toen de ober de fles bracht, hief het stel het glas in onze richting. Kort daarop kwamen ze naar ons toe om ons te begroeten en te bedanken. Ze kwamen uit New York en woonden in de East Side, in dezelfde straat als Claudia. Een grappige toevalligheid. Vervolgens vroeg de bruidegom: 'En wat doen jullie hier dit weekeinde?'

Er viel een stilte. Uiteindelijk antwoordde Claudia.

'Een meidenreisje!' en niemand voegde er iets aan toe. Het geluk straalde ervan af. Als we het hun hadden verteld, zou het een domper op de feestvreugde zijn geweest. We wisten allemaal nog hoe gelukkig we daags na onze trouwerij waren geweest, en waarom zouden we dat voor hen bederven? Het is heel vreemd om te moeten vertellen dat je een 11-septemberweduwe bent, alsof tegenslag besmettelijk zou zijn.

Die avond besloten we binnen te blijven. Het was zondag en dat was doorgaans de slechtste dag van de week. Deze dag brachten we altijd door met onze man. We gingen naar de kerk, naar het strand, speelden een rondje golf, keken naar voetballen, lazen *The Times*, bereidden een grote maaltijd voor of konden bij elkaar terecht om de zondagavondblues te delen. Nu voelden we ons op zondag het meest alleen en misten we onze man het ergst.

Dus we bestelden junkfood, pizza met gegrilde kaas, en keken met ons viertjes naar *The Soprano's*.

Voor de laatste dag van ons verblijf in Scottsdale had Patties nicht Ellin, die vlakbij woont, een helikoptervlucht boven de stad georganiseerd. We waren allemaal opgewonden. Julia had wel eens in een helikopter gevlogen, maar voor de anderen was het een nieuwe ervaring.

Julia klauterde vol zelfvertrouwen naast de piloot. De rest ging achterin. De rotors begonnen te draaien en we rezen in een hoge wind die ons heen en weer deed schommelen, terwijl we boven de gebouwen van de stad zweefden met het geraas van de propellors in onze oren. De piloot wees op herkenningspunten, zoals Camelback Mountain met de enorme bult waaraan hij zijn naam ontleent. Hij liet de helikopter opzij hellen om ons een beter uitzicht op het stadion van Scottsdale te geven. De rijen stoeltjes waren niet groter dan kauwgommetjes. De piloot vertelde dat we ongeveer vijftig verdiepingen hoog zaten. Op dat moment werden we gedwongen onder ogen te zien wat het betekende om honderdvijf verdiepingen hoog te zitten, meer dan twee keer zo hoog als nu. Hoe ver we ook van New York reisden, we konden er in een oogwenk terug zijn.

De hele vlucht bleef Julia met de piloot praten, vragen stellen, doen alsof ze met de instrumenten speelde en hem aan het lachen maken. Toen we naar de helihaven terugkeerden, was de zon al onder en leken de lichtjes van de stad in het midden van de woestijn wel een plas in een oase waarin de sterren zich weerspiegelden.

We namen afscheid en stapten in de auto. Julia voelde zich nog opgetogen door de vlucht; zo heel anders dan gedurende die talrijke weken van ellende. Toen we wegreden, draaide ze haar raampje omlaag, stak ze haar hoofd naar buiten en riep ze naar de piloot:

'*Love you*! Echt waar!'

4 ❖ *Love you! Echt waar!*

Julia, Claudia, Ann en Pattie

We begonnen onze draai te vinden in dit nieuwe jaar, het tweede zonder hem. Toen we in september uit Scottsdale waren teruggekeerd, begonnen we elkaar iedere dag te e-mailen en te bellen.

Telkens wanneer we bij elkaar kwamen, bereidden we alweer een volgende ontmoeting voor, zo graag wilden we meer tijd met elkaar doorbrengen. Onze agenda werd gevuld met redenen om bij elkaar te zijn. De Weduwenclub was een prioriteit geworden. Als we de naam van een andere weduwe op de nummerherkenning zagen, verheugden we ons er met een glimlach op om die avond iets met elkaar te gaan drinken, om alle dingen te zeggen die we wilden en moesten zeggen.

In Scottsdale hadden we een glimp opgevangen van de wijze

waarop pijn en hoop hand in hand konden gaan. Wanneer we bij elkaar waren, borrelde de opluchting dat we het hadden over-leefd naar de oppervlakte, en voor zolang als het duurde, was het een wonder: wij waren vier vrouwen die snel van tranen naar hilariteit en weer terug reisden. Als we meer tijd bij elkaar door-brachten, zou dat gevoel van verwantschap met zowel vreugde als verdriet misschien wel doorsijpelen in ons dagelijks leven.

We beseften dat we door elkaar te helpen af en toe zelf wer-den ontheven van de rol van eeuwig hulpbehoevende. Elkaar helpen voelde helend. We konden beurtelings sterk en zwak zijn.

Ann e-mailde iedereen het citaat dat ze boven haar bureau had geprikt: 'Sommige mensen bouwen op hun levenservaring iets constructiefs en duurzaams. Anderen bezwijken onder de last, lopen verbitterd en ongelukkig weg en hebben niets ge-leerd of bereikt. Het is aan ons om iets op te bouwen op het puin van verlies, of gebroken en zonder hoop het bijltje erbij neer te gooien.'

We wisten dat het lot ons een verschrikkelijke slag had toe-gebracht, maar we wilden allemaal geloven dat we iets te zeg-gen hadden over onze reactie erop. We deelden een missie om een positieve invloed uit te oefenen op wat er met ons gebeur-de. We moesten de weegschaal van het lot laten doorslaan. Al zouden we dit niet te boven kunnen komen, dan nog moesten we geloven dat we konden leren er beter tegen te kunnen, om er beter mee om te gaan. Dat was ons pact. Om niet in wan-hoop te verschrompelen. Daar was het leven te kostbaar voor. Het leven van onze mannen was al zinloos beknot. Als ook ons leven door het gebeurde zou worden vernietigd, wisten we dat de terroristen echt gewonnen hadden.

Tegen vrienden en familie hadden we het altijd over de We-duwenclub. 'Ik doe dit met de weduwen, ik doe dat met de we-duwen...' 'Je houdt maar niet op over die Weduwenclub! Móét je het zo noemen?'

Het woord weduwe zat ons niet dwars; het was de meest recht-streekse beschrijving die we hadden. Ze verbond ons met onze

mannen. Maar andere mensen leken er wel moeite mee te hebben. Dus kortten we de Weduwenclub af tot club.

Zoals in: 'Ik doe dit met de club, ik doe dat met de club.'

We voelden dat die afkorting mensen opluchtte. Vrienden en
familieleden wilden alles voor ons doen, maar er waren dingen
die ze gewoon niet in huis hadden; ze konden zich niet in ons
verplaatsen, ze konden niet écht weten hoe het voor ons was.
Patties broer Fran drukte dat het best uit toen hij zei: 'Je familie die je probeert te steunen is net als één poot van de kruk. Je
vrienden zijn de tweede, maar de kruk wiebelt nog steeds. De
club zorgt voor de derde poot en die geeft je een zekere stabiliteit.'

Die herfst bracht Pattie het grootste deel van haar werkuren op
kantoor door. De bank waarvoor ze werkte, lanceerde een on-
roerendgoedfonds. Dat was een nieuw initiatief voor de firma
en de medewerkers richtten zich energiek op het product. Tot
dat moment had Pattie haar werk gebruikt als kruk om de dag
door te komen. Nu wilde ze ook opgetogen over die nieuwe uitdaging zijn en het project gebruiken als een manier om weer
plezier in haar werk te krijgen.

Maar er was één groot nadeel. Gedurende het langdurige financiële onderzoek maakte Pattie deel uit van de groep die iedere sector bestudeerde in samenhang met zijn economische situatie; en bijna ieder aspect dat onder de loep werd genomen,
vergde wel een verwijzing naar 11 september.

Pattie bevond zich op vergaderingen waar andere deelnemers
de vierkante meters bespraken die in de Towers verloren waren
gegaan, het aantal firma's dat erbij was betrokken, de afgeno-
men vraag en de prijserosie. Pattie moest zich zwijgend en woedend verbijten. Spoorden die mensen wel? Beseften ze niet dat
we die dag heel wat meer waren kwijtgeraakt dan vierkante meters? Pattie had de sprong gemaakt naar een perspectief van vol-
strekte nuchterheid: ze zag door de bespottelijke feiten en cij-
fers de werkelijke betekenis en waarde van de dingen en kon niet

meer terug. Ze had niets met zulke onbenullige discussies. Ze
wilde het team rond de tafel vragen: 'Zijn de mensen van wie je
houdt veilig? Als het antwoord ja is, is er verder niets van belang.'

Maar Pattie moest gesprekken aanhoren over brandbeveili-
ging, veiligheidsrichtlijnen en de structuur van bepaalde pan-
den. Nu kon ze alleen maar aan Caz denken, hoeveel die wel
geleden moest hebben. De vragen overspoelden haar opnieuw.
Hoe? Waarom?

Toen haar uiteindelijk naar haar mening werd gevraagd, vroeg
ze met glazige ogen: 'Kun je de vraag nog eens herhalen?'

Direct na zo'n vergadering ontsnapte ze om Ann, Claudia of
Julia te bellen.

'Nee, hoor. Je bent niet gek aan het worden,' stelden we elkaar
gerust wanneer we opnamen. Het waren dagen waarop de deur
van ons kantoor af en toe dichtging voor een telefonische ze-
nuwinstorting.

Er waren heel veel aanleidingen om te bellen.

'Ben ik gek aan het worden? Telkens wanneer ik op de klok
kijk, is het elf minuten over.'

'O, mijn god, dat heb ik ook.'

Toen Claudia's baas haar vertelde dat hij net een nieuwe Por-
sche 911 had gekocht, kon ze alleen maar denken: waarom kunnen ze die auto geen andere naam geven?

'Ik heb een paar dagen geleden op straat bijna een man be-
sprongen,' vertelde Julia, 'omdat hij van achteren op Tommy
leek. Dus ik holde naar hem toe om te kijken hoe hij er van voren uitzag. Wat bezielde me?'

Nu hadden we tenminste iemand om te bellen wanneer we
net van een bijeenkomst met de zoveelste adviseur of de zoveelste advocaat kwamen. Het was zo'n opluchting om elkaar
naderhand te bellen met de woorden: 'Gedaan, gedaan, gedaan!'
omdat we weer een taak van de eindeloze lijst hadden geschrapt;
om iemand te hebben met wie we konden delen hoe surrealis-

tisch het voelde om de hindernissen te nemen waar we zo lang tegen op hadden gezien, en die begreep hoe treurig het ons stemde. Want hoe hard we ook werkten, hoe dapper we ook ons best deden, het maakte allemaal geen verschil: hij was er nog steeds niet wanneer we aan het eind van de dag thuiskwamen. Hij kwam niet meer terug.

We sloegen de ogen ten hemel wanneer we de dingen doornamen die mensen zeiden in een poging ons te troosten, alsof we ooit getroost kónden worden.

'Misschien moest het wel zo zijn,' werd er tegen ons gezegd. Alsof de moord op duizenden mannen en vrouwen, alleen maar omdat ze die bewuste ochtend naar hun werk waren gegaan of op een vliegtuig waren gestapt, deel uitmaakte van Gods plannen met het universum.

'Maak je geen zorgen, je bent jong en mooi, er komt wel iemand anders op je pad...' Alsof een echtgenoot iemand is die je gewoon kunt achterlaten of vervangen, terwijl de schaduw van zijn afwezigheid elke dag geen seconde van je zijde wijkt.

En de dooddoener waaraan Julia, Pattie en Claudia het meest de pest hadden: 'Nou, jullie hadden tenminste geen kinderen...' Het maakte dat je met de mond vol tanden stond.

De meeste opmerkingen waren te vergeven, maar bij sommige viel dat niet mee. Een van Claudia's cliënten zei een keer tegen haar: 'Jij vindt het moeilijk om een weduwe van tweeëndertig te zijn? Moet je eens proberen in deze stad een alleenstaande vrouw van vijfendertig te zijn!'

Onder andere omstandigheden zou Claudia de vrouw de mantel uitgeveegd hebben, maar omdat het een klant was, leed ze in stilte.

Julia vertelde dat Tommy altijd zei: 'Rustig! Rustig!' als hij vond dat ze te veel praatte. Wanneer ze tegenwoordig idiote adviezen kreeg, maande ze zichzelf stilzwijgend: rustig! Rustig! Het duurde niet lang voordat we die woorden alle vier onhoorbaar mompelden.

In oktober woonden we allemaal het sponsorgala bij dat Claudia mede had georganiseerd. De gelegenheid was bedoeld om geld bijeen te brengen voor de Bart J. Ruggiere Foundation. Heel veel familieleden en vrienden woonden het diner en de stille veiling in de New York City Athletic Club bij. Voor Ann, Julia en Pattie was het voor het eerst dat ze een groot deel van de belangrijke mensen in Claudia's leven leerden kennen.

We wisten inmiddels dat Bart dol was op gelegenheden om zijn smoking te kunnen dragen en deze avond zou ter nagedachtenis een black-tie-evenement worden. Hij was tenslotte iemand die wist dat het leven bijzonder genoeg was om je netjes te kleden. Tot die avond hadden we het alle vier erg moeilijk gevonden om ons best te doen er flitsend uit te zien. Waarom ook? Wat had het voor zin? Wie zou ons zien? Maar dit was anders. Claudia zou een schitterende jurk met ivoren kralen dragen. De rest van ons wilde zich extra inspannen voor Claudia en om Bart eer te bewijzen. Pattie besloot er een schepje bovenop te doen en maakte een afspraak bij een kapsalon op Madison Avenue, gevolgd door een gratis schoonheidsbehandeling. Naderhand haastte ze zich naar Julia's huis, waar Ann al was gearriveerd om de voorbereidingen te voltooien.

Julia en Ann deden open en zagen Pattie zoals ze haar nog nooit hadden gezien: bril af, haar los en opgemaakt.

'O, mijn god, Pattie, je lijkt wel een filmster...' We wisten dat Caz Pattie dolgraag zo had willen zien. Hij zou hebben opgeschept hoe geweldig ze eruitzag. Nu waren wij degenen die namens hem moesten opscheppen.

Zonder het van tevoren te hebben afgesproken, hadden Ann, Julia en Pattie alle drie een zwarte jurk uitgekozen. Ann, met geföhnd haar en hoge hakken, twijfelde nog tussen twee jurken. In veel opzichten had het een doorsneeavond in New York kunnen zijn: drie vriendinnen die zich optutten voor een chic avondje en die typische meisjesvragen stellen: 'Kun je mijn ondergoed hierin zien?' 'Welke schoenen zal ik bij deze jurk aantrekken?'

'Kan ik jouw lippotlood lenen?' Maar zoals altijd was er tegenwicht voor die zorgeloze momenten. Als de club bij elkaar was, kon de stemming snel omslaan; we gingen in een oogwenk van opwinding naar werkelijkheid.

Dit was voor het eerst dat Ann en Pattie bij Julia thuis waren, en Julia wilde hun Tommy's eigendommen laten zien die op Ground Zero waren gevonden. Ze haalde de kostbare kartonnen doos met de plastic zak met eigendommen tevoorschijn. Toen ze de zak openmaakte, kwam de geur Pattie maar al te bekend voor: die koppige combinatie van toxische stoffen en metaal, die nog weken na de terreuraanval in haar huis in Brooklyn had gehangen. In de zak zaten Tommy's attachékoffertje, zijn agenda, laptop, rekenmachine, chequeboek, creditcards en zelfs de contanten die hij op zak had gehad: alle dingen die hij bijeengeraapt had voordat hij zijn bureau verliet. Julia voelde zich bijna schuldig toen ze die dingen aan Ann en Pattie liet zien. Zij had zoveel. De andere twee hadden niets gekregen, stoffelijk overschot noch eigendommen.

De enige troost die Julia te bieden had, was dat het feit dat ze die spullen had haar niet dichter bij het antwoord had gebracht op de vraag wat er precies met Tommy was gebeurd. Ze was nog steeds in de war, nog even treurig en net zo verbijsterd.

'Hoe kan het dat deze dingen zijn teruggekomen en Tommy zelf niet? Hoe kan hij weg zijn, terwijl zijn eigendommen zijn achtergebleven?' Zoveel maanden later was er nog geen touw aan vast te knopen.

Claudia wilde die avond op het sponsorgala een toespraak houden om de mensen voor hun komst en gulheid te bedanken. Ze vond het een angstaanjagend vooruitzicht. Ze had het zo druk gehad met de voorbereiding van het evenement dat ze de redevoering pas de avond tevoren had geschreven.

Vlak voordat Claudia op moest, besefte ze dat ze niet goed wist of ze de toespraak wel kon volbrengen. De zaal zat stampvol, er waren ruim driehonderd mensen, en toen ze opkeek en al die gezichten zag, was ze ervan overtuigd dat ze het beetje zelfbeheersing dat ze nog over had zou verliezen. Maar toen Claudia het podium beklom, merkte ze dat ze werd gesterkt door een onverwachte kracht, een hoeveelheid zelfvertrouwen die als een geschenk uit de lucht kwam vallen. Ze had voor onvoorstelbaar hetere vuren gestaan, dus dit kon ze best. Bart was bij haar, en hij fluisterde haar in wat ze moest zeggen.

De toespraak had ze geschreven als een brief van Bart. Alle aanwezigen wisten dat Bart erom bekendstond dat hij altijd contact hield en na dertien maanden wilde iedereen iets van hem horen.

'Het spijt me dat ik niet eerder van me heb laten horen, maar ik heb het hierboven te gek naar mijn zin.' De woorden klonken luid en helder. 'Ik verdeel mijn tijd tussen de pistes van St. Moritz in de ochtend en 's middags ga ik varen met mijn oude, houten speedboot. Sal, Pop Pop, Joe Pop, Julius en ik genieten van overdadige, zondagse pastamaaltijden. Er is een fantastische keuze aan eersteklas Toscaanse wijn en Sinatra komt af en toe langs om een paar liedjes te zingen... En mocht je je dat afvragen, er is ook een onbegrensde hoeveelheid kastruimte... Zeg alsjeblieft tegen de club dat ze zich geen zorgen moeten maken, dat Caz, Tommy en Ward ze hun liefde sturen... Je kunt iedereen vertellen dat ze het misschien niet weten, maar dat ik ze in de gaten houd en dat ze maar beter geld aan mijn stichting kunnen doneren. De opbrengst gaat naar middelbareschoolbeurzen voor kinderen uit achterstandsbuurten en een aangepast sportcentrum voor mensen met een lichamelijke of geestelijke handicap. Zo krijgen andere mensen de mogelijkheid alles uit het leven te halen, iets wat ik dankzij jullie allemaal ook heb kunnen doen. Nou, ik moet er snel vandoor. Ik ben al te laat voor mijn gin rummy-les van Sal. Zeg tegen je moeder dat hij al zijn liefde stuurt. Ik hou van jullie en mis jullie allemaal. God zegene je.'

Claudia had haar toespraak volbracht. Toen ze opkeek van haar aantekeningen, waren er geen droge ogen meer in de zaal.

Het was haar eerste en enige staande ovatie. Ze wist dat Bart daarboven meekeek en 'lang niet slecht...' mompelde.

Die herfst begon de club haar telefoontjes, gesprekken en e-mails te besluiten met Julia's afscheidswoorden voor de helikopterpiloot: 'Love you, echt waar'. In e-mails werd dat algauw afgekort tot luew. Wat als een luchtig afscheid van een vreemde was begonnen, werd iets met veel meer betekenis. Hoe vaker we het zeiden, des te meer we beseften hoeveel we inderdaad van elkaar hielden en hoe dankbaar we waren dat we elkaar hadden.

We waren zo getraumatiseerd geweest dat we onszelf moesten beschermen. Om de ramp te overleven, hadden we al onze reserves aangesproken, onszelf geïsoleerd en ons hart gaandeweg afgesloten. Maar het bewustzijn van die liefde voor elkaar wilde zeggen dat ons hart weer openging. Een risico was het wel: liefde bracht de immer aanwezige kans op verlies met zich mee. Maar dit risico was de moeite waard. Onze mannen wisten hoeveel we van hen hielden en die wetenschap hielp ons er weer bovenop te komen. Meer dan ooit begrepen we hoe belangrijk het was om liefde een centrale plaats in ons leven te geven.

'Love you, echt waar' begon zich uit te strekken tot vrienden, familieleden en alle andere mensen die onze waardering verdienden. We wilden hun laten weten hoeveel ze voor ons betekenden. Als een van ons of van hen iets zou overkomen, wilden we ervoor zorgen dat ze wisten hoe belangrijk ze voor ons waren. We wilden dat het laatste wat we tegen ze hadden gezegd een uitdrukking van dankbaarheid zou zijn.

Het zinnetje werkte algauw aanstekelijk. Onze vrienden en familieleden begonnen het ook te gebruiken. 'Love you, echt waar' maakte het mensen makkelijker om hun genegenheid te uiten. 'I love you' is een sterke verklaring, die mensen doorgaans voor een select handjevol reserveren. Zelfs mensen die misschien wat moeite hadden hun emoties onder woorden te bren-

gen gingen luew gebruiken. Voor ons was de boodschap duidelijk: liefde is een geschenk, deel het.

5 ❖ *Ann en Ward*

ANN:

Toen ik dat najaar terugkwam uit Scottsdale, heb ik mijn trouw-
en verlovingsringen afgedaan en opgeborgen. Ik had al besloten ze na de herdenking af te doen.

Ik wist dat ik er een tijdstip voor moest kiezen en me daaraan moest houden. Vrienden en familieleden rieden me regelmatig aan om de ringen aan een halsketting te dragen, of om ze
te laten veranderen, of om de verlovingsring aan de andere hand
te dragen als een gewoon sieraad. Of ze adviseerden me ze op
te bergen tot het moment waarop mijn zoons zouden trouwen.
Ze adviseerden me ze te verkopen en iets speciaals van de opbrengst te kopen. Dit was een heel persoonlijke beslissing en ik
wilde dat het mijn eigen besluit zou zijn, niet iets wat ik op aan-

raden van anderen had gedaan. En als ik jaren zou wachten om ze af te doen en er eindelijk de moed voor zou verzamelen, was ik bang dat dat weer een te groot statement zou lijken.

Het viel niet mee. Ik had veel troost geput uit die ringen aan mijn vingers: ze herinnerden me eraan hoeveel Ward van me had gehouden, aan die wonderbaarlijke band die ik met hem had gehad en aan het feit dat die band zich voorbij zijn dood uitstrekte. De ringen bezorgden me een zekere mate van bescherming: ik hoefde het feit dat ik alleen stond niet onder ogen te zien. Soms, wanneer ik ze aan mijn vingers zag, kon ik mezelf een ogenblik wijsmaken dat ik nog steeds een getrouwde vrouw was, met alle veiligheid die dat met zich meebrengt. Maar na een poosje kreeg ik het gevoel dat ik anderen en mezelf met het dragen van die ringen voor de gek hield. Ik was niet meer getrouwd. Ik was een weduwe. En na een tijdje wilde ik een uiterlijk teken van die verandering zien.

Ik wist dat ik hem niet minder zou missen of minder van hem zou houden wanneer ik de ringen afdeed.

Uiteindelijk werd het verwijderen van de ringen een privéplechtigheid. Ik bekeek ze goed voordat ik ze afdeed. Ik stopte ze in bijouteriekistjes en klapte de deksels dicht. Ik zette ze in de kluis. Ik keek nog even en deed toen de deur op slot.

Wanneer je trouwt, is er een moment waarop de priester je tot man en vrouw verklaart. Maar voor mij was er geen specifiek moment waarop ik weduwe werd. In plaats daarvan was er een langdurig, kwellend, dagend besef geweest, dat vele maanden had geduurd. De ring van mijn vinger halen was gewoon de volgende stap in de trage en pijnlijke acceptatie van iets wat totaal onaanvaardbaar was.

Toen ik Ward leerde kennen, was ik nog geen dertig. Ik was een pas gescheiden moeder met een prachtig zoontje van twee. Ik woonde al twee jaar in Rye, een forensenstadje op veertig minuten rijden van Manhattan, een plaatsje met witte spijlenhekjes, vrijstaande huizen, stille straten en goede scholen. Ik kwam net de moeilijkheden van het einde van mijn huwelijk te boven en belandde in een goede fase. Het was niet makkelijk geweest om het in mijn eentje te redden, maar het lukte. Ik begon te geloven dat ik het best zou redden om mijn zoon TJ alleen groot te brengen. Ik onderhield het huis, ik maakte er óns huis van en betaalde de rekeningen. In mijn werk als financieel adviseur in Manhattan deed ik het goed en ik maakte promotie. Ik redde het niet alleen, ik slaagde met vlag en wimpel en dat gaf me een nieuw soort kracht en zelfvertrouwen.

Een paar jaar na mijn studie had ik me verloofd. Ik was drieëntwintig toen ik hem leerde kennen en vierentwintig toen we trouwden. Vanaf het allereerste begin van de verloving vroeg ik me, als ik naar hem keek, af waarom ik niet beter op kon schieten met de man van wie ik naar mijn gevoel hield. We hadden dikwijls ruzie. Ondanks mijn bedenkingen was ik heel onervaren en liet ik me meeslepen door de opwinding van de voorbereidingen van de trouwerij. Misschien zou het wel beter gaan als we eenmaal getrouwd waren, hield ik mezelf voor. En toen de uitnodigingen eenmaal de deur uit waren, wist ik dat ik niet de moed had om het grote gebeuren te annuleren.

Binnen twee jaar na de trouwerij ontdekte ik dat ik zwanger was. Ik was bang. Ik voelde me onvoorbereid en veel te jong. Toen onze zoon TJ werd geboren, besloten we naar Rye te verhuizen, een geweldige plek voor kinderen om op te groeien. Inmiddels maakten mijn man en ik constant ruzie en hadden we niets meer met elkaar gemeen. Toen hij bij me wegging, voelde ik me vernederd. Ik dacht dat ik gefaald had. Ik was opgevoed met de overtuiging dat het huwelijk voor het leven was. Terugblikkend begrijp ik dat het een geschenk was dat hij bij me wegging. Hij bezorgde me een uitweg, een nieuw leven waarom ik zelf niet gevraagd zou hebben, maar toen het eenmaal zover was, was ik beter af.

Hij verhuisde naar een plaatsje in de buurt. Ik besloot in Rye te blijven. TJ was ruim twee jaar. Ik moet bekennen dat ik een heel eenzame periode doormaakte. Rye is heel erg een plaats voor stellen, een plaats waar mensen vastgeroest raken in bestaande vriendschappen en geen behoefte voelen om verder te kijken dan hun gevestigde maatschappelijke kring. Mijn ouders wonen op vijfenhalf uur rijden in de staat New York. Ik was alleen, maar vastbesloten er het beste van te maken. Ik dacht: ik kan hier aan zelfmedelijden ten prooi vallen, maar er ook iets aan gaan doen.

Na mijn gebroken hart werkte ik een poos aan mezelf. Het was afgelopen met die verspilde tijd tussen de middag. In plaats daarvan ging ik iedere dag naar fitness. Ik stortte me op mijn werk, nam meer verantwoordelijkheid op mijn schouders en boekte succes. 's Avonds las ik *Walden* van Henry David Thoreau en ik herlas mijn lievelingsauteur Ernest Hemingway. In een poging om nieuwe mensen te ontmoeten, sloot ik me aan bij een fietsclub. Een vriendin van het werk stelde me voor aan een paar vriendinnen die in de buurt woonden, en een oude studievriendin kwam in de buurt wonen. Ik begon een maatschappelijk leven te leiden en kreeg een nieuw gemeenschapsgevoel. Ik had ook mensen met wie ik uit kon gaan in de hoop tegen een bijzonder iemand aan te lopen.

Op een zaterdag in het begin van de zomer maakte ik met mijn fietsclub een tocht van honderd kilometer over het platteland van Connecticut. Het was een schitterende dag; we fietsten door het weelderige, glooiende landschap onder een wolkeloze hemel. Onderweg ontmoette ik interessante mensen die mij net zo graag wilden leren kennen als andersom. Na de tocht nodigde een van de clubleden me uit om die middag bij hem te komen zwemmen en barbecuen, en natuurlijk zei ik geen nee. Ik bleef een uur of twee, maar moest toen echt weg, omdat ik met iemand anders had afgesproken om wat te gaan drinken.

Ik was aan de late kant, dus ik besloot bij het café aan te wippen om mijn vriendin te vragen even te wachten, zodat ik naar huis kon om me op te frissen. Na honderd kilometer fietsen en een partijtje zwemmen wilde ik dolgraag een douche nemen, mijn haar droog föhnen, wat make-up opdoen en schone kleren aantrekken.

'Drink eerst even een glaasje,' drong mijn vriendin aan. Maar 'even een glaasje' veranderde ondanks mijn verfomfaaide voorkomen algauw in een paar glazen.

Ongeveer een uur later pakte mijn vriendin me bij de arm en zei ze dat ze me aan iemand wilde voorstellen. Ze bracht me naar een man op wie ze een oogje had. Die zat daar toevallig met zijn vriend Ward. Het volgende halfuur leerden Ward en ik elkaar een beetje kennen. Ik weet nog precies welke donkerblauwe trui hij droeg. Hij was een grote vent van ruim een meter tachtig, naast wie ik me nietig voelde met mijn een meter zestig. Hij had een prachtige glimlach en zijn ogen twinkelden. Heel aantrekkelijk. Ik herinner me dat Ward vertelde dat hij voor een sporttijdschrift werkte dat zich specialiseerde in golf en dat hij net terug was van een uitstapje naar Pebble Beach. Ik weet nog dat we het over mijn zoon TJ hadden en over zijn broer die ook TJ heette, en dat ik vergat hoe ik eruitzag. Ik herinner me dat ik zijn arm aanraakte, wat niets voor mij is, maar het was een onwillekeurige reflex. We keerden allebei terug naar ons respectieve gezelschap, maar niet voordat we erachter waren wat onze plannen voor die avond waren.

Op weg naar huis had ik een duizelig gevoel. Ik douchte, koos met zorg schone kleren uit en kleedde me aan. Ik belde mijn vriendin om haar over te halen naar het café te gaan waar Ward, naar ik wist, ook zou zijn. En hij was er. We baanden ons een weg naar een hoekje om te praten. Er was heel veel te vertellen; het was net alsof we de dingen die verteld moesten worden niet snel genoeg konden zeggen. Het gesprek stroomde zo natuurlijk dat ik ervan overtuigd raakte dat ik me niet vergist had toen ik dacht dat hij een bijzondere man was. Maar toen het tijd werd om op te stappen en Ward me vroeg met hem mee naar huis te gaan, wist ik dat dit te snel was. Ik ging weer naar mijn vriendinnen en hij ging naar huis.

Ongeveer een week later had ik een date in een buurtcafeetje. Ward was er ook, hij had ook een afspraakje. Binnen enkele minuten stond hij bij mijn tafeltje en liet hij de vrouw met wie hij was alleen zitten. Ik stelde Ward voor aan de man met wie ik was gekomen en zonder toestemming te vragen, ging Ward naast me zitten. De mannen hadden het even over golf en andere gemeenschappelijke interesses. Voordat Ward vertrok, zei hij dat hij had geprobeerd me te bellen maar mijn nummer niet in de gids kon vinden. Ik vertelde hem precies onder welke naam hij me kon vinden.

Mijn partner was onthutst. 'Heeft hij je zojuist mee uitgevraagd waar ík bij was?'

De rest van de avond moest ik mijn best doen om niet al te breed te glimlachen. Mijn hart jubelde. Ik kon nauwelijks wachten om naar huis te gaan en te kijken of Ward had gebeld. Zodra ik thuiskwam, luisterde ik het antwoordapparaat af en hoorde ik Wards stem.

We spraken af om de vrijdag daarop uit eten te gaan. Ward haalde me op en toen hij de cd-speler in de auto aanzette, stond mijn favoriete liedje van Grateful Dead op en wisten we dat we van dezelfde muziek hielden. Voordat hij van de oprijlaan wegreed, kuste hij me. Het was een uitstekende kus.

'Die moest ik even kwijt, dan hoeven we daar onder het eten niet de hele tijd aan te denken.'

Aan tafel kwam ik meer over Ward te weten. Hij vertelde me dat de dood van zijn vader twee jaar daarvoor een keerpunt voor hem was geweest, die hem zijn plek als volwassene had leren vinden. Hij was toen vierentwintig, woonde in Aspen, Colorado en werkte als ski- en golfinstructeur. Zijn vader overleed zo snel dat Ward niet op tijd thuis was om afscheid te nemen. Zijn vader was pas achtenveertig. Ward verhuisde direct naar Rye om dichter in de buurt van zijn familie te zijn.

Ward vertelde me ook over zijn grootvader, een man met een buitengewoon positieve kijk op het leven, een voorbeeld voor hem. 'Zoals PopPops vaak zegt: "Het leven is geen generale repetitie..." Zo wil ik mijn leven ook leiden.'

Ward was in Rye opgegroeid. Zijn moeder was er geboren, zijn grootouders woonden er en zijn ooms ook. De golfclub bleef de spil van zijn maatschappelijk leven. Hij werd vaak 'de burgemeester van Rye' genoemd, omdat hij overal tegen mensen opliep die hij al jaren kende.

Ik vroeg me af: waarom wil die knappe, zelfverzekerde, populaire en jongere man met mij uit? Hij was zesentwintig, ik negenentwintig. En daarbij kende ik niemand op de golfclub. Ik had het te druk met forenzen, hard aan mijn loopbaan werken, voor mijn zoon zorgen en de hypotheek betalen om veel aan mijn sociale contacten te doen.

Maar Ward wilde echt met me uit. Het leven ging de goede kant op; het was heerlijk. Mijn nieuwe vriend combineerde een heel aantrekkelijke bescheidenheid met een stralend zelfvertrouwen. Ward wist wat hij wilde en aarzelde niet om ervoor te gaan, al moest hij een afspraakje met mij maken terwijl ik met iemand anders uit was. Ook al betekende het commentaar en blikken van vrienden en familieleden die niet op slag konden begrijpen waarom hij iets wilde met een alleenstaande moeder met een klein kind. Maar nadat Ward verliefd was geworden op mij, werd hij ook verliefd op TJ. Het was liefde op het eerste gezicht tussen hen en dat was prachtig om te zien.

Ward hield van lachen. Hij had een aanstekelijke uitbundigheid. Hij vond weinig zo leuk als vrienden om zich heen verzamelen, en de mensen wilden graag bij hem zijn. Weldra leerde ik al zijn talrijke vrienden kennen en was ik opgenomen in hun kring. Hoewel ik mezelf niet als verlegen zou omschrijven, was ik veel gereserveerder dan mijn man. Op een feestje zat ik liever in een hoekje voor één goed gesprek met iemand, dan zoals Ward met alle aanwezigen te praten. Ward was open en sloot nieuwe vriendschappen. Mensen wendden zich tot mij als ze liever een een-op-eengesprek wilden. In dat opzicht vulden we elkaar aan.

Twee jaar later, in 1994, trouwden Ward en ik op een bloedhete julidag op de oever van de Long Island Sound. TJ droeg onze ringen. Na de plechtigheid en de receptie zeilden Ward en ik letterlijk op een boot van een vriend naar de zonsondergang. We hadden onze huwelijksreis rond de British Open gepland. Mijn nieuwe echtgenoot was een golfer met handicap 8. Ik leerde Wards favoriete vrijetijdsbesteding te waarderen en was vastbesloten de sport onder de knie te krijgen.

Vanaf het begin van ons huwelijk probeerden Ward en ik kinderen te krijgen. Ik kreeg twee miskramen, gevolgd door een jaar waarin ik niet zwanger kon worden. Toen ik zwanger bleek van een tweeling, konden we ons geluk niet op. We wilden een groot gezin en nu was er in één klap een uitbreiding van twee.

De tweeling kwam na een volledige draagtijd gezond en wel ter wereld, een jongen en een meisje nog wel: Ward en ik vonden ons leven vrijwel volmaakt. Ward had twee reacties: ze waren groter dan hij had verwacht – die nietige vijfponds ukkies – en ze hadden geen moedervlekken. Ze waren zo mooi om te zien, die lichamelijk perfecte, gezonde wezentjes. We waren op slag verliefd. Als we naar ze keken, voelden we ons dolgelukkig en gezegend. We noemden ze Billy en Elizabeth.

Maar de zorg voor twee pasgeborenen was zwaarder dan ik ooit had verwacht. Het leek waarachtig wel meer dan twee keer zoveel werk als de zorg voor één baby. Ik kan me niet herinneren dat ik ooit een moment voor mezelf had; ik kon nooit gaan zitten; ik kon me nooit ontspannen en ik mocht van geluk spreken wanneer ik de tijd vond om te douchen. Maar iedere maand bracht een nieuwe mijlpaal en werd het iets makkelijker. Ze herkennen me! Ze lachen naar me! Ik kan ze laten giechelen! Ik kan ze een fles geven in plaats van ze de hele tijd te moeten vasthouden! Ze kunnen zichzelf bezighouden met al het speelgoed in de box!

Toen kwam de klap.

Toen de kinderen zes maanden waren, dachten we dat Elizabeth een ernstige verstopping had. Ze kronkelde met haar lichaampje van pijn, het leek wel alsof ze buikspieroefeningen aan het doen was. We belden de kinderarts en die beaamde dat het waarschijnlijk een geval van constipatie was. Maar de volgende dag raakte Elizabeth steeds lastiger en geprikkelder. Die vrijdag besloot ik met haar naar de dokter te gaan. Ik wilde het weekeinde niet ingaan zonder dat iemand naar haar had gekeken.

Vrijdag in de namiddag bracht ik haar naar de kinderarts. Toen de dokter binnenkwam, begon Elizabeth weer met haar buikspieroefeningen.

De arts herzag haar diagnose direct. Dit was geen constipatie. Elizabeth had een stuip. De dokter pleegde wat telefoontjes en maakte een afspraak voor de volgende ochtend met een neuroloog. Wat? Artsen werkten toch niet op zaterdag, maar voor ons werd een uitzondering gemaakt? Dat was geen goed teken. Vervolgens legde de kinderarts uit dat we na de afspraak met de neuroloog naar het ziekenhuis moesten, dus dat we kleertjes moesten meenemen. Het ziekenhuis? Het was niet eens ons eigen buurtziekenhuis, maar een academisch ziekenhuis met specialisten die ons konden helpen. Ik moest naar huis. Dit moest Ward weten. Hij moest er iets op vinden.

Toen ik weer thuiskwam, was Ward terug van zijn werk en zat hij in de huiskamer met een paar vrienden een biertje te drinken. Ze bespraken net of we met zijn allen uit eten zouden gaan. Zo zorgeloos, zo ontspannen. Het is weekeinde, laten we het vieren, want het leven is goed.

Ik zei dat ik hem boven wilde spreken. We namen Elizabeth mee naar boven en gingen op ons bed zitten. Ik herhaalde wat de dokter had gezegd, dat Elizabeth stuipen had, dat ze naar een specialist moest en opgenomen moest worden. In dat stadium hadden we nog geen idee van de ernst van de situatie, maar we wisten voldoende om bang te zijn. Het huilen stond ons nader dan het lachen. Hoe kon dat prachtige baby'tje ziek zijn? We omhelsden elkaar en drukten Elizabeth tegen ons aan. Hoe kon dit gebeuren?

Gedurende de maanden en jaren daarna kreeg Elizabeth alle mogelijke anticonvulsiebehandelingen en -medicijnen. De indruk bestond dat haar stuipen het gevolg waren van de standaardinentingen, maar daarover zouden we nooit zekerheid krijgen. Terwijl we hoopten op een wonder, hoorden we dat Elizabeth waarschijnlijk nooit zou kunnen lopen of praten en altijd verzorgd zou moeten worden. Wij wilden alleen maar dat ze beter werd, maar alle pogingen haar te genezen betekenden eindeloze ziekenhuisopnames, behandelingen, specialisten, prikken, medicijnen die soms erger waren dan de kwaal en heel veel zorgen. Telkens wanneer we haar tweelingbroer de eenvoudige mijlpalen zagen bereiken van leren kruipen, lopen, hollen, zijn eerste woordjes zeggen, werden we eraan herinnerd hoe ver Elizabeth achter raakte.

Als ouders wilden we natuurlijk het allerbeste voor ons kind. Het allerbeste was dat Elizabeth zou genezen, maar bij de zoektocht naar genezing werd ze onderworpen aan pijnlijke en schadelijke behandelingen met gevaarlijke neveneffecten. Elizabeth was hooguit mondjesmaat vooruitgegaan. Moesten we haar in de hoop op een wonder aan die behandelingen blijven blootstellen, en tegelijkertijd haar algehele gezondheid in de waagschaal stellen? Vaak hadden we het gevoel dat onze dochter gewoon een proefkonijn was. We kwamen erachter dat artsen ook maar mensen zijn. Ze hadden niet alle antwoorden. Jawel, ze wilden ons wel helpen, maar in laatste instantie konden ze ons alleen maar waarschuwen voor potentieel gevaarlijke bijwerkingen en de grote beslissingen aan ons overlaten.

Naarmate de jaren verstreken, kwamen we in het reine met wat Elizabeth was overkomen. We begonnen te accepteren dat onze dochter niet zou waggelen, lopen, rennen, praten of zelfs maar huilen. Het leek zo oneerlijk. Ik vroeg me wel eens af: waarom ik? Wat heb ik misdaan? Maar allengs besefte ik dat we er niets mee zouden opschieten als we een schuldige konden aanwijzen. Elizabeth zélf was belangrijk. Ik zag Ward in een verbazingwekkende pleitbezorger voor ons kind veranderen. Ik herinner me nog wat hij tegen een specialist in Boston zei: 'Ik wil gewoon dat ze een zo goed mogelijk leven krijgt. Ik wil dat ze gelukkig wordt.'

Toen Ward en ik elkaar leerden kennen, was hij zesentwintig. Ik werd verliefd op een man die jonger was dan ik en die een vrij zorgeloos bestaan leidde, dat voornamelijk bestond uit gezelligheid, golf en uitgaan met knappe meisjes. Niettemin besefte hij dat het tijd was om zich te settelen. Hij was klaar voor zijn nieuwe levensfase. Hij was verliefd geworden op een gescheiden vrouw en haar zoon van twee. Mede omdat hij zijn eigen vader had verloren, kreeg hij direct een band met TJ: hij kon dat kind de liefde en begeleiding geven die hij graag van zijn eigen vader had gewild. TJ helpen was ook goed voor hem.

Na de geboorte van de tweeling was het alsof Ward groeide in zijn besef van vaderschap. Voor het eerst zorgde hij voor baby'tjes en ik vond het heerlijk om hem verliefd te zien worden op die behoeftige, huilende, angstaanjagende wezentjes die elk sprankje aandacht van hem nodig hadden en maar weinig teruggaven, althans in het begin. Maar Ward was ten prooi aan het besef van alle kersverse ouders: dat hij zonder meer alles zou doen om zijn kinderen het best mogelijke leven te bezorgen. Het ging niet meer alleen om hem, het ging helemaal om hen.

Toen Elizabeth ziek werd, zag ik Ward weer een transformatie doormaken. Nadat hij had aanvaard dat ze waarschijnlijk nooit 'volmaakt' of 'normaal' zou zijn, omhelsde hij haar beperkingen en hield hij des te meer van haar. Zij was zijn kleine 'Bumpa', zijn engeltje, en hoewel ze nooit het leven zou leiden dat hij zich voor haar had voorgesteld toen ze werd geboren, zou hij alles doen om haar een zo goed mogelijk bestaan te bezorgen. Voor een ouder is er niets zo pijnlijk als niet in staat zijn je zieke kind te helpen, en toch trad Ward de situatie met veel liefde, acceptatie en onzelfzuchtigheid tegemoet.

De positieve kant van al die problemen was dat onze relatie nog sterker werd. Het was iets van ons allebei. We gingen doen wat in ons vermogen lag om Elizabeth te helpen en onze jongens op te voeden. Elizabeth, dat kind dat niet kon klagen, niet kon oordelen, niet kon vechten, niet jaloers en niet egoïstisch kon zijn, had altijd zoiets puurs. Ze zette aan tot hartelijkheid. Elizabeth maakte ons geduldiger tegenover haar broertjes. Ze herinnerde ons eraan om dankbaar te zijn voor het gezeur en de driftaanvallen van Billy en TJ: zij konden zich uitdrukken en hun zusje niet. En ze verhoogde vooral ons vermogen tot onvoorwaardelijke liefde, ons vermogen om onszelf royaal beschikbaar te stellen en de behoeften van de kinderen voorrang te geven boven die van onszelf. Ward noemde haar 'zijn engeltje' omdat ze hem een wezenlijk perspectief schonk op wat wezenlijk van belang is in het leven.

Na Wards dood besefte ik hoe gelukkig ik was geweest om die kant van hem te leren kennen, de kant die misschien nooit naar boven was gekomen als Elizabeth er niet was geweest. Hij had de moeilijkste uitdaging van zijn leven onder ogen moeten zien, en in plaats van het onderspit te delven, was hij een beter mens, een betere echtgenoot en een betere vader geworden.

Ik weet nog dat we de zomer voor zijn dood met mijn hele familie doorbrachten op de Thousand Islands in de staat New York en ik op de steiger van mijn neef aan de rivier zat. Ward had de hele middag met de kinderen gespeeld. De rest van de volwassenen was uitgeput van de interactie met acht kinderen variërend in leeftijd van twee tot dertien. Maar Ward was niet zo snel afgemat. Hij vond het heerlijk om de kinderen te laten zien hoe je moest vissen, hoe je aas aan een haakje moest doen, hoe je ondermaatse vis van het haakje moest halen om ze weer terug te gooien, altijd maar weer. Als hij met het tuig van het ene kind klaar was, ging hij naar het volgende. Mijn neef wendde zich naar mij en zei: 'Is hij altijd zo'n levensgenieter, Ann?'

Ik knikte glimlachend. Ward vond het net zo leuk om die kinderen te leren vissen als om met zijn beste vrienden op de golfbaan te zijn, of om na zijn werk thuis te komen, een flesje bier open te trekken, het gras te sproeien en te proberen zijn zoons die door de tuin holden nat te spuiten.

De ochtend van die elfde september lag ik met ogen dicht in bed, blij dat ik nog een poosje kon blijven liggen. Vandaag was het mijn beurt om uit te slapen. Maar ik hoorde hem wel. Zijn wekker die afging, zijn voetstappen op weg naar de badkamer, de douche die aan werd gedraaid, tanden die gepoetst werden, het open- en dichtgaan van zijn doos op de ladekast, nog wat rondlopen, het gerinkel van kleingeld dat hij in zijn zak stak om een ochtendkrant te kopen, weer wat rondlopen. Kon het niet wat stiller? Ik was vastbesloten mijn ogen dicht te houden en weer te gaan slapen.

'Kijk eens wie we hier hebben. Ik heb ons engeltje gehaald.' Ik deed mijn ogen open en zag Ward staan met Elizabeth in zijn armen. Ze was vier en kon nog altijd niet lopen of geluid voortbrengen. Maar ze zag er inderdaad uit als een engeltje met dat lichtblonde haar, haar lichte huid, die felblauwe ogen en cherubijnse trekken. Ik glimlachte. Ward legde haar naast me aan zijn kant van het bed, liep om het voeteneind heen en ging aan mijn kant op de rand zitten. We knuffelden en kusten elkaar even. Ik had nog een slaaphoofd en hij was al helemaal fris en klaar om te vertrekken. We zeiden: 'Ik hou van je' en: 'Tot straks'. Toen Ward de kamer uit liep, glimlachte hij nog een keer over zijn schouder en weg was hij.

Eigenlijk liep hij niet; hij stevende doelbewust naar buiten omdat hij wist dat het precies zeven minuten lopen was naar het station en hij moest de trein van 7.11 uur halen. Opgewekt en vol zelfvertrouwen verheugde hij zich op zijn nieuwe baan. Het ging hem zeer voor de wind. Een paar weken daarvoor was hij in zijn nieuwe werkkring begonnen, en tot zijn opwinding had hij gemerkt dat hij het merendeel van zijn collega's al kende van vroegere banen. Hij had me verteld wat een geweldig team het was en hoezeer hij genoot van zijn nieuwe functie bij een firma die er trots op was de meest geavanceerde technologie van die bedrijfstak te kunnen bieden. Hij had me gebeld van kantoor om te vertellen dat hij van de honderdvijfde etage neerzag op het Empire State Building vlak onder hem, al stond het gebouw dertig blokken verder. En hij gloeide nog na van het geweldige weekeinde. Vrijdag had hij zijn nieuwe 'droomauto' opgehaald en rondgereden met onze jongens, zijn moeder en grootmoeder. Hij was bij vrienden langsgegaan om op te scheppen over zijn nieuwe speeltje, en ik wachtte mijn beurt af, omdat ik wist dat we het volgende weekeinde met z'n tweeën een uitstapje naar Connecticut gingen maken. Zaterdag had Wards voormalige schoolfootballteam een vriendschappelijke wedstrijd gespeeld, dus dat werd natuurlijk een picknick voor de wedstrijd, een gezellig weerzien en een hoop lol trappen met een heleboel oude vrienden. Zaterdagavond werd besloten met een ongedwongen, vrolijke maaltijd met onze beste vrienden bij ons thuis. Ik had Wards favoriete maaltijd bereid: dikke, sappige biefstukken, salade met een vinaigrette volgens mijn eigen geheime recept, knoflookbrood en brownies met ijs toe. De volgende dag konden we niet ons gebruikelijke zondagritueel uitvoeren – een paar uurtjes golf op de baan vlak bij ons huis – omdat die werd gerenoveerd. In plaats daarvan gingen we met het hele gezin een paar uur naar het strand en zelfs Elizabeth genoot van de ervaring: ze glimlachte naar de wind in haar gezicht en onderzocht de structuur van het zand. Ward en ik keken naar haar. Dat hadden we haar nog nooit zien doen. Het gaf ons hoop dat we in de toekomst meer gezinsuitstapjes met Elizabeth konden maken. Die avond hadden we een familie-etentje bij Wards grootmoeder, een wekelijkse traditie om het weekeinde af te sluiten.

Niets voelde anders dan anders, maar terugkijkend vraag ik me wel eens af of alles niet al te zeer van een leien dakje ging, niet een beetje te volmaakt was. Ik vraag me af of het geen tekens waren dat ons gelukkige leventje samen een beetje te goed ging. Probeert God je tekens te geven voordat je wereld instort?

Ik moet denken aan onze laatste ogenblikken samen. Als we hadden geweten dat we elkaar niet meer zouden zien, hoe zouden we die laatste ogenblikken dan anders gewild hebben? Ook zonder de bittere voorkennis van wat ons boven het hoofd hing, waren onze laatste momenten volmaakt. De onuitgesproken band tussen ouders die een onvoorwaardelijke liefde koesteren voor hun 'onvolmaakte' dochter, de erkentelijkheid voor de talrijke geschenken die ze ons elke dag gaf. De lichamelijke genegenheid die dagelijkse kost was en heel vaak werd geuit, omdat ze een bevestiging van onze liefde was en gewoon zo goed voelde. Het 'tot straks', omdat ik geloof – omdat ik moet geloven – dat hij in de hemel is en ik op een goede dag met hem herenigd word.

Toen Ward weg was, knuffelde ik Elizabeth nog een poosje en daarna stond ik op om Billy klaar te maken voor zijn vertrek. De elfde was de eerste dag van zijn peuterklas en ik had vrijaf genomen om hem te brengen en de oppas te vertellen wat ze moest doen.

Even voor negen uur ging de telefoon. 'Wat is Wards mobiele nummer?' klonk een mannenstem.

'Met wie spreek ik?' vroeg ik.

'Met wie spreek ík?' antwoordde de stem. De beller verwachtte mij die ochtend niet thuis te treffen. Hij was Wards grootste cliënt en een persoonlijke vriend. Toen hij besefte mij aan de lijn te hebben, legde hij uit: 'Ann, al onze intercoms en directe lijnen doen het niet meer. Ik moet Ward te pakken zien te krijgen om te horen of het goed met hem is.' Er viel een lange stilte. 'Zet CNN aan, Ann.'

Mijn brein maakte een pas op de plaats en ik probeerde tot me door te laten dringen wat hij mij duidelijk probeerde te maken. Hoezo telefoons die het niet meer deden? Waarom wilde hij weten of het goed ging met Ward? Ik deed wat hij had gezegd, zette het journaal aan en zag de beelden van Wards Tower die in brand stond. Ik belde zijn mobiele nummer, maar kreeg alleen zijn voicemail. Gefixeerd op het tv-scherm zag ik het tweede toestel inslaan. Het leek maar een klein vliegtuigje. Misschien was de bemanning bezig met een reddingsoperatie of maakte ze opnamen voor het journaal. Misschien had de piloot wel een hartaanval gehad. Het kwam niet bij me op dat dit een doelbewuste aanval was.

Ik bleef proberen Wards mobiele nummer en zijn kantoor te bellen en sprak hectische boodschappen in. Ik had wel vrij genomen om Billy naar school te brengen, maar ik zei tegen de oppas dat zij hem maar zonder mij moest brengen. Er was geen sprake van dat ik weg zou gaan. Ik moest thuisblijven en de telefoon opnemen als Ward zou bellen.

Doe iets. Ik kon niet stilzitten. Ik wilde met alle geweld geloven dat hem niets mankeerde. Dat moest gewoon. Wat moest ik zonder hem? Ik wilde er niet aan denken. Hij was in orde. Dat moest. Ik was vastbesloten om te doen alsof er niets ongewoons aan de hand was en ging naar de computer, sloot mijn Palm aan en draaide mijn agenda voor de volgende paar weken uit. Alles moest gaan zoals gewoonlijk, dat moest. Hier had ik mijn agenda zwart-op-wit.

Boven in de slaapkamer zag ik Wards ongewassen kleren van gisteren. Ik werd beslopen door een zweempje twijfel: als hem iets was overkomen, zou ik die kleren nooit wassen, dan wilde ik die geur bewaren. Maar die gedachte was al zo onverdraaglijk, dat ik de kleren opraapte en naar beneden ging om ze in de wasmachine te gooien. Alsof ik de gebeurtenissen kon beïnvloeden.

De telefoon bleef maar overgaan.

'Ik heb nog niets van hem gehoord. Ik moet ophangen want ik wil de lijn vrijhouden.'

De deurbel rinkelde. Ik deed open en daar stond mijn vriendin Kelly, bleek weggetrokken en met afgrijzen op haar gezicht. Die blik wilde ik niet zien. Ik zei: 'Het komt wel goed.' Dat moest gewoon.

Kimberley, een andere vriendin, kwam met een fles wijn. Ze vroeg om een kurkentrekker.

'Ik ga niet drinken!' zei ik. 'Het is nog niet eens tien uur!'

'Hoor eens, dat hebben we nodig...'

Na twee glazen te hebben ingeschonken, zei ze dat ze sigaretten ging halen.

Ik keek haar aan alsof ze gek was. 'Maar wij roken niet,' protesteerde ik.

'Ik weet het, schat, maar misschien zitten we er straks om te springen.'

Voor het eerst kreeg ik het gevoel dat alles van zijn plek was gevallen, in een surrealistische, nieuwe versie van het bestaan.

Mijn oudste zoon TJ, die in de brugklas zat, belde huilend op. Op school had hij gehoord dat de Towers getroffen waren en hij wilde weten of alles in orde was. Ik kon hem niet zeggen dat Ward niets mankeerde, maar legde wel uit dat alle telefoonverbindingen waren uitgevallen en hij wel zou bellen zodra het weer kon. TJ accepteerde die verklaring, maar wilde naar huis komen. Kelly bood aan om hem op te halen.

Die dag stonden er een paar therapiesessies voor Elizabeth op het programma: fysiotherapie, bezigheidstherapie, logopedie en bijzonder onderwijs. Omdat er steeds meer vrienden arriveerden, vroegen de diverse therapeuten of ze de sessie niet beter konden annuleren. Ik zei dat ze door moesten gaan. Ik stond erop dat ze zich niets in de weg moesten laten leggen, om de dagelijkse gang van zaken zo gewoon mogelijk te laten blijven. Het waren dingen die ik in de hand had.

Binnen enkele uren had ik een huis vol mensen. Ze kwamen met eten, drinken en sterke drank. We hadden er behoefte aan om bij elkaar te zijn en de angst onder controle te houden.

'Als iemand het kan redden, is het Ward.' 'Stel je alle sterke verhalen voor die hij straks kan vertellen.' 'Waarschijnlijk komt hij zo meteen binnenlopen om te zeggen dat hij uitgedroogd is, en vraagt hij waar zijn biertje blijft...' We lachten echt en hielden onszelf hoopvol voor de gek dat hij elk moment via de achterdeur kon binnenkomen.

's Middags hoorden we allemaal Billy op een zeker moment roepen: 'Papa!' met alle opgewonden voorpret van een vierjarige die zijn vader aan het einde van een lange dag ziet.

Onze hoop laaide op. We draaiden ons naar het raam en keken naar de oprijlaan in de verwachting Ward te zullen zien. Er viel een stilte. Hij was het niet. Het was een van onze vrienden, een man met een soortgelijk postuur die met zijn rug naar ons toe stond en iets uit zijn kofferbak haalde.

Iedereen sloeg de blik neer. Niemand durfde mij aan te kijken. Niemand durfde naar Billy te kijken.

De minuten moeten zich tot uren hebben uitgerekt, maar ik was alle gevoel van tijd kwijt; er was alleen maar wachten en hopen dat Ward zou bellen. 's Morgens had ik mijn ouders nog gezegd niet te komen. Als zij de reis van vijfenhalf uur van buiten New York zouden maken, zou ik moeten accepteren dat dit allemaal menens was. 's Middags kondigden ze aan dat ze in aantocht waren.

Telkens wanneer de telefoon ging, had ik nieuwe hoop. Inmiddels namen mijn vrienden op. Andere gezinnen hadden ook vermiste beminden. We hielden contact om de positieve geruchten te delen en elkaar tot steun te zijn.

Die avond werd er op een zeker ogenblik gebeld. Iemand nam op en zei dat er een zekere Claudia Ruggiere aan de lijn was. Hoewel we elkaar nooit hadden ontmoet, wist ik direct wie zij was, want Ward had me over Claudia en haar man Bart verteld. De twee mannen zaten naast elkaar op het werk en kenden elkaar al van een vroegere werkkring.

Ik nam de hoorn aan en ging naar het achterbordes om rustig te kunnen praten. Hoewel ik al andere families had gesproken, besefte ik dat ik Claudia moest spreken. Bart en Ward zaten naast elkaar – wat er ook gebeurde: zij en ik zouden hetzelfde lot delen. Claudia vertelde dat Bart haar meteen nadat het eerste vliegtuig zich in de toren had geboord had gebeld, om te zeggen dat hij in orde was en ervandoor ging. Als Bart niets mankeerde, wilde dat zeggen dat Ward ook buiten gevaar was.

Claudia had me met haar woorden een reddingsboei toegeworpen. We beloofden contact te blijven houden.

De volgende dag bleef TJ weer thuis van school. Hij wilde bij ons zijn als we iets van Ward hoorden. We geloofden allemaal dat Ward thuis zou komen. Iedere andere uitkomst weigerde ik hardnekkig te aanvaarden. Die avond ging ik naar boven waar Elizabeth in mijn bed naar een video lag te kijken. Ik wilde een poosje ontsnappen aan de tientallen mensen die in mijn huis zaten af te wachten. Ik ging op bed naast mijn dochter zitten, maar in plaats van naar het scherm te kijken, bleef Elizabeth maar naar de hoek van de kamer kijken.

Hoewel Elizabeth niet kan praten en heel weinig gezichtsuitdrukking heeft, lijkt ze dikwijls intuïtief te begrijpen wat er om haar heen gebeurt. Ik vroeg wat ze zag. Elizabeth keek me aan en zette het op een jammeren. Ze is een kind dat nooit huilt, dat alleen maar glimlacht en lacht en het meest tevreden kind op aarde is. Ze huilde alsof ze in een vreselijke, emotionele crisis was. Het was een diepe, smartelijke jammerklacht die uit de kern van haar wezen leek te komen. Ik keek haar aan en vroeg: 'Jij weet het, hè? Hij vertelt jou dat hij er niet meer is, hè?' Ik barstte ook in tranen uit; de gesloten deur van de ontkenning was op een kiertje gaan staan.

Toen ik die avond eindelijk in slaap viel, droomde ik van Ward. Hij stond aan het voeteneind. Het visioen was zo levensecht, dat ik hem had kunnen aanraken. Ik vroeg wat hij hier deed. Hij zei dat hij op bezoek was. Ik zei dat hij weg moest gaan, omdat het te verwarrend zou zijn voor de kinderen als hij bleef. Mijn onderbewuste bevestigde wat ik in mijn hart al wist, maar overdag niet kon toegeven. Dat Ward weg was en dat het nu mijn taak was om onze kinderen te beschermen.

De volgende dag zei TJ dat hij naar school wilde. Zijn wens om weer naar school te gaan en de draad van het dagelijks leven op te vatten, was een duidelijke boodschap aan mij dat kinderen een zo normaal mogelijk bestaan moesten hebben. Ik besloot alles te doen wat in mijn vermogen lag om hen te helpen een schijn van gewoonheid te houden. Ik zou hun leven niet moeilijker maken dan nodig was en ze moesten weten dat ik er was om hen te steunen.

Ik hield onze tv uit. Ik wilde de kinderen de eindeloos herhaalde beelden van de instortende Towers besparen.

Claudia bleef mij een paar keer per dag bellen en ik haar. Ze was ervan overtuigd dat zowel Bart als Ward nog leefde, dat ze ergens gewond in een ziekenhuis lagen, of dat ze gevangenzaten onder het puin. Ik wilde haar heel graag geloven en mijn hoop was brandstof voor de hare.

Binnen enkele dagen had Cantor een crisis- en informatiecentrum ingericht in het Pierre Hotel en Claudia en ik spraken af elkaar daar te ontmoeten.

'Ik ben blond en heb een roze pakje aan,' zei ik, alsof we een leuke lunchafspraak maakten.

Toen ik het Pierre binnenliep, kwam er een opvallende, jonge vrouw met donkerbruin haar, een olijfkleurige huid en helderblauwe ogen op me af hollen. Hoewel ik blond haar en een lichte huid heb en onze tinten niet verschillender konden zijn, was het alsof ik mijn spiegelbeeld zag toen ik Claudia aankeek. We hadden allebei roodomrande ogen van het huilen en de slapeloosheid, en onze afgematte gezichten stonden strak van de spanning van het hopen tegen beter weten in. Hoewel we met vrienden en familie naar het hotel waren gekomen, wilden we alleen maar met elkaar praten. Claudia was er nog altijd volledig van overtuigd dat er reden tot hoop was. Ze ging Bart niet opgeven en vertelde me dat ik Ward ook niet mocht opgeven.

Maar met elke dag die verstreek, werd de kans kleiner. Na een week wachten, stemde ik in met Wards familie om een herdenkingsdienst te gaan voorbereiden.

Het was onvoorstelbaar moeilijk om dat tegen Claudia te zeggen.

'Volgende week zaterdag houden we een herdenkingsdienst, Claudia,' zei ik.

Ik zei dat ik aan de kinderen moest denken. Ik moest Ward gedenken en vervolgens een begin maken met de onmogelijke taak om ons leven weer op te pakken. Ik weet nog dat ik het gevoel had dat ik haar verried, dat ik de hoop die we hadden gedeeld verried, dat ik Ward verried, dat ik Bart verried. 'Dat is elf dagen na de elfde,' berekende Claudia. 'Als ze dan nog geen overlevenden hebben gevonden, denk ik...' Allebei hoopten we met de moed der wanhoop dat we de dienst zouden kunnen annuleren.

De plaats Rye had een hoger aantal dodelijke slachtoffers dan welke andere gemeenschap ook. De gezinnen moesten passen en meten om de herdenkingsdiensten te organiseren. In een tijdsspanne van twee weken woonde ik zes diensten bij. Ik móést gaan, ik wilde de lotsverbondenheid voelen met anderen die ook een dierbare hadden verloren.

Ik had het gevoel dat ik de allerbeste dienst voor Ward moest organiseren die ik maar kon bedenken. Ik wilde dat hij trots op me zou zijn, ik wilde iets wat hem op het lijf geschreven zou zijn. Vooral de muziek was belangrijk. Naast de traditionele begrafenispsalmen zou een van Wards vrienden zijn favoriete nummers van Grateful Dead en Van Morrison met gitaarbegeleiding zingen. Er zouden Schotse doedelzakken spelen en het kwartet van zijn oom zou het 'Ave Maria' zingen.

Voordat we de bewuste ochtend van huis gingen, pakte Billy zijn lievelingsaapje van zijn bed. Hij kon niet volledig begrijpen wat hem was overkomen, maar wist wel dat hij die knuffel nodig had. De rest van de dag hield hij dat aapje vastgeklemd.

Toen we bij de kerk aankwamen, puilde die al uit van de mensen op het bordes.

'Hoe erg is het?' vroeg ik een van de zaalwachters. Ik wilde weten hoeveel mensen ik binnen ongeveer kon verwachten.

'Het gaat wel,' verzekerde hij me. Niettemin besloot ik de achterdeur te nemen. Er was geen sprake van dat ik het hele middenpad af ging lopen.

De kerk was afgeladen. Na de dienst kwamen er honderden mensen naar de receptie op Wards golfclub om een glas te drinken, en als eerbetoon aan hem met zijn driver een bal van de eerste tee te slaan. Iedereen kwam. Wards familie. Mijn familie. Vrienden van Ward. Mijn vrienden. Vrienden van onze familie. Wards collega's en cliënten. Vroegere collega's en voormalige cliënten. Caddies van de golfclub. Het leek alsof iedereen voor wiens leven Ward van betekenis was geweest aanwezig was.

Maar de enige bij wie ik wilde zijn, was Claudia, een vrouw die ik nog geen twee weken kende. Wat me het meest bijstaat van die dag, is dat ik met haar op het terras zat. Het was een schitterende herfstdag. De hele dag was ik het middelpunt van de belangstelling geweest. Ik was degene met wie iedereen wilde praten, als een bruid op haar receptie. Ik weet nog dat ik tegen Claudia zei dat ik alleen maar wilde weghollen en zou willen dat deze dag maar voorbij was; dat het, hoeveel ik ook dronk, niet voldoende was om zelfs maar de scherpe kantjes van de pijn te halen, laat staan dat ik dronken kon worden. We wilden allebei weten hoe dat mogelijk was. We praatten over de dienst die Claudia over vier dagen voor Bart zou houden. Ik beloofde dat ik zou komen.

De maanden na Wards dood waren mijn voornaamste gedachten: hoe moet ik het zonder hem redden? En: hoe kan ik dit allemaal makkelijker maken voor de kinderen? Het was aan mij om zowel moeder als vader voor drie kinderen te zijn. Het was mijn taak om uit te zoeken hoe ik hen op hun bestemming kon krijgen, kon ophalen, te eten kon geven, in bad kon doen, kon helpen met hun huiswerk, hen naar bed kon brengen, van hen kon houden en hen kon beschermen. En tegelijkertijd had ik een volledige baan in de City, moest ik een huishouden gaande houden, de oppas tevreden houden zodat ze het bijltje er niet bij neer zou gooien en proberen vast te stellen wat het beste was voor Elizabeth.

Dus had ik weinig tijd om stil te staan bij de vraag hoe het was om weduwe te zijn. Ik had het zo druk met nadenken over hoe ik de dag door moest komen, dat er in mijn hoofd weinig ruimte was voor iets anders. Ik was reuze vergeetachtig in die tijd. Ik vergat formulieren terug te sturen naar school, ik vergat afspraken waarvan ik dacht dat ik ze had afgezegd. Ik was altijd mijn sleutels kwijt. Het ene moment zei ik iets tegen iemand aan de telefoon, en het volgende moest ik hem vragen of ik dat soms al had gezegd en kon ik me niet herinneren of ik het al een keer had verteld: dingen die weinig bevorderlijk waren als je een goede moeder, vriendin of werkneemster wilt zijn. Alles kostte twee keer zoveel moeite, omdat ik me niet kon herinneren wat ik al had gedaan, of wat me vervolgens te doen stond. Organiseren was een van mijn sterke kanten geweest, maar nu had ik af en toe het gevoel dat ik alle controle kwijt was en dat mijn leven me door de vingers glipte omdat ik de alledaagse dingen van een werkende moeder niet voor elkaar kon krijgen.

Ik moest sterk zijn, maar dat lukte niet altijd. Als ik met mijn kinderen achter in de auto langs de plaatselijke pizzeria Sunrise reed, waar Ward graag een stuk pizza ging halen, moest ik mijn tranen wegknipperen om de weg te kunnen blijven zien. Als ik in de supermarkt langs zijn lievelingseten liep, moest ik mijn adem inhouden om het snikken te smoren. Heel Rye was vol aandenkens aan hem. Er was geen enkele plek die me niet het gevoel gaf dat hij levend en wel binnen zou komen als ik die avond thuiskwam.

Ik vond altijd van mezelf dat ik een goede ouder was en ik besefte dat ik nu dubbel zo goed moest zijn. Als ik mij nog langer zou laten overheersen door verdriet en wanhoop, zouden mijn kinderen dat voelen en zou dat hun leven nog moeilijker maken dan het al was. Als ik een goede ouder wilde zijn, moest ik manieren zien te vinden om een gelukkige thuissituatie te creëren, besefte ik.

Maar ik kon me niet concentreren. Ik sliep slecht. Ik kon m'n tranen niet altijd bedwingen. En dat ging maanden en maanden zo door. Ik wist dat ik mezelf in evenwicht moest houden, dat ik 's morgens moest opstaan, dat ik iedere dag moest zien door te komen. Ik bleef mijn agenda's maar uitdraaien en proberen me aan het plan te houden. In januari ging ik weer aan het werk. Op zaterdag had ik amper tijd om na te denken. Ik moest drie kinderen allemaal een andere kant op sturen: naar voetbal, hockey, lacrosse en muziekles. Hun roosters op elkaar afstemmen en ervoor zorgen dat ze de juiste schoenen en kleding voor elke activiteit bij zich hadden, maakte dat ik geen ogenblik kon stilzitten. Toch waren er momenten dat ik lichamelijk en geestelijk zo uitgeput was, dat ik niet meer wist of ik de kracht had om Elizabeth rond te sjouwen of van en naar de auto te tillen.

Zondag was de ergste dag van de week. Dat was onze gezinsdag, waarop Ward en ik altijd een paar uur alleen voor elkaar reserveerden. 's Avonds aten we altijd met zijn familie bij zijn grootmoeder. Nu bleven we thuis, want we zaten niet te wachten op de zoveelste herinnering aan wat er allemaal was veranderd. De zondag vulde ik zo goed en zo kwaad als het ging, en vervolgens besteedde ik de avond met de planning van de volgende week, het inpakken van rugzakjes van de kinderen, hun rooster bekijken en kleren klaarleggen.

Een 'te-doen'-lijst van een kilometer was absolute noodzaak. Die lijst en alle dingen die erop stonden gaven me de mogelijkheid om te ontsnappen in de eenvoud van taken. Verdriet was onvoorspelbaar en onkenbaar, terwijl ik op de dingen op die lijst wel greep had. Ik had tientallen geeltjes op mijn computer. Een aantal kon snel worden afgevoerd. Ik herschreef mijn testament, dankbaar dat Ward voor zijn dood geen misverstand over zijn laatste wil had laten bestaan. Nu besefte ik dat ik niemand tot last wilde zijn als mij iets overkwam. Ik wilde mijn kinderen beschermen en ervoor zorgen dat onze zaken op orde waren. Vrienden coördineerden het knipselboek van Wards leven dat ik als aandenken wilde. Maar er waren geeltjes die vele maanden op mijn computer bleven zitten. De gezamenlijke rekening op mijn naam zetten bijvoorbeeld; ik kon me er niet toe zetten om nieuwe cheques te laten drukken zonder Wards naam erop. De nodige informatie inwinnen voor teruggaaf van onroerend- goedbelasting. Het bestellen van een graf en een steen voor mijn man, al hadden we geen lichaam om te begraven. Als ik naar die notities keek, werd ik vervuld van afgrijzen en tegenzin om die dingen aan te pakken.

Volgens mij is geen enkele moeder in staat om niets te zitten doen – er is altijd wel iets te doen – maar onder deze omstan- digheden was het nog moeilijker. Hoe kon ik naar een stomme soap gaan zitten kijken als ik niets anders kon doen dan huilen wanneer ik naar mijn eigen leven keek? Hoe kon ik ervan ge- nieten om met mijn kinderen te spelen terwijl ik wist dat ze zon- der hem moesten opgroeien?

Ik zorgde ervoor dat ik 's avonds altijd iets te doen had. Af- gezien van Claudia waren al mijn vriendinnen getrouwd. Alle sociale aangelegenheden die ik bijwoonde, benadrukten alleen maar dat Ward weg was en dat ik de helft van een geheel was. Niettemin zei ik altijd ja wanneer ik ergens werd uitgenodigd. Ik was doodsbang dat ik van het sociale leven zou worden bui- tengesloten. Ik was al zoveel kwijt: mijn man, mijn beste vriend en de vader van mijn kinderen. Mijn vrienden moest ik vast- houden. Ik moest geloven dat ik er nog bij hoorde. Ik wilde 's avonds niet alleen thuisblijven. Ik wilde het huis uit, zodat ik niet aan Wards afwezigheid werd herinnerd. Ik was nooit waar ik wilde zijn: waar ik me ook bevond, ik wilde ergens anders zijn. Ons huis, dat ooit ons heiligdom was, was een plek waar ik niet graag terugkeerde.

Ik was heel bang dat mijn kinderen naast het verlies van hun vader ook een deel van hun moeder zouden kwijtraken. De vraag hoe dat hun verdere leven zou beïnvloeden, maakte me ver- schrikkelijk bang. Ik herinner me dat TJ met zijn dertien jaar heel beschermend naar mij toe werd. Opeens was hij bezorgd over de toekomst, over geld, hoe ik de rekeningen ging betalen. Ik voelde hoe hij over mijn schouder meekeek wanneer we bood- schappen deden. 'Kunnen we dat wel betalen, mam?' Hij had mensen horen fluisteren en het serieus genomen. Ik had er een hekel aan wanneer mensen hem 'de man in huis' noemden. Die opmerking maakte me zo boos. Hij was geen man; hij was dertien en amper een tiener. Het was hartverscheurend om een dertienjarige te zien die opeens de hele wereld op zijn schouders droeg. Ik besefte dat ik hem moest inprenten dat ik er was om voor hem te zorgen, in plaats van hem het gevoel te geven dat hij verantwoordelijk was voor mij.

Billy was veel jonger. Hoewel hij niet altijd kon zeggen wat hij voelde, was het duidelijk dat hij worstelde. Iemand had Billy een verhalenboek gegeven dat we het 'hemelboek' noemden. Het ging erover dat iedereen doodgaat en daarna naar de hemel gaat. In het begin las ik Billy er dikwijls uit voor.

Op een dag was het boek verdwenen. Ik bleef Billy vragen waar het was. Het was al drie avonden zoek.

Ik bleef maar vragen: 'Waar is het hemelboek, Billy?'

Uiteindelijk zei hij het. 'Ik heb het verstopt.'

'Waarom?'

'Ik vind dat boek niet meer leuk.'

Ik vroeg waar hij het had verstopt.

'Op een erg vieze plek waar je het nooit zult vinden.'

Maanden later vond ik het boek onder mijn bed. Dat bracht tenminste een glimlach op mijn gezicht. Billy vindt onder mijn bed een 'erg vieze plek'.

Ik kookte niet meer. Ik ben gek op koken, maar ik kon het niet meer opbrengen, omdat het me alleen maar herinnerde aan het feit dat ik nooit meer voor Ward zou koken. De oppas kookte voor ons: we leefden op kipnuggets, ham- en kaasburgers, kindervoer. Op een avond was TJ boos en hij huilde dat hij alles weer wilde zoals het vroeger was. Waarom kookte ik niet meer? Waarom lachte ik niet meer? 'Je maakt nooit meer die kipdinges...' zei hij beschuldigend. Ik besefte dat hij gelijk had. *Chicken piccata* was een van Wards lievelingsgerechten. Ik maakte het vroeger minstens eens per maand. Ik beroofde de kinderen van een traditie en herinnering waarnaar ze hunkerden. Als mijn zoon wilde dat ik voor hem kookte, moest ik me over mijn verdriet heen zetten en proberen hem te geven wat hij nodig had. Deze keer was de oplossing eenvoudig: gewoon weer gaan koken.

Ongeveer een maand na Wards dood was ik in huis bezig met wat administratie terwijl Billy in de voortuin speelde. Om de een of andere reden riep ik mijn zoon naar binnen, al was het nog te vroeg voor de lunch. Ongeveer twintig minuten later belde een buurman om te zeggen dat ik eens naar buiten moest kijken. Een eindje verderop was een diefstal gepleegd. De dieven hadden de auto van de buren gestolen. Toen ze ervandoor wilden gaan, waren ze de macht over het stuur verloren en door mijn voortuin gereden. Ik ging naar buiten en zag de bandensporen waar ze dwars door de heg de tuin in waren gereden. Ze hadden een lamp langs het voetpad omvergereden voordat ze nogmaals dwars door de heg waren gejakkerd.

Als Billy nog in de voortuin had gespeeld toen dat gebeurde, had hij wel dood kunnen zijn. Het verschil van een paar minuten zou me hebben opgezadeld met een tweede verlies, en dat zou me te veel zijn geworden. Ik had geen reden gehad om Billy naar binnen te halen. Ik wist alleen dat ik hem binnen wilde hebben. Ik had het sterke gevoel dat Ward ons bewaakte. Mijn man zocht manieren om zijn gezin te blijven beschermen. Dank je wel, Ward.

Dan was er het mysterie van het horloge. Ward had twee horloges. Een dat hij van zijn vader had gekregen toen hij afstudeerde, en een dat ik hem in juli had gegeven op onze trouwdag. Kort na 11 september had ik een paar dagen naar die horloges gezocht. Ik wilde weten welk horloge hij had gedragen, zodat ik die bijzonderheid op het formulier voor vermiste personen kon schrijven. Zorgvuldig doorzocht ik het kistje waarin hij zijn horloges, visitekaartjes, geldclip en sleutels bewaarde. Het horloge dat zijn vader hem had gegeven zat in het kistje, dus concludeerde ik dat Ward het horloge had gedragen dat hij van mij had, en dat vulde ik in op het formulier.

Weken later wilde ik dat houten kistje nog eens doorzoeken om zijn eigendommen te betasten en aldus zijn aanwezigheid te voelen. En toen zag ik het, helemaal boven in het kistje; het lag daar gewoon. Hoewel ik het kistje heel vaak van boven tot onder had doorzocht, lag het horloge dat ik hem had gegeven er als bij toverslag. Ward had kans gezien om twee horloges na te laten, een voor Billy en een voor TJ.

Dat voorjaar besloten Claudia en ik een persoonlijke getuigenis af te leggen bij de processen tegen Zacarias Moussaoui, de eerste terrorist die was opgepakt. Het was voor het eerst dat ik werd betrokken bij een dergelijk 11-septemberthema. Het was me vaak genoeg gevraagd. Ik kreeg voortdurend brieven en e-mails. Van meet af aan deelde iedereen informatie over praatgroepen, herdenkingsdiensten en liefdadigheidsevenementen. Vervolgens werden bepaalde groeperingen politiek actief en richtten sommige zich op de herbouwingsactiviteiten, en andere op onderzoeken naar de gebeurtenissen van 11 september. Ik weet nog dat ik de mensen die dat deden heel dankbaar was dat ze talloze uren van hun vrije tijd opofferden om de gang van zaken positief te beïnvloeden, maar ikzelf had het gevoel dat ik voorlopig genoeg op mijn bord had. Ik wilde niet ja zeggen tegen iets om vervolgens te merken dat ik het niet klaarspeelde. Ik wilde doen wat ik kon, maar er waren grenzen.

Ik vond het heel belangrijk een bijdrage te leveren aan het proces. De eerste stap bestond uit het bijwonen van een getuigenverhoor en het met een advocaat van justitie doornemen van 'de aard en hevigheid' van het verlies.

Ik herinner me dat de rechter me op een gegeven moment tijdens het getuigenverhoor vroeg: 'Hebt u het gevoel dat u dankzij het Victims Compensation Fund in de toekomst financieel beter af zult zijn dan toen uw man nog leefde?'

Ik keek de rechter perplex aan. Ik dacht dat het vanzelf sprak dat geen enkele hoeveelheid geld het verlies van mijn man en van de vader van mijn kinderen kon goedmaken.

'Ward en ik hadden het goed,' zei ik. 'We hadden een mooi huis en auto's; we spaarden voor de opleiding van de kinderen en ons pensioen. We reisden, waren lid van golfclubs en hielden er een heel aangename levensstijl op na. En al zou dat niet zo zijn, dan nog weegt geen enkele som geld op tegen het verlies van de man van wie ik hou. Alle geld ter wereld zal de vader van mijn kinderen niet terug kunnen brengen.'

Goddank was Claudia er die dag bij en konden we hier samen doorheen. De voorgaande maanden hadden Claudia en ik vrijwel dagelijks contact. Familie en vrienden waren een enorme steun, maar zij en ik hadden een band. Als ik het niet meer zag zitten, belde ik haar en zij begreep het. Zij kon me erdoorheen praten. Als zíj het gevoel had dat ze het niet redde, kon ik haar helpen, en het gaf me kracht om te beseffen dat ik dat kon. Als dochter van een weduwe kon Claudia me ook wijzer maken over wat mijn kinderen doormaakten.

Claudia en ik gaven elkaar moed. We herinnerden elkaar eraan om niet te overdrijven. 'Niet zo hard voor jezelf zijn,' zei Claudia dan tegen me. 'Het leven is al hard genoeg.'

We zaten in een helingsproces, zei Claudia. Onszelf veroordelen zou het alleen maar erger maken. Fouten maken en onszelf vergeven was oké.

Vervolgens stelde Claudia me die zomer voor aan de meisjes van de club en spraken we af er na de herdenking op uit te gaan. Die ontmoeting was een keerpunt voor ons allemaal. We hadden meteen veel steun aan elkaar.

Toen we na de eerste herdenking uit Scottsdale terugkeerden, besloot ik dat ik behoefte had aan een soort nieuw begin. Ik zou niet alleen mijn ringen afdoen, maar ook onze slaapkamer opknappen. Ik voelde dat het me zou helpen als ik wist dat ik de stap genomen had. De stap van het creëren van de enige plek in huis waar ik me af en toe kon terugtrekken. Het besef dat ik mijn eigen ruimte had gecreëerd.

Eerder dat jaar had ik Wards kledingkasten al uitgeruimd. Van zijn kleren liet ik lappendekens voor de kinderen maken, waarbij ze zelf de stoffen mochten uitkiezen die ze wilden gebruiken. Billy en TJ kozen zijn favoriete T-shirts en sweaters voor hun dekens. Het uitruimen van die kasten werd een gezinsactiviteit. Maar het opknappen van de slaapkamer was iets wat ik voor mezelf kon doen. Het was de eenvoudigste verandering die ik in huis kon aanbrengen, want ik veranderde niets wat Ward en ik samen had uitgekozen. Sinds we dat huis hadden betrokken, hadden we nooit iets aan onze slaapkamer gedaan. Nu besloot ik de inrichting te veranderen en nieuwe gordijnen te nemen en maakte ik ruimte op mijn nachtkastje voor nieuwe foto's van Ward en de kinderen.

Ook bood een oude vriendin dat najaar aan om 'een afspraakje' voor me te regelen. Ik was zo eenzaam en verlangde zo naar mannelijk gezelschap, naar lichamelijke genegenheid, naar een minnaar, naar een partner, dat ik ja zei. Toen Ward stierf, was mijn transformatie van vrouw tot weduwe in zekere zin onmiddellijk geweest. Maar zo voelde het niet. Het was een traag en kwellend proces om aan die nieuwe rol te wennen. Er kwam een enorme hoeveelheid creativiteit van mijn kant bij kijken. Door mijn ringen af te doen, mijn kamer te veranderen en met iemand anders uit te gaan, probeerde ik mezelf ervan te overtuigen dat ik niet de kapotte helft van iets heels was. Dat ik ooit, misschien niet meteen, maar ooit, weer een zelfstandig persoon zou zijn.

6 ❖ *Voorzichtig er weer op uit*

Ann en Claudia

In het begin van het tweede jaar begon onze omgeving ons vriendelijk aan te sporen weer met mannen af te spreken. Ann had al besloten dat ze daar na een jaar weer mee zou beginnen. Pattie en Julia wisten niet zeker of ze er al klaar voor waren. En of ze dat ooit zouden zijn.

Claudia's moeder zei met haar klassieke New Yorkse accent: 'Clòòdia, misschien wordt het tijd.'

Claudia antwoordde: 'Hoezo? Jij hebt dat toch zelf ook niet gedaan.'

En haar moeder zei: 'Ja, maar daar heb ik nu spijt van.'

Op een dag in oktober toen Claudia van Scottsdale was teruggekeerd, liep ze over straat met Barts zus Kathleen en kwam ze een oude studievriend tegen.

Toen ze doorliepen, gaf Kathleen Claudia een por in de ribben. 'Waarom vraag je hem niet mee uit? Hij is leuk.'

Claudia zei tegen Kathleen dat ze niet spoorde. In dat stadium leek het hele idee van uitgaan met andere mannen nog totaal bizar.

We maakten ons erg druk over wat andere mensen zouden zeggen als we weer zouden uitgaan, maar het was geruststellend om te merken dat vrienden en familieleden wilden dat we de blik op de toekomst gericht hielden. De club werd een soort couveuse, waar we veilig konden praten en lachen en huilen over de absurditeit van terugkeren naar een toneel dat we ver achter ons meenden te hebben gelaten toen we onze man leerden kennen en trouwden. 'Waarom zouden we met iemand uit willen gaan als we al getrouwd zijn?' vroegen we aan elkaar.

We hadden het over onze ringen: deed je die af of hield je ze aan? Bedrogen we onze man als we een andere man kusten? Waren we echt van plan de rest van ons leven vrijgezel te blijven? Konden we ons aan de andere kant wel voorstellen om met iemand anders dan onze man te slapen? Bestond er een soort weduwewoord voor het tweede verlies van je maagdelijkheid?

Een jaar geleden hadden we ons dit soort gesprekken niet kunnen voorstellen. Die stap was toen te groot. Maar dat was het nou precies: een stap. Gaandeweg zouden er nog veel meer stappen moeten worden genomen, en deze was er maar een van. Bovendien, wat riskeerden we nu helemaal als we ergens met een man gingen eten? We waren al meer kwijt dan de meeste mensen zich konden voorstellen. En als het niet zou klikken, zouden we altijd weten dat we de liefde van ons leven hadden ervaren, en niemand kon ons de herinneringen aan ons huwelijk afpakken. Vooral Ann hoopte dat uitgaan haar zou helpen om de pijn te verzachten, om weer te passen in het wereldje van 'normaal' getrouwde stellen in de voorsteden, en zelfs om weer iets van geluk te vinden.

Een oude vriend van Ward bezorgde haar een eerste afspraak. Ann was heel opgelucht dat anderen een oogje in het zeil hielden, maar was ze wel toe aan een date? De waarheid was dat ze er bij lange na nog niet aan toe was. Aan de andere kant wilde ze niet élke kans om vooruit te gaan van de hand wijzen. Dus toen Wards vriend haar vroeg of ze belangstelling had voor een blind date, was het antwoord: 'Ja, laat hem maar bellen.' Ned belde de volgende dag.

Ann had geen afspraakjes meer gemaakt sinds ze Ward had leren kennen, ruim tien jaar daarvoor. Het telefoongesprek was al reden tot nervositeit. Maar toch was het makkelijker dan ze had verwacht. Tijdens het telefoongesprek ontdekten Ann en Ned dat ze nog een gemeenschappelijke vriendin hadden. Ze had nog niet opgehangen, of ze belde haar vriendin om haar uit te horen; het is altijd goed om je huiswerk te doen en goed beslagen ten ijs te komen. Omdat Ann zich weer in het uitgaanscircuit begaf, vond ze dat ze het maar beter volgens de regels kon spelen.

Op de avond van haar afspraak liet Ann de kinderen beneden aan tafel en ging ze naar boven om te kijken wat ze aan zou trekken. Wat moest je eigenlijk aan op een eerste afspraak? Omdat ze echt geen flauw idee meer had, besloot ze op safe te spelen: een zwarte broek en een lichtblauwe zijden trui met een v-hals, een tikje chiquer dan vrijetijdskleding, maar niet té chic voor een etentje buiten de deur op een doordeweekse dag. Ze zorgde er wel voor dat ze op tijd klaar was. Ze wilde niet dat Ned één seconde zou moeten wachten in haar chaotische huis, waar haar kinderen hem konden afschrikken voordat ze hem zelfs maar had leren kennen.

De bel ging en ze deed open. Hij zag er leuk uit, erg leuk zelfs, met zijn modieuze korte haar, spijkerbroek, een goed passende trui en een bruin suède jack. Beslist meer Banana Republic dan Brooks Brothers. Dat was een goed begin. Ze konden op slag makkelijk lachen om de wederzijdse vriend die hen met elkaar in contact had gebracht. Ann en Ned gingen naar een uitstekend Italiaans restaurant in de buurt. Tafel voor twee, fles rode wijn die hij bestelde en het gesprek ging vanzelf. Ze hadden het over hun werk, hun liefhebberijen, blind dates die Ned de afgelopen jaren had gehad, Anns leven en natuurlijk over Ward.

Telkens als iemand met een onbekende uitgaat, is er waarschijnlijk die onderliggende vraag: is dit hem? Dus ondanks Anns volwassen, realistische kant, die erkende dat ze waarschijnlijk niet halsoverkop verliefd zou worden op de eerste de beste met wie ze na de dood van haar man uitging, koesterde ze toch een stille hoop dat ze liefde zou vinden, dat ze geluk zou vinden en dat ze weer een compleet gezin zou hebben. Telkens wanneer Ned en zij merkten dat ze iets gemeen hadden, dacht Ann: dit kan best eens lukken. O, hij skiet. Ik ook. Hij houdt van Italiaans eten. Ik houd ook ontzettend van Italiaans eten. In bepaalde opzichten was het net alsof ze weer in de brugklas zat en opnieuw leerde om met een jongen te praten, om te flirten, om een gesprek gaande te houden zonder je al te veel bloot te geven, zonder al je twijfels en angsten te verraden.

En tegelijkertijd ging het etentje van een leien dakje. Dit kan ik, besefte Ann. Het feit dat ze lang over het eten deden en naderhand een wandelingetje maakten langs de brede laan en terug, bevestigde dat hij haar interessant vond en zich tot haar aangetrokken voelde.

Ned bracht haar naar huis. Ze namen afscheid met een knuffel en een kus op de wang. Het ging soepel, het ging makkelijk; er werd veel geglimlacht en ze spraken de hoop uit elkaar beter te leren kennen.

Maar in de daaropvolgende weken werd het ook vrij snel duidelijk dat ze eerder vrienden zouden worden dan minnaars. Ann kon er niet precies de vinger op leggen, hoewel ze misschien onbewust wist dat ze er nog niet aan toe was. De vonk die nodig is om een relatie te laten ontvlammen ontbrak gewoon.

'Waarschijnlijk heb ik geluk dat de overgang naar het uitgaanscircuit me zo gemakkelijk valt,' zei Ann tegen de club.

Vervolgens ontmoette Claudia in november van dat jaar Paul, een vriend van Ann, op een feest. Hij was een meter tachtig, met lichtbruin haar en grijze ogen. Hij was twee jaar daarvoor van zijn vrouw gescheiden en had twee dochtertjes. Een geweldige, geestige en lieve man. Bovendien was hij met Ann bevriend. Claudia en Paul gingen elkaar e-mailen. Pauls beste vriend was in het World Trade Center omgekomen. Hij kon haar verhalen over zijn vriend vertellen en Claudia kon praten over Bart. Paul vertelde dat er kanker bij hem was vastgesteld toen hij in de twintig was. Net als Claudia kende hij het gevoel om met mensen te worden geconfronteerd die niet wisten wat ze moesten zeggen. Net als Claudia wilde Paul het leven ten volle leven en iedere ervaring de moeite waard maken. Claudia besefte dat hij een van 'ons' was.

Dus toen hij haar mee uit vroeg, dacht ze: oké, wat heb ik te verliezen?

Ze begonnen met elkaar af te spreken. Hoewel het aanvankelijk onhandig en zenuwslopend was, bekende Claudia dat ze het had gemist om met een man uit eten te gaan. Het was prettig om iemand te hebben om mee te praten, en die haar aan het eind van de dag belde. Op een avond verraste Paul Claudia door met haar te gaan schaatsen in het Rockefeller Center. Toen Kerstmis in aantocht was, gingen ze samen een kerstboom omhakken. Paul liet Claudia sprankjes geluk en hoop zien, als ze zich maar open wilde stellen voor de mogelijkheid.

7 ❖ De volmaakte weduwe

Pattie, Claudia, Julia en Ann

Op de eerste vrijdag in januari ging de club voor een week-eindje naar Vermont. We troffen elkaar voor Julia's huis, waar ze al klaarzat in een enorme SUV die van haar en Tommy was geweest. We konden haar nauwelijks boven het reusachtige stuur uit zien kijken.

De bestemming van de club was Bromley Mountain, een plek waar Bart van jongs af aan had geskied. Ter ere van Bart en met een deel van het geld van zijn stichting was daar het Bart J. Ruggiere Adaptive Sports Center opgericht, waar mensen met een lichamelijke of geestelijk handicap met behulp van getrainde vrijwilligers en speciale uitrusting konden leren skiën. Claudia wilde dat we er dat weekeinde bij waren, want ze wist dat de club de mengeling van trots en pijn zou begrijpen die ze voelde nu het centrum open was.

Maar dat weekeinde had Claudia, die nooit ziek was, griep gekregen. 'Hallo, afgezien van het feit dat ik me hondsberoerd voel, is dit voor het eerst dat ik zonder Bart naar Vermont ga,' vertelde ze ons. 'Verbeeld ik het me nou, of probeert God zout in de wonde te wrijven? Ik zou niet weten wat ik zonder jullie zou moeten beginnen, dames.'

Hoewel ze ziek was, voelde het toch goed om het uitstapje te maken. Bart was dol op skiën. Een sportfanaat was hij niet; hij deed nooit aan fitness. Met een meter drieëntachtig en bijna tachtig kilo hoefde hij zich nooit zorgen te maken over in vorm blijven. Maar hij was een begenadigd skiër en iedere winter ging hij de piste op. Claudia had af en toe geskied voordat ze haar man leerde kennen, maar Barts enthousiasme voor de sport was op haar overgeslagen. Bart had altijd gezegd dat zijn mooiste vakantie in januari 2001 was geweest, in St. Moritz in Zwitserland.

'Hoezo mooiste vakantie?' vroeg Claudia. 'En onze huwelijksreis dan?'

Bart boog zich naar haar toe en woelde door haar haar. 'Het spijt me dat ik je moet teleurstellen, maar...'

Voor ons weekendje Vermont had Claudia Barts oude skijack, zijn muts en sjaal ingepakt. Hoe ziek ze zich ook voelde, ze was vastbesloten die aan te trekken en de piste op te gaan.

'Voelen jullie de ironie van het lot?' vroeg Claudia. 'Nu is er een sportcentrum vernoemd naar Bart, die van zijn leven niet aan fitness heeft gedaan...'

Het was goed om met z'n vieren de stad uit te gaan, de bergen in. De volgende morgen werden we vroeg wakker om naar het Bart Center in Bromley te gaan. We vonden het op de parterre van het hotel. Daar troffen we het vijftal mannen en vrouwen dat het centrum zou leiden. Het waren allemaal vrijwilligers die hun tijd en energie beschikbaar stelden. Je kon wel zien hoe trots Claudia was. Ze wist dat Bart er volledig mee zou instemmen, dat dit precies was wat hij gewild zou hebben. Het was inspirerend om het mededogen en de inzet te zien waarmee de vrijwilligers hun werk deden, om bevestigd te zien dat er nog zoveel goede mensen op de wereld zijn. We waren allemaal geroerd door hun ruimhartige bereidheid om hun tijd aan anderen te geven.

Ondanks de griep en het emotionele karakter van ons bezoek had Claudia haar dappereweduwemasker opgezet. Ze begroette de vrijwilligers, bedankte hen en zei hoezeer ze hun toewijding op prijs stelde. Claudia had het centrum een kopie van de grafrede voor Bart en een aantal foto's gegeven, en de vrijwilligers hadden die een plaats gegeven naast de plaquette die aan Barts leven was gewijd. Ze vonden het geweldig om Claudia alles te laten zien wat ze voor elkaar hadden gekregen, en Claudia kon hen niet genoeg bedanken en verzekeren dat alles er schitterend uitzag.

Een van de vrijwilligers legde uit wat er zoal aan cursussen werd aangeboden. Ondertussen keek Claudia naar de foto van haar trouwdag aan de wand. Op die foto was ze dertig jaar; haar leven met haar kersverse echtgenoot was net begonnen. Dat was ruim drie jaar daarvoor. Bart en Claudia waren getrouwd in St. Patrick's Cathedral aan Fifth Avenue. Het was een betoverende dag. De aanwezigen zeiden tegen Bart en Claudia dat het een New Yorkse sprookjesbruiloft was. Nu voelde dat sprookje werkelijker dan de volkomen surrealistische ervaring om in een sportcentrum te zijn dat naar haar overleden man was vernoemd. Het meisje in die witte jurk dat naast Bart op de foto stond, was de echte Claudia. De Claudia die hier in Vermont naar die foto stond te kijken, was een bedrieger – een koude, afgematte en zieke bedrieger – die niet wilde skiën en daar niet meer wilde zijn en alleen maar haar man terug wilde. Claudia besefte wel dat kwaad iets goeds kan voortbrengen, maar deze prijs was te hoog geweest.

Maar op de een of andere manier raapte Claudia zichzelf weer bij elkaar en maakte ze er het beste van. Die middag ging ze de piste op. Waarschijnlijk was een middag buiten in de vrieskou doorbrengen niet het slimste wat iemand met griep kon doen, maar we deden niet eens een poging om haar ervan te weerhouden. Claudia skiede voor Bart. Het was iets wat ze moest doen en het was zonder meer een goed teken voor de rest van ons. De berglucht was fris en de temperatuur was onder nul, waardoor we een tintelende blos op onze wangen kregen. We wilden een verkwikkende uitdaging in plaats van elk weekeinde in bed te blijven. In plaats van de gewone dagelijkse matheid ervoeren we de bevredigende opwinding van bergafwaarts suizen, en we hoefden ons voor de verandering niet zuchtend bergopwaarts te hijsen.

Ann vertelde dat Ward in zijn jonge jaren skileraar in Colorado was geweest. Julia zei dat Tommy een volleerd skiër was geweest en de sport zijn hele leven had beoefend. Toen zij hem leerde kennen, was ze een beginneling, maar vastbesloten niet voor hem onder te doen. Met als gevolg dat zij nog boven aan de piste stond en enorme lussen maakte om niet te snel af te dalen, terwijl hij onderaan stond te wachten.

'Julia!' riep hij dan plagend. 'Het heet niet voor niets afdalen. Richt je latten omlaag!' Ter ere van Tommy ging Julia iets harder.

Aan het eind van de dag hadden we overal pijn. Maar het was niets wat een lekkere massage of een stevige cocktail niet kon verhelpen. God mag weten dat we hadden geleerd hoe echte pijn voelde.

Die zaterdagavond besloten we te gaan eten in een restaurant waar we eerder op de dag langs waren gekomen. Het heette The Perfect Wife.

'Kan het perfecter?' vroeg iemand. 'Vier weduwen die in The Perfect Wife gaan eten...'

We namen plaats aan een tafeltje en bekeken het menu.

'Weet je, vroeger probeerde ik de perfecte echtgenote uit te hangen. Nu moet ik me druk maken om wat het betekent om de perfecte weduwe te zijn...' zei Claudia.

Ons gesprek was begonnen. Bestond de perfecte echtgenote wel?

'Het is nooit bij me opgekomen om te proberen de perfecte vrouw uit te hangen,' zei Pattie. 'Ik wilde alleen maar bij Caz zijn. Perfectie kwam er echt niet bij kijken.'

Daar zei ze wat. Wilde iemand echt de volmaakte echtgenote zijn? Natuurlijk, we hadden veel van onze man gehouden en wilden graag het beste van ons huwelijk maken, maar we waren vrouwen met een solide loopbaan, die helemaal onafhankelijk waren voordat ze hun man tegenkwamen.

'Ik was bepaald geen perfecte huisvrouw zoals in *The Stepford Wives*,' zei Julia.

'Ik zat ook niet thuis om Barts truien te breien,' zei Claudia. 'Hij was degene die het vaakst boodschappen deed en altijd kookte. Hij had zelfs het grootste deel van de voorbereidingen van onze trouwerij op zich genomen...'

'Wat betekent 'perfect' trouwens?' voegde Ann eraan toe. 'Het leven is niet makkelijk. In ieder huwelijk is een vrouw wel eens driftig, zijn de kinderen soms chagrijnig, is er wel eens geldgebrek of gaat het werk niet zo goed. Stress kan je zelfzuchtig maken. De hindernissen van het leven maken ons allemaal allesbehalve perfect.'

Nu voelde alles onvolmaakt. Aan de buitenkant zagen we er misschien compleet uit, maar we liepen rond met een gevoel van leegte dat ons nooit leek te verlaten.

Hoewel we ons tijdens ons huwelijk nooit zoveel zorgen hadden gemaakt of we wel de volmaakte vrouw waren, beseften we nu dat we ongerijmd veel tijd besteedden aan de vraag of we wel de volmaakte weduwe waren. Weduwe zijn riep de nodige uitdagingen op. Die druk, die verantwoordelijkheid om te doen wat juist is, voelden we allemaal. Dingen waarop onze man trots zou zijn geweest. Zoals een goede band met zijn familie en vrienden onderhouden. Om zijn nagedachtenis hoog te houden. Om uit zulke verschrikkelijke omstandigheden toch iets goeds te laten voortkomen. Om alle liefde en steun die onze kant op kwam waard te zijn.

De moeilijkheid was dat we stuk voor stuk behoorlijk in de war waren over onze rol als weduwe.

Onder het eten probeerden we erachter te komen hoe we aan onze eigen verwachtingen en aan die van andere mensen konden voldoen.

Wanneer je in de rouw bent, willen mensen je helpen. Gelukkig. We zouden het niet hebben overleefd zonder de enorme hoeveelheid steun die we in de voorgaande zestien maanden hadden ontvangen. We rouwden als gevolg van zeer publieke gebeurtenissen, waardoor we een ongerijmde hoeveelheid aandacht kregen. Het voelde alsof iedereen aan onze kant stond: familie, vrienden, collega's, de gemeenschap, volslagen vreemden, de hele wereld zelfs. Daardoor hadden we zelfs in die krankzinnige begintijd de tegenwoordigheid van geest om onszelf als gezegend te beschouwen.

Maar er was een keerzijde aan al die aandacht. De mensen zagen dat we pijn leden en probeerden die pijn te laten verdwijnen. Ze werden er ongelukkig van om ons zo ontredderd te zien. Op een bepaald niveau herinnerde het hen eraan hoe broos het leven is; dat wat Tommy, Ward, Caz en Bart was overkomen iedereen op elk willekeurig moment kan gebeuren. Misschien doordat ze zich met de situatie geen raad wisten, en omdat ze medelijden met ons hadden, hadden veel mensen de neiging ons te adviseren.

'Je zou kleiner moeten gaan wonen,' zeiden mensen tegen Ann. 'Zodat je de herinneringen achter je kunt laten.' Maar na alles waar Anns gezin doorheen was gegaan, was een traumatische verhuizing wel het laatste waaraan ze haar gezin wilde blootstellen.

'Je zou niet moeten reizen. Dat is onveilig,' zeiden sommige mensen. Dan dacht Claudia: ja hoor. En naar je werk gaan is zeker wel veilig?

'Blijf je nu wel in New York?' vroegen ze aan Julia, alsof New York haar thuisstad niet was, omdat ze in Tennessee was opgegroeid.

'Gelukkig waren jullie maar een paar jaar samen en hadden jullie geen kinderen. Je krijgt wel weer een nieuw leven.' Wacht eens even, dacht Pattie dan. Een weduwe rouwt niet om de jaren die ze mét haar man heeft doorgebracht, ze rouwt om alle toekomstige jaren die verloren zijn gegaan, het gezin dat ze nooit met hem zal hebben.

'Je moet niet zoveel tijd met die bevriende weduwen doorbrengen, dat kan niet goed voor je zijn. Je moet geen mensen om je heen hebben die je omlaag trekken.' Geen commentaar.

'Als ik jou was, zou ik zijn stem van je antwoordapparaat wissen.' Nou je boft, je bent mij niet.

'Alle goeie mannen zijn dood. Je krijgt nooit meer zo'n goeie vent als je man.' Bedankt voor je motie van vertrouwen.

'Het wordt echt tijd dat je je weekeinden niet meer in bed doorbrengt.'

'Je ziet er moe uit. Slaap je wel?'

'Je moet niet zo hard werken.'

'Gelukkig heb je je werk nog.'

'Je moet vaker uitgaan.'

'Je moet vaker thuisblijven.'

'Je ziet er geweldig uit! Ga zo door!'

'Je ziet er zo mager uit, je moet eten...'

Meestal lieten we mensen maar praten, omdat we wisten dat ze het goed bedoelden. Maar tegelijkertijd maakten al die mensen die zeiden wat we wel of niet moesten doen ons alleen maar meer in de war. We luisterden beleefd, we luisterden nog eventjes, we zeiden dat we hun bezorgdheid op prijs stelden en modderden zo goed en zo kwaad als het ging door.

Dan had je de vrienden en familieleden op wie we bouwden, die wel wisten hoe ze ons moesten helpen. Die voedsel brachten, die ons op zondagavond mee uit eten namen, die bleven slapen als het ons allemaal te machtig werd, die aan de andere kant van de lijn luisterden, die duidelijk maakten dat ze niet wisten wat ze moesten zeggen. Die niet zeiden dat ze wisten hoe je je voelde of wat je moest doen. Dat waren onze grootste steunpilaren.

Sinds de club bij elkaar kwam, beseften we dat het mogelijk is om met een kolossale pijn te leven en tegelijkertijd golven van intense vitaliteit, van de noodzaak om te leven, te ervaren. Aanvankelijk waren we zuinig op dat besef. We bewaarden het voor de gelegenheden dat we bij elkaar waren. Maar na een poosje begonnen we ook aan andere mensen te laten zien dat we veranderen. En als gevolg daarvan merkten we dat we een heleboel gemengde boodschappen van mensen kregen. Iedereen wenste ons het beste toe. Dat wisten we. Niemand wilde ons nog dieper de put in helpen. Niettemin is de weduwe de hoeder van de rouw. Als een weduwe een stap vooruitgaat en probeert een leven voor zichzelf zonder haar man op te bouwen, is dat voor anderen gewoon de zoveelste herinnering aan het feit dat hij dood is.

'Ik heb wel eens het gevoel dat de mensen konden doen alsof Ward en ik op vakantie waren, als ik gewoon van het toneel zou verdwijnen,' legde Ann uit. 'Dan konden ze doen alsof er niets veranderd was en zouden ze niet aan zijn dood herinnerd hoeven te worden. Maar als ze mij zien uitgaan, alleen of met een man, als ze mij zien glimlachen en plezier hebben, als ze zien dat ik me zonder Ward prima vermaak, herinnert dat hen eraan dat hij voorgoed uit hun leven is verdwenen. En dat brengt hen van hun stuk. Ik begrijp hun pijn en verlies – ik heb namelijk ook van hem gehouden – en daarom kan ik niet boos zijn. Maar het is heel moeilijk om aan hun verwachtingen te voldoen.'

We wonnen voetje voor voetje terrein voor onszelf terug, maar we waren bang om veroordeeld te worden en mensen teleur te stellen.

Een vriend van Ward spoorde Ann herhaaldelijk aan om andere mannen te ontmoeten, want: 'Als Ward nog leefde, zou hij uitgaan. Dat zou hij ook voor jou willen.' Maar toen Ann vervolgens met Ned afsprak, zei diezelfde vriend: 'Nou, hopelijk hoef ik hem niet te ontmoeten.'

Sommige mensen zeiden dat ze graag wilden dat we weer gelukkig zouden worden. Maar wanneer we ze opzochten toen we eenmaal onze ring aan de andere hand hadden gedaan, kregen we een blik van: wat heeft dat te betekenen?

Ook als woorden van troost juist waren, verwierpen we ze als we er niet klaar voor waren. 'Wanneer je over vijf jaar op deze toestand terugkijkt, zul je er veel beter aan toe zijn,' zeiden ze. Nóg vier jaar van deze ellende? We konden ons niet eens vier dagen voorstellen, laat staan vier jaar.

'Je kunt het nooit goed doen,' zei Julia.

Maar eerlijk is eerlijk, onze eigen verwachtingen zaten ons net zo in de weg als die van andere mensen. Voor onze mannen wilden we echt een zo goed mogelijke weduwe zijn. Maar wat betekende dat? We namen een aantal van onze eigen veronderstellingen door. 'De perfecte weduwe gaat niet uit met andere mannen...' 'De perfecte weduwe ruimt nooit zijn kast leeg...' 'De perfecte weduwe draagt zijn trouwring aan een ketting om haar hals...' Goed, die was niet helemaal eerlijk. Claudia, Pattie en Ann hadden de ring van hun man nooit meer teruggezien.

En dan had je nog de perfecte 11-septemberweduwe. Die zat in commissies. Die protesteerde. Die verscheen voor het Congres. Die organiseerde van alles. Wij deden dat allemaal niet. Pattie kreeg het advies om geen sponsorgala te houden omdat de nalatenschap van Caz werd aangevochten, en ze voelde zich schuldig omdat ze niets liefdadigs deed. Was ze daardoor een slechte weduwe?

De perfecte weduwe verandert niets aan haar leven of leefomgeving. Oké, daar hadden we wel iets mee. De stem van onze man stond nog op het antwoordapparaat, zijn spullen in de badkamerkast, zijn schoenen bij de deur waar hij ze had uitgetrokken.

We waren constant in gevecht met het schuldgevoel. Misschien was het beter om onder de dekens te kruipen en de rest van ons leven weg te wensen. Misschien was het eenvoudiger om ons te conformeren aan die stereotiepe weduwerol: in de foetushouding te gaan liggen en te doen alsof wij ook dood waren. Misschien was dat een betere manier om onze man te eren. Misschien zou de wereld dan zien hoeveel we van hem gehouden hadden.

Die avond in restaurant The Perfecte Wife praatten we vooral over de kans dat we in de toekomst ergens spijt van zouden hebben.

'Tot nu toe had ik nooit de kracht van het woord "spijt" begrepen,' zei Claudia. 'Spijt is angstaanjagend. Je weet pas dat je spijt hebt als het al te laat is. Op een keer hadden mijn moeder en ik een openhartig gesprek en toen zei ze tegen me: "Doe niet wat ik heb gedaan; je moet een eigen leven opbouwen." Op haar vijftigste kon mijn moeder zich niet voorstellen dat ze ooit tweeënzestig zou zijn...'

Pattie zag het anders: 'Ik ben juist het tegenovergestelde. Ik wil geen spijt van een slechte beslissing krijgen. Ik wil de tijd om informatie te verzamelen en de juiste beslissing op het juiste moment nemen.'

Aan het eind van de avond kwamen we tot deze conclusie: we konden de adviezen en maatstaven van andere mensen niet toepassen. Beslissingen waren alleen aan ons en we probeerden naar eer en geweten te handelen. We probeerden dingen te doen die ons uiteindelijk naar het soort leven zouden leiden dat onze mannen voor ons gewild zou hebben. We berustten; we moesten doen wat we diep vanbinnen het beste achtten. We konden het nooit iedereen naar de zin maken. We stelden advies van andere mensen op prijs, maar we waren individuen en moesten in ons eigen tempo en op onze eigen manier herstellen.

'Misschien moeten we ons weduwschap op dezelfde manier benaderen als destijds ons huwelijk,' merkte Ann op. 'Mijn huwelijk met Ward was niet volmaakt, maar we deden altijd wel ons best. We respecteerden en accepteerden elkaar en hielden dankzij onze tekortkomingen des te meer van elkaar. Dat heeft voor een heel gelukkig huwelijk en een heleboel liefde gezorgd. Voor mij is een volmaakt huwelijk gewoon je best doen. Meer kunnen wij ook nu niet doen. We moeten gewoon ons best doen.'

8 ❖ Er zijn ergere dingen

Claudia

CLAUDIA:

In het nieuwe jaar maakte Paul het uit. Hij zei dat hij het voor mij deed, dat hij me, na alles wat ik had doorgemaakt, niet wilde betrekken bij een erg rommelige echtscheidingsprocedure met zijn ex.

Niettemin kon ik nauwelijks geloven dat ik de moed bijeen had geraapt om opnieuw te gaan daten, om vervolgens door de eerste de beste weer gedumpt te worden. In eerste instantie was ik teleurgesteld en boos. Maar dat duurde niet lang. Ik weet nog dat ik met de club ging eten in The Grill en dat ik zei: 'Jawel, ik ben aan de kant gezet, maar er zijn ergere dingen...'

Terugblikkend kan ik wel zien dat Paul een uitstekende 'tussenman' was. Hij was vriendelijk en attent en hij gaf om me. Hij heeft me geholpen bij het zetten van die eerste stap. Hij herinnerde me eraan dat ik liever risico liep dan aan de zijlijn te zitten kijken hoe mijn leven verstreek. Ik besefte dat ik me niet wilde laten verlammen door de angst dat mijn hart opnieuw zou worden gebroken.

Ik wil niet zeggen dat er een ideaal moment is om uit elkaar te gaan, maar Pauls timing was bepaald niet perfect. Ik werd vijfendertig. Het was zo'n leeftijd waarop al mijn vriendinnen kinderen kregen. In de voorgaande anderhalf jaar waren zeven van mijn beste vriendinnen zwanger geworden. Een voor een belden ze me op of nodigden ze me uit om te komen eten en dan vertelden ze me voorzichtig het goede nieuws. Ik zei dat ik blij voor hen was en dat meende ik. Het was het ogenblik waarop ik besefte dat je oprecht blij voor iemand kunt zijn en even verdrietig voor jezelf. Ik vond het een verpletterend besef dat Bart en ik nooit samen een gezin zouden hebben. Maar dat was het niet alleen: ik wilde niet dat het leven doorging alsof er niets was veranderd. Ik wilde niet stilstaan bij hoeveel er in de toekomst stond te gebeuren waarvan Bart geen deelgenoot zou zijn.

In februari werkte ik een middag thuis toen Marcella belde. 'Ik moet je iets vertellen, Claudia,' hoorde ik mijn zus nerveus zeggen.

Ik dacht meteen dat er iets met onze moeder was.

'Het is niets ergs,' stelde Marcella me gerust.

Het viel haar niet makkelijk om het te zeggen: zij en JC zouden hun derde kind krijgen.

Ik zei tegen Marcella dat ik heel blij voor haar was. Ik zei hoe spannend ik het vond. Ik vroeg hoe ze zich voelde. Wanneer was ze uitgerekend? Ik deed mijn uiterste best om mijn zelfbeheersing niet te verliezen en niet al te snel neer te leggen.

Maar zodra ik dat had gedaan, stortte ik in. Ik wilde niet dat Marcella een kind kreeg dat Bart nooit zou kennen. Maar ik wilde nog wel het meest dat Bart er weer was, zodat we samen konden ervaren wat Marcella en JC nu voelden.

We hadden zeven neven en nichten die wegliepen met Bart; hij kon nooit genoeg tijd bij hen doorbrengen. Ik keek altijd naar hem, als hij met hen speelde en dan prees ik mezelf gelukkig met een man die zo blij en ontspannen met kinderen omging. Bart en ik hadden besloten dat we na mijn drieëndertigste aan een gezin zouden proberen te beginnen. We droomden van een meisje dat we Sophia wilden noemen.

In de zomer van 2001 waren Bart en ik een dagje bij mijn zus geweest. Toen we die avond thuiskwamen, gingen we met elkaar naar bed en tussen twee kussen door zei Bart dat hij een baby wilde, en wel nu meteen. Ik lachte hem uit en zei dat hij het uit zijn hoofd moest zetten; hij was bezig met de voorbereidingen voor twee heftige vakanties. Bovendien, zei ik, zou hij de volgende morgen wakker worden, nuchter zijn en ontkennen dat hij het überhaupt had gezegd. Bart rolde op zijn andere zij, pakte een stukje papier en krabbelde erop: 'Ik hou van Claudia en ik wil een kind van haar en niet nog een heel jaar wachten, omdat ik zooooveel van haar hou en het gewoon moet!!' Als we de volgende morgen wakker werden zou dat het bewijs van zijn bedoelingen zijn.

Na zijn dood pakte ik dat stukje papier wel eens om ernaar te staren. Hoe zou het zijn geweest als ik die bewuste nacht ja tegen Bart had gezegd en we een kind hadden gemaakt? Hoe anders zou het zijn geweest als ik naar ons kind had kunnen kijken en iets van mijn man zou zien?

Toen Marcella die middag had gebeld met het nieuws dat ze zwanger was, wist ik heel zeker dat ik nooit moeder zou worden. Ik kroop met al mijn kleren aan in bed, trok de dekens over mijn hoofd en huilde mezelf in slaap.

Stel dat ik dat kind had gekregen? Ik probeerde er niet bij stil te staan. Ik troostte me met de gedachte dat het eerste jaar van ons huwelijk betoverend was geweest. Ik koesterde de tijd die we samen hadden doorgebracht, en terugblikkend was ik blij dat ik Bart met niemand had hoeven delen.

Maar nu Bart er niet meer was, wilde dat dan zeggen dat ik

de ervaring van het hebben van kinderen maar moest vergeten? Moest mijn droom over het moederschap net als Bart sterven? Moest ik de hoop opgeven om ooit een ouder te worden? Was het voorbestemd dat ik nooit moeder zou worden? En al zou ik onder deze hoogst onwaarschijnlijke omstandigheden een andere man ontmoeten: ik was bijna vijfendertig en mijn biologische klok tikte door. Misschien zou het te laat zijn. Of kon ik een kind adopteren? Kon ik een alleenstaande ouder worden? Nee, dat wilde ik niet.

Dat voorjaar verschenen mijn schoonmoeder en ik, zeven dagen voor wat mijn derde huwelijksdag geweest zou zijn, voor de rechter in een arbitragezitting voor het Victims Compensation Fund. Net als de meeste families kampten wij met gemengde gevoelens over dat fonds. De media hadden uitvoerig bericht over het proces van financiële compensatie. Het stelde je bloot aan het oordeel en de veronderstellingen van allerlei soorten mensen. Ik herinner me dat een van de portiers van mijn appartementencomplex op een keer vroeg: 'En, hebt u al dat geld al gekregen?'

Ik zei: 'Hoor eens, Bart en ik hadden alles wat we nodig hadden. We hadden een geweldig leven, een mooie auto, een prachtig huis en in september zouden we op vakantie naar Parijs gaan. Ik hoef dat geld niet. Ik wil mijn man terug.'

Voor de arbitrage moesten Barts moeder Pat en ik naar een advocatenkantoor in het centrum. Mijn advocaat legde onze zaak voor aan een vrouwelijke rechter uit Louisiana.

Terwijl mijn advocaat onze zaak voorlegde, gebruikte hij herhaaldelijk de woorden: 'Deze vrouw heeft haar man verloren, deze vrouw heeft haar zoon verloren...'

Telkens wanneer hij het woord 'verloren' gebruikte, trokken mijn tenen krom. Bart was niet zoekgeraakt in de een of andere parkeergarage. Hij was vermoord door terroristen. Ik kon me niet inhouden en het kon me niet schelen als het mijn zaak niet ten goede kwam. Telkens wanneer mijn advocaat 'verloren' zei, verbeterde ik hem met het woord 'vermoord'.

Aan het eind van de hoorzitting bedankte ik de rechter voor haar hulp. Ik wist dat zij een vrijwilliger was, en zei dat het niet makkelijk moest zijn om al die ontredderde families te zien. Pat en ik waren samen, dus konden we elkaar steunen, maar niet alle gezinnen waren zo fortuinlijk. De rechter leek me eerlijk en respectvol en ik wilde niet ondankbaar overkomen.

Ze bedankte me voor de erkenning van haar werk en zei dat het inderdaad niet meeviel, maar dat het ook belangrijk voor haar was. 'Ziet u, mijn broer is een aantal jaren geleden vermoord, en ik begrijp het onderscheid. Daarom heb ik me als vrijwilliger voor dit werk aangeboden.'

In de loop van die maand besloot ik een uitstapje te maken. Het was een lange, deprimerende, koude winter geweest en de laatste tijd had ik heel intense pieken en dalen beleefd. Ik wist dat ik er een weekje tussenuit moest om op adem te komen. Geen van de meisjes kon vrij krijgen, dus ik besloot er in mijn eentje op uit te gaan. Voor mijn huwelijk had ik op eigen houtje door Europa getrokken en er onverdeeld van genoten. Ik vond het heerlijk om in een café alleen aan een tafeltje te zitten lezen, of naar voorbijgangers te kijken. Ik besloot naar Santa Barbara in Californië te gaan, naar een vakantieoord waarover Bart iets in een tijdschrift had gezien, wat hij in onze reismap had gestopt.

In Californië werd ik 's morgens wakker, nam een tennisles, deed yogaoefeningen en vervolgens ging ik bij het zwembad een boek lezen. Ik had sinds de middelbare school niet getennist en vond het een verkwikkende uitdaging. Inmiddels had yoga zich ontwikkeld van gymnastiek tot een vorm van lichamelijke en emotionele ontlading. Van beide activiteiten kikkerde ik op en ze gaven me 's morgens een reden om uit bed te komen. Op het vliegveld had ik het boek *Love Stories of World War Two* gekocht, dat me de hele vakantie bezighield. Ik had de behoefte gekregen om boeken te lezen die mijn pijn naar de oppervlakte brachten. In mijn ligstoel bij het zwembad las ik verhalen over soldaten die in de oorlog sneuvelden en huilde voor ons allemaal. Ik wist dat de mensen verbaasd naar me staarden. Het kon me niets schelen.

In Santa Barbara voltrok zich de verzoening met mijn bestaan. Ik kon alleen zijn en het was goed. Ik kon op eigen houtje op vakantie gaan. Ik voelde me sterker worden. Ik hield mezelf voor dat het leven een kostbaar geschenk is en dat ik ook zonder Bart verder moest, omdat hij dat zou hebben gewild. Toen de week om was, wilde ik tot mijn verbazing eigenlijk niet weg.

9 ❖ *Julia en Tommy*

JULIA:

Dat voorjaar besloot ik dat ik op mijn derde trouwdag terug wilde naar het strand op de Bahama's waar Tommy en ik elkaar het jawoord hadden gegeven. Ik had het idee dat ik op de een of andere manier vooruitgang zou boeken als ik terugkeerde naar plekken waar ik met mijn man was geweest. Het plan was dat ik vooruit zou vliegen om er een paar dagen in mijn eentje door te brengen, en daarna zouden mijn vrienden Dean en Caryn zich bij me voegen en zou ik de rest van de week met hen doorbrengen.

Ik was blij met de gelegenheid om mijn vrienden het strand en alle plekken die we tijdens onze wittebroodsdagen hadden bezocht, te kunnen laten zien. Ik had de behoefte om mijn herinneringen te delen met mensen die ze op waarde konden schatten. De mensen die ons het meest na stonden, waren namelijk niet op onze trouwerij geweest. Tommy en ik waren ertussenuit geknepen. We hadden geen videocamera en hadden maar een paar foto's gemaakt. Destijds vonden we dat niet erg. We waren van plan er het jaar daarop terug te komen voor het eenjarig huwelijksfeest. 'De volgende keer nemen we vrienden en familieleden mee,' zeiden we, 'zodat die kunnen zien waar het allemaal is gebeurd.'

Na onze verloving hadden we veel gesproken over het soort bruiloft dat we voor ogen hadden. Er moesten een paar belangrijke beslissingen worden genomen. Waar zouden we gaan trouwen? In New York of in Tennessee, waar ik vandaan kom? Moest het een grote of kleine trouwerij worden? Wie zouden we uitnodigen? Tommy was op negen bruiloften getuige geweest; hoe kon hij bepalen wie er op de grote dag naast hem zou staan? We hadden grapjes gemaakt over ervandoor gaan naar de Bahama's, maar daar niet echt bij stilgestaan. Het belangrijkste was dat we gingen trouwen. De rest was bijzaak.

In mei 2000 besloten we op vakantie naar de Bahama's te gaan en er rond te varen met het motorjacht dat Tommy in Florida had liggen opdat hij er in alle jaargetijden gebruik van kon maken. Tommy was dol op varen. Toen ik hem ontmoette, was hij bezig zijn vaarbewijs aan te vullen door 's avonds allerlei cursussen te volgen en in het weekend te studeren. Uiteindelijk slaagde hij uitmuntend. Hij merkte soms lachend op dat hij nu papieren had om met een groot schip te varen, dat hij – mocht het eens nodig zijn – zelfs de Staten Island-ferry zou mogen besturen.

Ik heb nog steeds de e-mail die hij me stuurde toen het besluit viel om te gaan. Er staat in: 'Niet meer dromen, ga maar pakken!' Deze keer zouden we met z'n tweeën rondvaren tussen eilandjes van de Bahama's die samen de Abacos heette. Met een gps in de hand vertrokken we uit Florida naar een eiland dat Green Turtle Cay heette, een klein eilandje omringd door witte zandstranden en kristalhelder blauw water.

We keken elkaar aan en we wisten het zeker.

Hier wilden we trouwen. Zo eenvoudig was het gewoon. Hoewel we wilden dat al onze familieleden en vrienden erbij waren, was dit de oplossing voor al onze vragen over waar en hoe we zouden trouwen. Als het eenvoudig zou blijken om de plechtigheid daar te organiseren, zouden we dat opvatten als een teken dat het zo moest zijn. Als het te ingewikkeld zou worden, zouden we wachten en een andere keer trouwen.

We liepen de stad in en vroegen de weg naar het stadhuis, dat een bescheiden gebouw aan de hoofdstraat bleek. We gingen naar binnen op het moment dat de Island Commissioner naar buiten kwam. Toen we vertelden dat we wilden trouwen, nam hij ons mee naar binnen en vroeg hij onze paspoorten.

We wachtten op het vonnis.

'Geen probleem,' zei hij met zijn ontspannen eilandaccent. 'Ik zal jullie morgenochtend om 10.30 uur trouwen. Niet de Amerikaanse tijd, maar Bahama-tijd, dus kom niet te vroeg.'

De resident zei dat hij maar twee keer per week op dit eilandje kwam en op het punt had gestaan om voor de rest van de dag te vertrekken, dus dat we hadden geboft dat we hem troffen. Dat was het teken waarop we hadden gehoopt. We vulden een paar formulieren in en betaalden vijfentwintig dollar voor zijn diensten. Vervolgens beseften we dat we geen trouwringen hadden. We moesten ringen hebben! Buiten spraken we met de vrouw die de jachthaven dreef en die belde iemand die Shirley heette. We troffen Shirley in 'Shirley's Shell Shack' waar ze haar winkel opende om ons een stel bij elkaar passende dolfijnringen te laten uitzoeken. We hadden onze trouwringen.

Die avond gingen we naar een plaatselijke kroeg waar we aan iedereen die het maar horen wilde, vertelden dat we de volgende dag gingen trouwen. Alle aanwezigen hieven het glas en beloofden de volgende morgen naar het strand te komen om getuige van de plechtigheid te zijn. Tenslotte waren ze bij de 'generale repetitie' geweest, dus waarom zouden ze niet naar de bruiloft zelf komen? Die avond namen we in ons resort een kamer met twee eenpersoonsbedden. Per slot van rekening was dit de 'avond voor de eerste huwelijksnacht' en hoorden we niet bij elkaar te slapen.

De volgende morgen trok ik een witte hemdjurk aan die ik had meegenomen voor de zwoele Caribische avonden. Tommy droeg een kakishort en een donkerblauwe blazer. We waren allebei blootsvoets.

Op 24 mei om 11.00 uur gaven we elkaar onze trouwbelofte. Onze hotelmanager trad op als bruidsmeisje en een visgids was Tommy's getuige. Het behoeft geen betoog dat geen van de mensen van de avond daarvoor kwam opdagen. (Die waren natuurlijk het slachtoffer van de rum geworden).

Nadat we elkaar eeuwige trouw hadden beloofd, gingen we naar het restaurant naast het hotel voor een champagneontbijt. 's Middags gingen we met de boot naar een ver eiland waarover een bewoner ons had verteld. Er was geen mens en we brachten de middag met z'n tweeën zonnebadend en proostend door. 's Avonds gingen we terug naar het café van de 'generale repetitie'. Toen we binnenkwamen, herinnerde de band zich ons van de avond tevoren en stelden ze ons voor als 'meneer en mevrouw Collins!' Tot in de kleine uurtjes dansten we als man en vrouw.

De rest van de week brachten we gelukzalig door met van het ene eiland naar het andere varen. Ik kon me geen betere manier voorstellen om onze wittebroodsweek door te brengen.

Ik herinner me dat ik in het vliegtuig, tijdens de terugreis van ons huwelijk (of onze vakantie, of huwelijksreis, hoe je het ook wilt noemen), naar Tommy keek en zei: 'Dus nu woon ik bij jou?'

We lachten, ons realiserend dat we, hoewel we ondertussen getrouwd waren, nog apart woonden. De volgende dag was ik jarig en had ik vrij genomen. Ik bracht wat kleren uit mijn appartement naar dat van Tommy. Hij kwam die avond uit zijn werk thuis met een bos van mijn favoriete bloemen en een taart met kaarsjes. We brachten de avond samen door, wij tweetjes, en het was heel bijzonder om mijn verjaardag met mijn man te vieren. En het was geweldig om 'mijn man' te kunnen zeggen. Nu, pas drie jaar later, bezocht ik dezelfde plekken, maar deze keer was ik alleen. Na mijn aankomst op de Bahama's werd ik gebeld door mijn vrienden die hun reis hadden geannuleerd omdat hun zoon ziek was geworden. Ik was teleurgesteld, maar begreep best dat ze hem niet alleen konden laten. Ik besloot het beste van de resterende tijd te maken.

Ik nam een watertaxi naar het strand waar we waren getrouwd. Ik weet niet wat ik daar verwachtte aan te treffen; misschien een soort teken dat Tommy nog altijd bij me was? Het strand zag er nog precies zo uit als op de dag van onze bruiloft. Een strook fel wit zand omzoomd door een turquoise zee en schaduwrijke palmbomen. De enige persoon met wie ik de herinneringen aan mijn bruiloft deelde, was niet meer bij me. We zouden nooit meer samen herinneringen scheppen. Het enige waaraan ik kon denken, was mijn man en hoe graag ik zou willen dat hij daar bij me was. Het was ondraaglijk. Waar ik ook keek, had Tommy moeten zijn en hij was er niet. Ik zat ik weet niet hoe lang in het zand aan de rand van het water te huilen. Het enige wat ik dacht was: ik wil mijn leven terug. Ik wil Tommy terug. Ik wil me weer veilig voelen. Toen ik terug was in het hotel, belde ik de club. Ik huilde zo hard dat ik amper mijn naam kon zeggen. Ik belde vrienden in Florida en die boekten me op de eerstvolgende vlucht naar huis.

Ik had Tommy drie jaar voor onze bruiloft, in de zomer van 1997, leren kennen. Ik was kort daarvoor vanuit Dallas naar het noordoosten verhuisd omdat ik werd overgeplaatst door het postorderbedrijf in sportartikelen waarvoor ik destijds werkte. Ik woonde in Weehawken, een plaatsje in New Jersey aan de Hudson tegenover Manhattan. De eerste paar maanden in Weehawken waren behoorlijk eenzaam. Ik kende maar heel weinig mensen in de buurt en werkte tien tot twaalf uur per dag om vervolgens naar huis te gaan en nog wat door te werken. Ik bleef mezelf maar voorhouden dat dit niet voor eeuwig was, dat het nodig was voor mijn carrière en dat ik het vol moest houden. Ik bofte omdat het een nieuw bedrijf was waarvoor ik werkte, dus iedereen zat in hetzelfde schuitje. Binnen een paar maanden had ik goed contact met een aantal collega's en begon ik iets van een sociaal leven te ontwikkelen.

Die zomer vroeg een van mijn collega's of ik zin had om met haar en een stel vrienden naar een verjaardagsfeest in de Hamptons te gaan. Ik greep de kans met beide handen aan. Tenslotte had ik nog geen andere plannen.

Ik was nog nooit in de Hamptons geweest, en ik weet nog dat ik erg onder de indruk was. 'Oké, dus hierom wonen mensen in New York,' zei ik. 'Zodat ze in het weekeinde naar deze schitterende plek kunnen gaan.'

Behalve mijn collega's kende ik die avond niemand op het feest. Maar op een gegeven moment werd ik me bewust van een razend knappe man aan de andere kant van het grasveld. Hij liep wat rond, praatte met iedereen, gebaarde met zijn handen en had de volle aandacht van alle mensen met wie hij sprak. Hij droeg een lange bermuda en een lichte coltrui. Zijn brede glimlach straalde tot de andere kant van de tuin. Uiteindelijk hoefde ik niets te doen. In de loop van de avond kwam hij recht op ons groepje af om zich voor te stellen.

'Hallo, ik ben Tom Collins, *shaken not stirred.*'

Weldra gierden we van het lachen om de verhalen van Tom Collins over uitgaan in New York, over watersport met vrienden en familie in de Hamptons en grapjes over zijn broer wiens verjaardag we vierden. Nu hij vlak voor me stond, zag ik dat hij felblauwe ogen had als tegenwicht voor zijn donkere haar en oogverblindende glimlach. Iets in die ogen bezorgde me vlinders in mijn buik. Nadat hij was weggelopen, flapte ik eruit: 'O, lieve hemel, dat is nou precies het type waar ik vreselijk op val.' Toen ik die avond naar huis ging, dacht ik aan hem en hoopte ik stiekem dat onze paden elkaar weer zouden kruisen, ook al hield ik me voor dat dit hoogst onwaarschijnlijk was en dat ik moest ophouden met dagdromen.

In de week die volgde, dacht ik erover na. Ik was een nieuwkomer en als ik iemand ontmoette die ik zag zitten, deed ik mijn best het contact gaande te houden. Ik vond die Tom Collins leuk, dus waarom zou ik niet een keer als vrienden iets met hem gaan drinken? Er gingen een paar weken voorbij en uiteindelijk vroeg ik mijn vriendin of ze zijn nummer wist. Ze gaf me een nummer waarvan ze dacht dat het van hem was. Ik sprak een boodschap in om te zeggen dat hij me moest bellen als hij ooit zin had om iets met me te gaan drinken. In de loop van de dag belde Tommy terug. Het bleek dat ik het nummer van zijn broer had gebeld en Tommy vond het een giller dat ik de boodschap op diens antwoordapparaat had ingesproken. We praatten een poosje en besloten de week daarop samen te gaan eten. Prachtig, dacht ik. Ik heb een nieuwe vriend in New York. Ik dacht dat hij gewoon aardig tegen me was omdat ik een nieuwkomer was (al hoopte ik iets anders).

Tommy woonde al in de stad sinds hij was afgestudeerd en kende alle uitgaansgelegenheden, terwijl ik niets van New York wist. We spraken op zijn voorstel af in een Italiaans restaurant in het Theater District. Toen ik aankwam, zat hij aan de bar. Zodra ik hem zag, kreeg ik weer vlinders in mijn buik. Na een paar drankjes gingen we aan een tafeltje zitten. Het begon erg leuk te worden. Ik weet niet of ik geen last van zenuwen had omdat dit geen officiële date was, of dat Tommy ieder meisje dat hij tegenkwam op haar gemak stelde, maar het kon me niets schelen. Ik had het geweldig naar mijn zin met die man. We kletsten, lachten en wisselden verhalen uit. Er was niets ongemakkelijks tussen ons. Tommy bleek een aanstekelijk gevoel voor humor te hebben. Onder het eten maakten we zelfs zozeer grapjes met de ober dat die aan het eind van de avond vroeg hoe lang wij elkaar al kenden. Ik weet nog dat ik dacht dat het een menselijke vergissing was: Tommy had iets waardoor ik me volledig op mijn gemak voelde, alsof ik hem al jaren kende.

Na het eten besloten we de avond voort te zetten in het café

ernaast. Na nog een paar drankjes en nog meer geweldige gesprekken, beseften we dat het laat was. We moesten de volgende morgen allebei vroeg op ons werk zijn en het was al één uur.
Tommy belde een taxi voor me, schreef mijn privénummer op
en gaf me een afscheidskus. Volgens mij waren we allebei verbaasd; ik had gedacht: eten en om elf uur thuis. Hij had waarschijnlijk gedacht iemand die nieuw was in de stad een plezier
te doen. Ik denk niet dat we hadden verwacht dat het zo leuk
zou zijn. Ik reed terug naar huis, de rivier over, en dacht de rest
van de nacht aan hem.

Tommy en ik gingen vaker met elkaar uit, maar zonder veel bij-
bedoelingen. We zagen elkaar ruim een jaar met onregelmati-
ge tussenpozen, deels omdat we geen van beiden op een lief-
desrelatie zaten te wachten en aarzelden om ons vast te leggen.
Ik wist niet zeker of ik langer dan een jaar in New York zou blijven en Tommy was op zijn carrière gericht. Bovendien was het
geweldig om gewoon bij elkaar te zijn. Maar hoe meer tijd ik
met hem doorbracht, des te meer ik diep vanbinnen wist dat hij
de ware was. Ik had nog nooit iemand als hij ontmoet. Hij was
niet alleen knap – en neem maar van mij aan dat hij knap was –
het was ook zijn energie. Het was nooit saai met Tommy: hij
kon ernstig zijn, geestig zijn, hij was de meest onderhoudende
persoon van elk gezelschap. Hij had veel succes in zijn werk als
obligatiehandelaar, maar zijn werk was ondergeschikt aan zijn
leven. Zijn functie schreef voor dat hij bij cliënten zijn charme
in de strijd gooide, maar dat deed hij met oprecht gemak. Waar
het om ging, was dat hij de man op de hoek waar hij iedere ochtend koffie kocht, hetzelfde gevoel gaf als zijn grootste cliënt.
Hij gaf mensen een goed gevoel over zichzelf, mij ook.

De volgende winter, toen het een poosje 'uit' was geweest,
had ik een filmpje van de voorgaande zomer laten ontwikkelen
en wilde ik Tommy een foto sturen van hem met een vriend tijdens een weekeinde aan de oostkust. Het was een prachtige foto. Ik wist dat hij hem graag zou willen hebben, dus schreef ik

hem een briefje en deed dat met de foto op de post.

Tommy belde om me te bedanken. Hij vroeg hoe het met me ging. Hij zei dat hij veel over 'ons' had nagedacht. Ik vroeg hoe het met hem ging. Hij vertelde dat hij net drie dagen had doorgebracht met zijn goede vriend Dean, wiens zus onverwacht was gestorven. De ervaring had hem diep geraakt. Hij zei dat het verdriet van zijn vriend bijna onverdraaglijk was geweest.

Tegen het eind van het gesprek vroeg Tommy of ik zin had mee uit te gaan met hem en een paar cliënten die in de stad waren en die ik al eerder had ontmoet. Ik zei nee. Ik had een besluit genomen. Ik had geen trek meer in een aan-uitrelatie. Ik wist inmiddels dat ik van hem hield en dat ik me niet meer open kon stellen om vervolgens weer gekwetst te worden. Ik moest door. Maar Tommy zou Tommy niet zijn als hij me niet toch overhaalde mee uit te gaan. Na die avond werd het een serieuze relatie.

Ik vond het niet erg dat het een poos had geduurd voordat onze relatie zich bestendigde. Ik denk dat het voor ons allebei goed was om de kat uit de boom te kijken en zeker te weten wat we ons op de hals haalden. Ik besloot dat ik New York een heerlijke stad vond en er wilde blijven. Tommy besloot dat hij klaar was om het risico te nemen om deze relatie aan te gaan. Hoewel veel van zijn vrienden grapten dat hij nooit een vaste relatie zou aangaan, wisten alleen de mensen die hem het meest nabij waren de werkelijke reden van zijn terughoudendheid. Tommy nam het huwelijk heel serieus. Hij wilde niet zo'n belangrijke verbintenis aangaan zonder zeker te weten dat de relatie goed zat.

Tommy was tweeëndertig toen ik hem leerde kennen. Hij was een geboren New Yorker, getogen als oudste zoon in een hechte Iers-Amerikaanse katholieke familie op Long Island. Ik had mijn kinderjaren doorgebracht in Chattanooga, Tennessee, als een na oudste van vijf kinderen die een zuidelijke, doorsnee-doopsgezinde opvoeding kregen. Hoewel onze achtergrond een beetje verschilde, hadden we veel gemeen. We waren allebei geboren gezelschapsmensen en vonden het heerlijk om in elk gezelschap het middelpunt van de belangstelling te zijn. We hadden een eigen karaokeapparaat. We stroopten drie winkels af om er een te vinden, heel serieus. Uiteindelijk vonden we het perfecte apparaat, een met twee microfoons om het tegen elkaar te kunnen opnemen; voor geen goud wilden we één microfoon delen. We hadden allebei iets competitiefs. Op de middelbare school en de universiteit speelde hij lacrosse. Ik was tijdens mijn studie vier jaar cheerleader geweest. We hielden allebei van sport en deden graag aan fitness. We waren allebei gek op dansen. Op trouwerijen waren we steevast het eerst en het laatst op de dansvloer en Tommy gooide me met gemak over zijn schouder in onze eigen versie van de swing. We vonden het ook prettig om ons terug te trekken en 's avonds met z'n tweetjes thuis te zitten, een maaltijd te laten brengen en naar een footballwedstrijd op tv of Discovery Channel te kijken. Ze zeggen wel dat 'tegenpolen elkaar aantrekken', maar wij leken veel op elkaar.

Tommy vroeg me in 2000 op St. Patrick's Day ten huwelijk. We zaten na het werk in een Iers café tegenover Tommy's appartement. Hij had zijn werkpak nog aan en vroeg of ik met hem mee naar de overkant wilde, zodat hij zich kon verkleden.

'Geen sprake van,' zei ik. 'Ik wacht hier wel op je, dan neem ik nog een Guinness.'

Maar hij wilde met alle geweld dat ik meeging, dus uiteindelijk zwichtte ik.

Toen we zijn huis in liepen, ging hij rechtstreeks naar de jassenkast om een juwelendoosje tevoorschijn te halen, dat hij in het volle zicht op het werkblad zette.

'W-w-w-wat doe je?' vroeg ik. Mijn hart klopte in mijn keel.

Hij liet zich met het doosje in de hand op een knie zakken en maakte het open. Er zat een verbijsterende diamanten ring in.

'Wil je met me trouwen? Ik heb maar één voorwaarde.'

'O, mijn god. Wat is die voorwaarde dan?'

'Dat ik mijn garderobekast mag houden.' Ik greep hem, drukte hem tegen me aan en dacht echt dat mijn hart het zou begeven van liefde.

Ik zei ja. Voortaan hadden Tommy en ik altijd twee redenen om St. Paddy's Day te vieren.

Na onze geïmproviseerde bruiloft maakten Tommy en ik toekomstplannen. Hoewel ik altijd graag een gezin had willen hebben, had ik het nooit vanzelfsprekend gevonden dat dat ook zou gebeuren. En dat maakte het des te wonderbaarlijker, en dat het iets was wat Tommy en ik samen zouden bewerkstelligen. Nu waren we er klaar voor. Ik had kort daarvoor een droombaan bij de National Football League aangeboden gekregen. Tommy was uitvoerend directeur van zijn bedrijf en dat was hem op het lijf geschreven. We gingen serieus aan een kind denken. Elke maand wachtte ik af of 'het' was gebeurd. Maar maand na maand werd ik ongesteld en raakte ik meer en meer teleurgesteld.

Tommy omhelsde me dan en keek me recht in de ogen. 'Julia, wat is er zo mis mee als het alleen bij ons tweeën zou blijven? Zou dat zo erg zijn?'

Ik zal nooit die keer vergeten dat Tommy op een ochtend zwetend wakker werd. Hij was duidelijk van zijn stuk door een akelige droom.

Ik keek hem aan en vroeg wat er was.

'Alles goed met jou?'

'Ja, maar ik droomde net dat we drie dochters hadden en dat ze alle drie een paard wilden.'

Ik gaf hem een knuffel en zei: 'Maak je geen zorgen, schat. Laten we nou maar gewoon aan die eerste baby werken, dan maken we ons later wel druk om die paarden!'

Hij wilde net zo graag kinderen als ik. Hij was zesendertig; het was de juiste tijd. Tommy had al een oogje op ons tweede huis op Long Island. We waren van plan door de week in ons appartement in New York te wonen en in de weekeinden in dat huis, net zolang tot we eraan toe waren uit Manhattan weg te gaan. Het huis, met veranda rondom en steigerrecht voor een boot, was perfect. Tommy had in de zomer van 2001 een oude boot opgeknapt die al jaren in de achtertuin van zijn ouders lag. Hij had gezworen de boot weer te water te krijgen. En dat lukte hem. Een week voor Labor Day, op de laatste maandag van augustus, maakte hij een proefvaart met zijn broer. In dezelfde tijd waren we begonnen met een financieel onderzoek voor het huis, heel opgetogen omdat we misschien voor het eerst samen huiseigenaar zouden zijn.

En begin september gingen we allebei naar de dokter om uit te zoeken of er een reden was dat we geen kinderen konden krijgen. Mijn onderzoeksresultaten kwamen terug en er was niets mis. Het wachten was op die van Tommy.

Het weekeinde voor 11 september brachten Tommy en ik een bezoek aan mijn familie in Tennessee. Dat weekeinde brachten we door bij mijn ouders, broers en zussen. We gingen naar een footballwedstrijd van mijn vroegere universiteit en maakten een voettocht langs de watervallen. Mijn familie woonde ver weg, dus het was fantastisch dat mijn man bij hen kon zijn. Zondag reden we naar Nashville. Ik bleef zondagavond in Nashville om met cliënten een footballwedstrijd van de Titans bij te wonen, Tommy ging terug naar New York omdat hij maandagochtend vroeg op zijn werk moest zijn. Ik bracht hem naar het vliegveld en zette hem af bij de vertrekhal. Doorgaans zou ik hem in de auto een afscheidskus hebben gegeven, maar deze keer zette ik de motor af, stapte ik uit en liep ik om de auto om hem te omhelzen en een afscheidskus te geven. Hij draaide zich om, zwaaide en liep het luchthavengebouw in.

Ik weet nog dat ik dacht dat ik eigenlijk niet tot dinsdagavond kon wachten om weer bij hem te zijn. Het was net iets voor ons om zo jachtig te leven. We moesten allebei dikwijls voor ons werk op reis. We maakten er vaak grapjes over. Ooit zou ons geldschip binnenkomen en dan zouden we allebei op het vliegveld staan. De laatste tijd planden we onze zakenreizen op dezelfde dagen, zodat we vaker samen thuis zouden zijn. Helaas was dat niet het geval voor dit specifieke zakenreisje. Na de wedstrijd van de Titans op zondagavond moest ik in Denver zijn voor de eerste maandagavondwedstrijd van de National Football League van het nieuwe seizoen.

Vlak voordat ik dinsdagochtend aan boord ging voor mijn vlucht uit Denver naar huis sprak ik mijn man voor het laatst, in het gehuurde busje op het parkeerterrein van de luchthaven. Het was halfzeven Midden-Amerikaanse tijd en ik was afgemat van mijn lange zakenreis en een geweldig avondje uit met mijn klanten. Aan de oostkust was het halfnegen en Tommy was zoals gewoonlijk al op zijn werk. Ik vertelde over de avond tevoren en hoe laat het was geworden en dat ik totaal uitgeput was.

'Je bent nu een getrouwde vrouw, Julia. Je kunt niet meer de hele nacht aan de boemel gaan!' grapte hij. We lachten en ik was het met hem eens. Ik zei dat ik niet kon wachten om weer thuis en bij hem te zijn. Hij stelde voor dat ik hem bij fitness zou treffen en dat we daarna zouden gaan eten met onze goede vriend Tim Byrne. Ik verheugde me erop om weer thuis te zijn, Tommy te zien en uit eten te gaan met Tim, die ik altijd heel gezellig vond en om wie ik kon blijven lachen.

Het was een schitterende septemberdag met een strak blauwe hemel en mijn vlucht vertrok op tijd. Na een licht ontbijt staarde ik uit het raam en dommelde in slaap. Ik werd weer wakker door een aankondiging van de captain.

'De Federal Aviation Administration (FAA) heeft alle vliegtuigen opdracht gegeven zo spoedig mogelijk te landen. We keren terug naar Denver. Het World Trade Center is door een vliegtuig geraakt. In New York is het net zulk mooi weer als buiten uw raampje, dus u kunt uw eigen conclusie trekken.'

Wat? Wat zei hij? Had ik het goed gehoord? Ik stond op en liep naar de achterkant van de cabine om de stewardess om meer inlichtingen te vragen en uit te leggen dat mijn man in Tower Two werkte. Wat voor vliegtuig was er op het gebouw gestort? Welk gebouw? Binnen enkele minuten kwam ze terug om te zeggen dat ik mijn spullen moest pakken en dat ik een plaats in de eersteklas zou krijgen. Ik vroeg waarom en ze zei dat ze me daar makkelijker van informatie kon voorzien en dat het comfortabeler voor mij zou zijn. Dat sloeg nergens op. Waarom keken de mensen me zo aan? Waarom hield een vrouw op weg naar de eersteklas me aan om te zeggen dat ze voor me zou bidden?

Toen ik op mijn nieuwe plaats zat, kreeg ik te horen dat ik in Denver door twee vertegenwoordigers van de luchtvaartmaatschappij zou worden opgewacht. Daar raakte ik nog meer van in de war. Waarom deed iedereen zo raar? Het kwam geen moment in me op dat er iets met Tommy aan de hand kon zijn.

Toen ik uit het vliegtuig kwam, stonden er twee mensen op me te wachten. Ze probeerden de situatie uit te leggen, maar het wilde maar niet tot me doordringen wat ze zeiden. Ze vertelden dat het gebouw was getroffen door een van hun vliegtuigen, dat beide gebouwen waren ingestort en dat ze niet zeker wisten of er wel overlevenden waren. Toen begaven mijn knieën het.

Ik weet nog dat ik in de Admiral's Club was en probeerde mijn man, zijn familie en zijn vrienden van het werk te bellen, het maakte niet uit wie, maar ik kreeg geen buitenlijn. Het personeel van American Airlines stelde me gerust dat ze zich over mij zouden ontfermen en dat ik zo gauw mogelijk naar huis zou kunnen. Inmiddels was Denver Airport dicht. Ik logeerde bij een goede vriend in Denver, die tijdens die onmogelijke nacht voor me zorgde.

Zodra ik een telefoonverbinding had, belde ik met familie en vrienden. Ik bleef voor de televisie zitten en was ervan overtuigd dat ik elk moment Tommy kon zien in een interview met Katie of Matt of Barbara, om te vertellen hoe hij mensen op zijn rug honderdvier trappen af had gedragen.

Mijn werkgevers bij de NFL verzekerden me dat ze alles in het werk zouden stellen om me naar huis te krijgen, maar omdat al het luchtverkeer was opgeschort, wisten ze niet zeker hoe gauw dat zou zijn. Op woensdagmorgen 12 september belde het uitvoerend hoofd van de NFL om me in contact te stellen met het hoofd van de beveiliging van de Denver Bronco's, Bill Malone. De heer Malone belde me om te zeggen dat hij in aantocht was om te zien of alles in orde was. Toen hij was gekomen, bespraken we net de gebeurtenissen van de afgelopen vierentwintig uur toen zijn mobiele telefoon ging. Na een kort gesprek keek meneer Malone naar mij en vroeg: 'Hoe snel kunt u klaar zijn?' Ik zei: 'Ik ben al klaar.' Hij bracht me naar een klein vliegveld waar ik aan boord ging van het straalvliegtuig van meneer Tisch, een van de eigenaren van de footballclub New York Giants, die met zijn privévliegtuig naar Denver was gekomen voor de wedstrijd van maandagavond. Meneer Tisch had toestemming om een groep FEMA-mensen naar New York te brengen, met een van de weinige toestellen die er die dag opstegen. Op dat moment wist ik niet eens dat FEMA Federal Emergency Management Agency betekende. Ik wist alleen dat het belangrijke mensen waren die rechtstreeks naar New York gingen om mee te helpen bij de reddingswerkzaamheden. Ik gaf hun voor de zekerheid Tommy's signalement en mijn telefoonnummer. Ik vertelde dat hij grote blauwe ogen had, een tenger postuur en een berucht litteken op zijn voorhoofd van een val uit zijn hoogslaper.

Ik weet nog dat ik uit het raam keek, niet in staat te bevatten wat er was gebeurd. Ik deed mijn best om positief te blijven. Ik kon amper wachten om Tommy over deze vlucht te vertellen. Ik wist dat hij de eerste zou zijn die me dit verhaal op feestjes zou laten herhalen. Ik hoorde het hem al zeggen: 'Hé, dit moet je horen. De eigenaar van de Giants heeft mijn vrouw in zijn vliegtuig teruggebracht om me te zoeken...' Ik wist dat hij het algauw mooier zou maken: 'Heb je het al gehoord? Er was een heel footballteam met haar meegekomen om me te zoeken...'

Toen we boven Teterboro Airport in New Jersey vlogen, ging de zon net onder. De piloten vroegen of ik zin had om in de cockpit te komen voor een blik op New York City. Toen ik aarzelend naar voren ging, kleurde de lucht achter de raampjes donkerrood en oranje. Vanuit de cockpit zag ik een rookwolk boven de City, waardoor die onherkenbaar was geworden. Wat was er gebeurd? Waar was hij? Ik moest het vliegtuig uit zodat ik mijn boodschappen kon controleren. Ik moest naar mijn man. Er stond een auto klaar om me rechtstreeks naar Long Island te brengen, zodat ik bij Tommy's familie en onze vrienden kon zijn. Ik moest er niet aan denken om zonder hem naar ons appartement te gaan. Toen ik de afrit van de Long Island Expressway naderde, besefte ik dat ik niet meer wist hoe ik bij het huis van Tommy's ouders moest komen. Waar was ik? Ik was er honderd keer geweest en ik had geen idee waar ik precies zat. Tommy had altijd gereden en ik herinnerde me niet waar ik heen moest. Ik belde mijn zwager en Tim loodste me erheen. Toen ik bij het huis van zijn ouders kwam, trof ik ruim vijftig vrienden en familieleden die in de voortuin stonden. Ik viel in de armen van de mensen van wie ik hield. Eindelijk was ik thuis.

De volgende paar dagen was het bij de familie Collins een gestaag komen en gaan van mensen die bloemen, eten en drinken brachten. Er waren heel veel mensen die iets over Tommy wilden horen. Weldra arriveerde ook mijn familie. Vrienden in de City verspreidden opsporingsposters door het hele centrum. We wisten dat Tommy weer thuis zou komen. We wisten het gewoon. Intussen weigerde ik in een ander bed te slapen dan Tommy's vroegere bed in zijn ouderlijk huis.

Vrijdagavond besloten mijn zwager en ik er even tussenuit te gaan. We gingen iets drinken in het restaurant van een vriend. Hier hoorde ik het: dat een vriend wiens broer bij de politie van New York werkte had gebeld. De agent had een 'Tom Collins' gelokaliseerd in een van de geïmproviseerde mortuaria die door de hele City waren ingericht.

Die informatie was onaanvaardbaar. Tommy had de bomaanslag op het World Trade Center in 1993 overleefd, dus deze keer had hij het ook overleefd. Er was geen sprake van dat hij er niet meer was. We zouden samen oud worden, samen kinderen krijgen. Het was uitgesloten. Hij kon niet dood zijn.

Mijn vrienden en familieleden hebben me die volgende dagen door geholpen. De wake vond plaats op zondag en maandag en de begrafenis op dinsdag, precies een week na Tommy's dood. De begrafenisondernemer vertelde dat hij nog nooit zoveel mensen voor een wake had gezien. Ik heb gehoord dat er in twee dagen misschien wel duizend mensen zijn geweest. Ik heb ook gehoord dat ik per keer wel vijf uur heb gestaan om met iedereen te praten, en dat de rij wachtenden die hun condoleances kwamen aanbieden vanaf het parkeerterrein door het hele mortuarium slingerde.

Toen ik bij de begrafenis door het middenpad van de kerk liep, hield ik me vast aan de kist alsof ik mijn man kon vasthouden. De kerk zat bomvol. Doug, een van Tommy's beste vrienden, hield een toespraak met veel hartstocht, liefde en zelfbeheersing. Terwijl ik naar hem luisterde, keek ik over mijn schouder naar Tommy's beste vrienden – nu zijn dragers – op de volgende rij. Ze lieten het hoofd hangen en hun ogen waren vochtig. We hadden altijd zoveel plezier gehad met die mensen; het was niet te bevatten hen zo te zien. Toen Doug uit was gesproken, klapte iedereen, alsof ze een concert bijwoonden. Ik heb nog nooit zoveel mensen in een kerk zien applaudisseren en huilen.

Na de plechtigheid gingen we naar buiten en zorgden we voor een geweldige opstopping op weg naar de begraafplaats. Op het kerkhof probeerde ik mijn beste Jackie Kennedy-imitatie weg te geven, maar ik hield het gewoon niet vol. Ik liep terug naar de auto, waar ik me liet gaan en mijn hart uit mijn lijf snikte.

De dagen erna voelde mijn hoofd alsof het zou barsten. Ik hoorde mensen wel praten, maar het was alsof hun gesprekken zich op grote afstand afspeelden. Mijn hoofd deed pijn, mijn keel deed pijn, mijn longen deden pijn, mijn hele lichaam deed pijn. Ik begreep niet dat mijn hart maar bleef kloppen. Af en toe kon ik amper ademhalen.

Het duurde nog een week voordat ik terugging naar ons appartement. Ik kon het gewoon niet. Toen ik het uiteindelijk wel deed, gingen vrienden en familieleden met me mee.

Thuis nam ik de post door en ik zag een brief van de dokter. Mijn hart sloeg over. Ik maakte hem open. Het waren Tommy's onderzoeksresultaten. Hij was helemaal in orde. We konden kinderen krijgen.

Uiteindelijk toch nog een glimpje hoop! Hij was net de donderdag voor zijn dood onderzocht. Ze zouden zijn spermamonster vast nog hebben. Dat zou mijn redding zijn. Ik zou toch nog Tommy's baby kunnen krijgen. Ik belde mijn vriendin Caryn, die rechtstreeks naar de praktijk ging en vier uur wachtte om de dokter te spreken te krijgen. Toen de arts haar uiteindelijk ontving, kreeg Caryn te horen dat ze dat soort informatie niet mochten vrijgeven. Ik moest persoonlijk bellen.

Ik belde de dokter.

Ze vertelde me dat ze onderzocht sperma alleen bewaren als er van tevoren een invriesverzoek is gedaan.

'Weet u het zeker?' vroeg ik smekend.

'Ja, heel zeker,' zei ze. 'Het spijt me verschrikkelijk.'

Mijn enige hoop was vervlogen.

De dagen verstreken. Ik had geen idee hoe of waarom. Ik liet anderen me vertellen wat ik moest doen en waar ik heen moest. Ik was zo ver van mijn eigen familie vandaan dat ik het van mijn vrienden en Tommy's familie moest hebben. Die eerste maand logeerde er iedere nacht iemand bij me zodat ik niet alleen hoefde te slapen. Er was altijd iemand bij me in huis. Mijn telefoon bleef maar overgaan.

Ik huilde constant. Ik sliep. Ik kon niet slapen. Ik wist niet waar ik was of wie ik was. Ik bleef mensen maar vragen: wat moet ik nu? Hoe paste ik in dit plaatje? Wie was ik nu? Ik wilde geen mensen om me heen. Ik maakte hen alleen maar neerslachtig. Ik kon niet alleen zijn.

Ik had mezelf altijd beschouwd als sterk, onafhankelijk en competent, maar nu kon ik niet eens het eenvoudigste karweitje klaren. Ik was zo ongelooflijk verdrietig. Het zoog het laatste beetje leven uit me weg. Dagelijks kwam er een stapel brieven en kaarten met de post. Ik hield ups wel bezig. Ik zag de postbode een keer in de hal van mijn gebouw en toen omhelsde hij me en zei hij hoe erg hij het vond. Hij had de portier gevraagd wat er aan de hand was, want hij vond de hoeveelheid post die ik kreeg niet normaal. Ik kreeg brieven van mensen die ik nooit had ontmoet, maar die Tommy wel hadden gekend. Ik kreeg brieven van mensen die ik sinds de lagere school niet meer had gezien. De leerlingen in de klas van mijn neef hadden kaarten voor me gemaakt om te proberen een glimlach op mijn gezicht te toveren. Ik beantwoordde alle kaarten en brieven; althans dat hoop ik. Ik heb geen idee wat ik teruggeschreven heb. Ik weet alleen dat ik iedereen een persoonlijke en inspirerende boodschap wilde meegeven, ook al zal ik in werkelijkheid als een bazelende idioot hebben geklonken. Ik weet zeker dat ik brieven in de verkeerde enveloppen heb gestopt.

Schrijven gaf me een doel, vooral omdat ik problemen met verstaanbaar spreken kreeg. Mijn stem trilde. Ik leek geen andere symptomen van iets als verkoudheid te hebben; ik kreeg de woorden er niet meer volledig uit. Ik klonk als een gestoorde verbinding op een mobiele telefoon. Ik ging naar de dokter. Toen ik daar een formulier zat in te vullen moest ik een vakje 'burgerlijke staat' aankruisen. De keuzen waren 'getrouwd', 'vrijgezel', of 'weduwe/weduwnaar'. Op dat moment drong het pas tot me door dat mijn staat veranderd was. Alles was veranderd en tegelijkertijd was er nog niets veranderd. Ik was nog altijd mevrouw Thomas Joseph Collins, en toch was ik volgens dat formulier niet meer getrouwd. Er was geen echtscheiding of scheiding van tafel en bed uitgesproken en toch was ik niet getrouwd. Ik moest mezelf dwingen om de pen in beweging te brengen en het vakje 'wijziging' aan te kruisen.

Ik kreeg te horen dat ik onder zware spanning stond en me moest leren ontspannen, dan zouden de stemproblemen vanzelf weggaan. Ik kreeg ademhalingsoefeningen. Thuis probeerde ik ze hijgend van de inspanning. Wat mankeerde me toch? Nadat ik een hele rits artsen had bezocht, kreeg ik uiteindelijk de diagnose spasmodische dysfonie, een zeldzame neurologische aandoening die de stembanden aantast en die dikwijls abusievelijk wordt gediagnosticeerd als een symptoom van stress of een zenuwaandoening. Er was geen genezing voor SD, hoewel sommige behandelwijzen tijdelijk verlichting konden brengen.

Wat was er aan de hand? Ik was de cheerleader, de schreeuwer, de causeur, de grappenmaakster, de komediante, het karaokemeisje. Ik was mijn man kwijt. Ik was mijn persoonlijkheid kwijt. Ik was mijn stem kwijt. Ik was mijn communicatiemiddel kwijt. Ik was alles kwijt.

Ik begon spierverslappers te slikken om mijn stembanden te helpen. De pillen hadden veel weg van valium. Ik werd meteen suf, maar bleef wel wakker. Ik vond het heerlijk. De emotionele pijn ging niet weg, maar ik werd opvallend apathisch. Ik was verdrietig, maar in een mist. Ik slikte ze een paar maanden. Daarna ging ik naar een specialist, die me een andere behandeling voorschreef.

Ongeveer een maand na Tommy's dood besloot ik weer aan het werk te gaan. Mijn dag moest gevuld worden. Thuiszitten was me te deprimerend. Mijn baas zei dat ik zoveel tijd moest nemen als ik nodig vond, dat ik me niet hoefde te haasten om weer aan het werk te gaan. Maar ik moest iets doen. Terug op kantoor werd ik verwelkomd met een bos bloemen op mijn bureau en een stroom bezoekers die iedere dag even langskwamen. In het begin werkte ik een paar uur en ging ik halverwege de middag weer naar huis. Het zou nog een halfjaar duren voordat ik weer volle dagen werkte. Mijn chefs waren ongelooflijk geduldig en begripvol. Ik weet hoe fortuinlijk ik ben dat ik met alles wat ik te verstouwen kreeg niet ook nog mijn baan kwijtraakte.

Omstreeks de tijd dat ik weer aan het werk ging, vertelde mijn

vriendin Caryn dat ze me wilde voorstellen aan een andere weduwe in de East Side. Caryn had over die vrouw gehoord via
haar vriendin Maureen Fontana, een van Tommy's ex-vriendinnen van jaren geleden. Maureen was naast de man van die vrouw
opgegroeid. In het begin had ik geen eigen wil. Als Caryn zei
dat ik die vrouw moest bellen, zou ik dat doen. Caryn gaf me
Claudia's nummer.

'Goed, laten we maar iets afspreken.'

Claudia en ik besloten af te spreken op Halloween, in de buurt
waar we woonden. Ik had iets lekkers voor haar gekocht. Ik herinner me nog dat er een bloedmooie vrouw met donker haar op
me af liep.

Ik hield het lekkers voor me uit en vroeg, net zoals kinderen
die met Halloween aan de deur komen: '*Trick or treat?*' Daarna
stond ik op, we omhelsden elkaar en bleven heel lang zo staan.

Ik was die avond heel bedeesd. Ik had nog altijd stemproblemen, waardoor ik heel zwijgzaam was. Maar Claudia was niet
bedeesd en al helemaal niet zwijgzaam. We raakten aan de praat
en het was een enorme opluchting om iemand te horen die zo
uitgesproken en eerlijk over onze situatie was.

'Is dit geen krankzinnige toestand?' vroeg Claudia.

'Hoe gaat het met al die weduwen?'

'Wat moeten we verdomme nog?'

Het lukte ons zelfs om te lachen omdat ons leven zo idioot
was.

Claudia was verdrietig, depressief en woedend en ze maakte
van haar hart geen moordkuil.

We praatten maar door. We praatten over Tommy en over
Bart. Onze herinneringen aan hen waren heel levendig. Je kon
nog niet eens van herinneringen spreken; alles was nog zo 'nu'.
Het was pas anderhalve maand geleden. Samen zaten we aan de
bar een potje te janken. Net als ik was Claudia nog zo verliefd
op haar man. We waren allebei pasgetrouwd, pas anderhalf jaar.

Een paar weken later spraken we weer af en dit keer met een
stel andere vriendinnen. Bij die gelegenheid ontmoette Caryn,

de vrouw die ons aan elkaar had voorgesteld, Claudia, voor het eerst.

Claudia was zoals gebruikelijk zichzelf: 'Het leven is klote. Deze hele toestand is klote.'

Ik knikte: 'Precies!'

Die avond nam Caryn me op een zeker moment apart. 'Ik weet niet of het wel zo'n goed idee is om met Claudia om te gaan. Ze lijkt me razend.'

Maar er was geen sprake van dat ik er een punt achter zou zetten met Claudia. Ik wist dat Caryn het beste met me voorhad, maar ik vond Claudia al te gek.

Claudia was de stem die ik kwijt was.

Claudia en ik hadden al met al een hele massa mensen die ons steunden. Toch belden we elkaar bijna dagelijks en troffen we elkaar wanneer we maar konden.

'Hé, ik ben al drie dagen mijn bed niet uitgekomen,' sprak Claudia een keer op mijn antwoordapparaat in.

En ik was vlak bij mijn eigen bed, maar zo van de wereld dat ik niet in staat was op te nemen.

Daarna belde ik haar terug.

'Ik kon niet opnemen omdat de telefoon buiten handbereik was. Hij stond wel dertig centimeter bij me vandaan.'

'Wat heb jij vandaag gedaan?'

'Ik ben opgestaan om naar de wc te gaan.'

'O, ja?'

'Ja.'

'Klote, hè?'

'Ja.'

'Ik denk dat ik maar eens ga douchen.'

'Oké.'

Bij andere gelegenheden moesten we allebei zo hard huilen dat er geen zinnig woord uitkwam.

Claudia was mijn weduwealarmnummer. Zolang ik in contact met haar kon blijven, had ik het gevoel dat ik nog een soort 'ingang' had. Ik had er vertrouwen in dat zíj het was, als íemand ons erdoorheen kon slepen. Ze was heel eerlijk en vastberaden. Misschien dat ze ten onder zou gaan, maar niet zonder zich tot het uiterste te verzetten. Het was de blinde die de lamme hielp, maar het was net alsof zij de blinde was die erachter was hoe je aan een geleidehond en een blindenstok moest komen.

Op nieuwjaarsdag 2002 begon ik een dagboek bij te houden. Ik droeg het op aan Tommy.

Ik schreef er dagelijks in. De woorden verschilden af en toe, maar de boodschap was steeds dezelfde.

'Kom alsjeblieft terug... Ik kan zo niet verder... Ik mis je... Ik hou van je... Het leven is zo anders geworden... Ik heb nog steeds het gevoel dat je bij me bent... Het is net alsof je op een heel lange reis bent... Ik denk nog steeds dat je bij de cia bent gegaan en over een paar jaar terug zult komen... Er zijn dagen dat ik liever doodga... Ik hou van je... Ik heb je zoveel te vertellen... Ik denk niet dat ik dit alleen aankan... Mensen nemen het leven te vanzelfsprekend... Ik moet opnieuw beginnen... Ik moet dit overleven...'

Ik was een weduwe die maar bleef geloven dat haar man een poosje weg was gegaan. Als vreemden mijn ringen zagen en vroegen: 'Waar is je man?' zei ik vaak dat hij op zakenreis was. Dit was wat het voor mij betekende om een verse weduwe te zijn: dat ik weigerde te geloven dat ik een weduwe was, ongeacht hoe vaak ik het 'juiste' vakje aankruiste.

Ik was geen weduwe. Een weduwe draagt zwart, een weduwe is oud, een weduwe vergeet haar man nooit. Ik droeg geen zwart, ik was niet oud. Maar het laatste, dat nooit-vergeten, klopte wel. Ik dwong mezelf om me Tommy tot in de kleinste bijzonderheden te herinneren, telkens maar weer. Ik herinnerde me alles wat we hadden gedaan, alles wat we hadden gezegd, alle plannen die we hadden gemaakt. Ik bleef alles maar onthouden alsof mijn leven ervan afhing. Als ik zou ophouden met nadenken en onthouden, zou het zijn alsof ik Tommy ontrouw was. Dan zou hij denken dat ik het had opgegeven, en dat zou ik nooit doen.

Maanden later zat ik tijdens vergaderingen nog glazig te kijken. Het bleef een gevecht om te doen alsof de dingen me nog iets konden schelen. Ik begreep niet hoe mensen zich op een klantenbestand konden concentreren, of nog warm konden lopen voor hoe de voorplaat van een catalogus eruit moest zien. Willen jullie weten wat er met Tommy is gebeurd? wilde ik vragen. Beseffen jullie niet dat er drieduizend mensen zijn omgekomen? Moeten we daar niet eeuwig om rouwen? Mijn collega's was niets te veel om me te helpen. Ze vielen voor me in. Ze zeiden: 'Doe jij maar wat je moet doen, Julia. Wij zijn er voor je.' Ze hielpen me een werkrooster samen te stellen en hielpen me herinneren waar ik heen moest en wat ik moest doen. Thuis moesten mijn vrienden mijn rekeningen betalen, anders vergat ik ze. Ik kon mijn eigen chequeboek niet eens beheren.

Ik bewaarde alle spullen van Tommy in zijn grote garderobekast. Tenslotte was dat zijn 'voorwaarde' geweest om met me te trouwen. Ik weigerde ook maar iets te verplaatsen of te veranderen. Ik kon uren in die kast zitten, gewoon om in de buurt te zijn van de kleren die om zijn lichaam hadden gezeten. Ik zat met een ongewassen hemd van hem tegen me aan gedrukt, om wat er nog van zijn geur over was op te snuiven. In de badkamer hing zijn washandje nog aan het doucherekje. Ik kon me er niet toe brengen om het weg te halen, laat staan te wassen. In het keukenkastje stond een leeg pak Post Raison Bran, het lievelingsontbijt van mijn man, misschien zelfs zijn laatste maaltijd. Ik zou die doos nooit wegdoen.

Tommy's eigen uitdrukkingen en grapjes, de dingen die hij altijd zei, waren nooit ver van mijn gedachten. Telkens wanneer ik 's avonds in de City kwam en die twee gapende openingen in de skyline zag, moest ik denken aan het grapje dat hij vaak maakte als hij de Towers in het donker zag: 'Verrek, ik ben vergeten het licht in mijn kantoor uit te doen.' In mijn hoofd onderhield ik een constante monoloog tegen Tommy. Ik vroeg hem voortdurend om raad en vertelde hoe mijn dagen verliepen. De eerste keer dat ik had uitgevogeld hoe ik in mijn eentje naar zijn ouderlijk huis moest komen – van de brug van Fifty-ninth Street naar de Long Island Expressway – pakte ik letterlijk mijn telefoon om hem te bellen en te zeggen dat het me was gelukt. Het was alsof ik het antwoord op een wiskundig probleem had gevonden en het antwoord wel uit kon schreeuwen. Waarom kon ik hem niet meer bellen? Waarom kon hij me niet e-mailen? Herhaaldelijk belde ik het nummer van zijn werk en altijd kreeg ik die ingesprektoon.

Als ik mijn donkere huis in liep, riep ik: 'Dag schat, ik ben thuis!' Vervolgens ging ik rechtstreeks naar de slaapkamer, trok mijn kleren uit, kroop in bed en zette de tv aan om de stilte niet te hoeven horen. Uren achtereen keek ik hersenloos tv, herhalingen van programma's die ik überhaupt nooit had willen zien. Ik belde vrienden, snikte het uit en bleef maar praten zonder ooit die ene stem te horen die ik het liefst van alle wilde horen. Dat deed ik tot ik een slaappil nam of er zonder pil in slaagde om de slaap te vatten, wat een zeldzaamheid was.

Ik vroeg Tommy om me antwoord te geven met tekens. Dat werkte niet altijd. Meestal hoorde ik alleen maar de klank van mijn eigen vragen, het bonzen in mijn brein. Maar meer dan eens lukte het wel, als ik mijn man vroeg om een teken dat hij bij me was. Dan wachtte ik om over te steken en zag ik vlak voor mijn neus een vrachtwagen passeren met de woorden COLLINS BROTHERS op de zijkant.

Zes maanden nadat Tommy was omgekomen, had ik een bijzonder nare dag. Alle dagen waren akelig, maar die was zonder meer het ergst. Ik was die dag vroeg naar huis gegaan omdat ik me zo belabberd voelde. Ik deed de voordeur van het appartement open en ging meteen op de bank liggen slapen, in de hoop dat ik misschien uit die verschrikkelijke nachtmerrie wakker zou worden. Toen ik een paar uur later wakker werd, ging de zon net onder boven het terras van onze woning. Ik besloot een fles rode wijn open te maken die we samen bij een wijngaard in Napa hadden gekocht. Ik moest denken aan die reis, hoe schitterend die was geweest, en toen besefte ik dat we nooit meer samen een reis zouden maken.

Ik dronk een paar glazen, ijsbeerde door de huiskamer en probeerde de hele toestand te overzien. Ik probeerde zijn gangen van die gruwelijke dag te reconstrueren. Hoe ver was het hem gelukt om van de honderdvierde etage af te dalen? Hoe ver was hij gekomen toen de Tower instortte? Hoe ver was hij gekomen op zijn vlucht voor de dood? Ik kon die beelden van trappenhuizen en vlammen maar niet van me afzetten. Ik liep het terras op. Hoe had dat kunnen gebeuren met Tommy, met mijn man, met mijn beste maatje? Waarom was dat hem overkomen? Hoe kon ik er ooit bovenop komen? Diep vanbinnen wenste ik dat ik die dag was omgekomen en niet hij. Ik hield van hem en had alles voor hem over. Ik zou voor hem zijn gestorven als dat betekende dat hij kon blijven leven.

Ik keek uit over het terras en vroeg me af hoe ik een eind aan die nachtmerrie moest maken, zodat ik eindelijk weer wakker kon worden en gelukkig kon zijn. Ons appartement is op de hoogste verdieping van een gebouw van negentien etages en het leek me een heel diepe val. Aan welke kant zou ik springen? Als ik het aan deze kant deed, zou ik op de stoep landen en misschien een voetganger verwonden. Als ik aan de andere kant sprong, zou ik op het dak van een ander gebouw landen en zou het misschien een paar dagen duren voordat ze me hadden gevonden. Als ik het ging doen, moest ik mezelf over de balustrade hijsen en vervolgens mijn lichaam over de rand laten zakken, zodat ik niet in een van de woningen onder me zou storten.

Ik ging weer naar binnen om nog een glas wijn te drinken, kracht op te doen en te proberen die idiote gedachten van me af te zetten.

Ik besloot nog eens door Tommy's spullen te gaan. Bijna alles wat hij de bewuste dag bij zich had, was op Ground Zero teruggevonden. Ik haalde de doos met zijn eigendommen tevoorschijn en ging op onze favoriete stoel zitten, waarop we nog maar een paar maanden daarvoor met de armen en benen om elkaar heen naar een film hadden zitten kijken. De geur die uit de zak oprees toen ik hem openmaakte, deed me terugdeinzen: een rauwe, scherpe geur van rook en stof. Hier had je zijn leren agenda, nog steeds intact; zijn rekenmachine was verpletterd, maar hing nog met een paar draadjes aan elkaar; zijn creditcards waren geteisterd maar zijn naam was nog te lezen; zijn portefeuille was maar licht beschadigd; de contanten die hij op zak had gehad, zijn mobiele telefoon, zijn aktetas, zijn laptop. Alles onder een laagje as. In de zak zaten nog meer stof en puinresten. Deze dingen bestonden. Die waren gevonden. Die hadden het overleefd en Tommy niet. Het was niet te bevatten.

Zijn agenda, die hij altijd bij zich had, was bijna in onberispelijke staat, helemaal niet geschroeid en maar een beetje geplet. Ik bladerde erdoorheen. Ik vond het heerlijk om Tommy's handschrift te zien en de dingen na te lezen die we met elkaar hadden gedaan en die hij had opgeschreven. Ik snikte het uit toen ik met mijn vingers over zijn handschrift ging. Ik vroeg hem om me de kracht te geven zonder hem verder te gaan, omdat ik echt het gevoel had dat ik het niet op eigen houtje kon. Ik vroeg hem om me een teken te geven wat ik moest doen, om me alsjeblieft te helpen.

Toen ik op 11 september belandde, streek ik de ietwat verkreukelde bladzijden helemaal glad, zodat ik elk woord kon lezen over wat hij die dag had willen doen. Toen zag ik iets achter de eerste drie zilverkleurige ringen die de agenda bijeenhield. Mijn hart stond stil.

Tommy's platina trouwring.

Ik dacht dat de ring verdwenen was. Het enige wat ze níét op zijn lichaam hadden gevonden was zijn trouwring. Ik wist dat die niet in ons appartement lag. Ik vroeg me af of hij er op de een of andere manier was afgevlogen toen hij probeerde uit het gebouw te ontsnappen? Was zijn hand zo ernstig verpletterd dat de ring van zijn lichaam was gescheiden?

Het enige voorwerp waarnaar ik zo had verlangd, had ik al die tijd in huis gehad, vastgehaakt aan de ring van de band. Ik herinnerde me dat hij hem af en toe afdeed om ermee te spelen en tussen zijn vingers te draaien. Hij moest hem die bewuste dag aan zijn agenda hebben gehaakt. Ik had het boekje heel vaak doorgebladerd maar hem nog nooit gezien. Hij wist dat ik hem die dag moest vinden, op dat moment, om de kracht te verzamelen voor de volgende stap. Het was zonneklaar dat hij een manier had gevonden om me dingen te geven, net zoals hij bij zijn leven had gedaan.

Ik belde Claudia, maar ik moest zo hard huilen dat het een poos duurde voordat ik het verhaal kwijt kon. Ik vertelde dat het vinden van die ring mijn leven had gered.

De volgende dag bracht ik de ring naar de juwelier om hem kleiner te laten maken en Tommy's naam aan de binnenkant te laten graveren. Ik zou die ring nooit meer afdoen.

Toen ik het volgend voorjaar terugkeerde van mijn rampzalige reis naar het strand van onze bruiloft, werd er nog een schepje boven op de ellende gedaan. Mijn veertigste verjaardag was in aantocht. Het was geen verjaardag waarop ik me verheugde. Ik werd ouder, ik had geen kinderen en wist dat mijn kansen op nageslacht ieder jaar kleiner werden.

Stel dat? Stel dat ik zwanger was geweest. Stel dat ik Tommy's kind had gedragen toen hij stierf? Stel dat ik zijn glimlach, zijn lach en zijn ogen in ons kind had kunnen terugzien? We hadden zo ons best gedaan om zwanger te worden. Waarom had het niet zo mogen zijn? Ik had het gevoel dat ik dubbel was gestraft. Ik was niet alleen kinderloos, maar ik zat ook met dat verdriet waardoor ik me niet kon voorstellen dat ik ooit met iemand anders kinderen zou hebben.

Ik keek in de spiegel en vroeg me af: ziet iedereen wat ik nu zie? Ziet iedereen die oude dame die ik ben geworden? Mijn ogen stonden altijd zo treurig en er zaten rimpeltjes omheen. Ik wist dat ik oud was geworden. Het was alsof ik in slechts een paar jaar honderd levens had gehad. Mijn verjaardag was gewoon de zoveelste herinnering aan het feit dat de tijd zonder Tommy verstreek. Het enige waaraan ik kon denken, was hoe ik mijn verjaardag samen met hem zou hebben gevierd. Wat zou Tommy dit jaar bekokstoofd hebben? Wat zouden we gedaan hebben?

Tommy was er niet om mijn veertigste verjaardag luister bij te zetten, maar nu had ik de club. Een van de ongeschreven statuten van de club is dat we verjaardagen altijd iets bijzonders zullen geven. We begrijpen hoe moeilijk een verjaardag kan zijn, dus proberen we die te verlichten door een attent cadeau te kopen, ergens heel lekker te gaan eten of een feest te geven. Op dat eerste uitstapje naar Scottsdale haalden we onze agenda's tevoorschijn om ieders belangrijke data in te voeren: onze verjaardagen, die van onze mannen, onze trouwdata. Dat deden we omdat we wisten hoe zwaar die dagen voor ons zouden zijn en we er voor elkaar wilden zijn als het zover was. Met ons vieren hadden we een onthutsende hoeveelheid data gemarkeerd. Drie herdenkingen en twee begrafenissen; we herinnerden ons allemaal de data van de eerste kennismaking met De Jongens en onze verloving; en dan hadden we Thanksgiving, Kerstmis en oud en nieuw nog niet eens meegerekend. In ons vorige leven waren die data reden voor feestvreugde geweest. Nu was ons jaar opgedeeld in dagen waar we tegen opzagen. Ze maakten ons al weken van tevoren nerveus en als we ze eenmaal gehad hadden, moesten we weer helemaal opnieuw de waarheid onder ogen zien dat er niets was veranderd.

Dit specifieke jaar wist ik heel zeker dat ik geen feest of uitgebreid cadeau wilde. Ik wilde alleen maar een weekeinde aan het strand met mijn drie vriendinnen. Ik vertelde hun dat ik het liefst een album wilde met de kaarten, brieven en aandenkens die me na Tommy's dood waren gestuurd. Hoewel de club met alle geweld wilde dat we een feest zouden geven of met een heleboel vrienden ergens zouden gaan eten, hield ik voet bij stuk; ik wilde geen heisa. De meisjes respecteerden mijn verjaardagsverlangens; we spraken af dat we een weekeinde in Patties huis aan het strand zouden doorbrengen en ik was dankbaar.

In plaats van ons op het negatieve te richten, hadden we besloten om mijn verjaardag zo goed en zo kwaad als het ging tot iets positiefs te maken.

10 ❖ *Je bent zo jong als je je voelt...*

Ann, Claudia, Pattie en Julia

Julia en Ann reden vrijdagmiddag naar het strand en daar troffen ze Pattie. Claudia zou later komen. Pattie wilde een van haar
favoriete rituelen met Caz met ons delen: wijn drinken aan het
eind van de dag, zittend in een strandstoel bij een vreugdevuur
met een deken om je heen, terwijl de zon ondergaat en het donker wordt. Ze had al brandhout, een schep, een picknickmand,
wijn en echte wijnglazen ingeladen. Caz vond het ongepast om
wijn uit plastic te drinken, zelfs aan het strand. Ann, Julia en
Pattie stopten bij een winkel om nog wat snacks en ook een pakje sigaretten te kopen.

Pattie haalde de schep uit de suv, groef een gat en plaatste
het brandhout zo dat de zuurstof zou helpen om de boel vlam
te laten vatten. Ze had dat al honderd keer samen met Caz ge-

daan en ze was vastbesloten dat genoegen niet aan zich voorbij te laten gaan, vooral niet met mensen die de betekenis ervan begrepen. We kropen gezellig onder onze dekens en trokken een fles wijn open. Alle drie begonnen we al in te zien hoe belangrijk het was om wanneer we maar konden van dergelijke gevoelens van welzijn te genieten. Urenlang deelden we onder die dekens onze verhalen, ons verdriet en onze vreugde. We deden ons te goed aan wijn, tortillachips en sigaretten en zeiden dat we alles hadden 'wat een meisje aan voedingsstoffen nodig heeft!'

De zon glipte weg achter de horizon en de kleuren op het strand verbleekten. Het licht van het vuur wierp een schijnsel in de jonge duisternis. Onze ogen pasten zich aan, en ondanks de toenemende kou begonnen we, in een fleecetrui, met een deken over ons heen, bij het vuur te wennen aan de temperatuur. Dit samenzijn en delen van ervaringen was heel prettig.

Iets in deze intimiteit en eenvoud maakte dat we ons weer jong voelden.

'Waarschijnlijk ben je zo jong als je je voelt,' zei Ann.

Julia vond dat een heerlijke gedachte.

Inmiddels begon het al laat te worden, dus we besloten naar de bar van het Palm-restaurant te verhuizen, waar we Claudia zouden treffen, die pas laat uit de City zou komen. De Palm was op vrijdagavond buiten het seizoen het tweede huis van Pattie en Caz geweest; een plek om met vrienden bij te praten en verhalen uit te wisselen. Claudia arriveerde en we bleven tot de kleine uurtjes op om te praten, het glas te heffen en herinneringen op te halen.

De volgende morgen besloten we te gaan joggen, ondanks onze vage stemming van het drinken tot diep in de nacht. Goed, eerlijk gezegd was Julia de voornaamste initiatiefnemer. Tenslotte was het haar verjaardagsweekeinde, dus wij moesten alles doen wat ze wilde.

Personal trainer Collins was weer terug. 'Kom op, we gaan

een eind lopen, dan zul je je een stuk beter voelen.'

Onder het joggen lieten Julia en Ann ons de stoten zien die ze bij hun nieuwe bokscursus hadden geleerd. We hadden allemaal gemerkt dat lichaamsbeweging onze geestelijke gezondheid ten goede kwam. Onder het lopen konden we alle boze en pijnlijke gedachten de revue laten passeren, ons verbeelden dat we ze vertrapten, net zolang tot de gedachten langzaam het veld ruimden en we ons konden ontspannen. Met boksen werd dat effect volgens Ann en Julia vermenigvuldigd. Boksen was een van de beste ontladers van pijn en spanning die ze allebei ooit hadden ervaren.

'Met je vuisten tegen de zak kun je op je gedachten stompen en slaan,' vertelde Julia.

'Het is net alsof je een kans krijgt om alle oneerlijkheid van het leven weg te slaan,' beschreef Ann. 'Hier heb je een dreun voor die terroristen. Beng. Hier heb je een oplawaai voor de oneerlijkheid dat je overal alleen voor staat. Beng. Hier is er een voor de klant wiens onbenullige zorgelijkheid niets voorstelt. Beng.'

Onder het lopen brak de zon door de wolken; de zomer was in aantocht. Ramen werden opengezet en de geur van kamperfoelie hing in de lucht. Pattie voerde ons langs een van de schilderachtigste routes van de omgeving, Gerard Drive. We liepen door het hart van een klein schiereiland met adembenemende vergezichten op de baai aan de ene kant en de kalme uitgestrektheid van het riviertje aan de andere kant. Patties hond Lola volgde ons als een herdershond die aan het werk is.

Pattie had deze plek misschien nooit leren kennen als Caz er niet was geweest. Voordat ze hem leerde kennen, was ze erg anti-Hamptons: ze knapte af op de omgeving, de feesten en de protserige rijkdom. Maar Caz liet haar kennismaken met de natuurlijke schoonheid van de streek. Zijn prioriteiten lagen heel anders dan die van de mensen die hier kwamen om zich in dure kleren te steken en op feesten te worden gezien. Caz kwam hier om de stad te ontvluchten, om in zijn tuin te werken, om tijd op het water door te brengen. Dankzij Caz had Pattie veel oog gekregen voor de ongelooflijke kleuren van het landschap en de kwaliteit van het licht: fonkelende tinten blauw, groen en wit; tinten die voor een heel stralend geheel zorgden.

Weer thuis togen we aan het werk voor ons verjaardagsproject: Julia helpen met haar album. We nestelden ons op ligstoelen bij het zwembad. Julia maakte schoenendozen en tassen vol brieven, kaarten en aandenkens open. We gingen op de grond zitten om ze te sorteren. Toen we begonnen te lezen, werden er heel veel herinneringen aan die eerste weken opgerakeld, vooral herinneringen aan de overvloed aan medeleven van heel veel mensen. Hier had je de brieven en kaarten van Julia's vrienden en familie en we lazen er een handjevol van. Ze repten van hun eigen verdriet maar ook van de behoefte om te weten hoe het Julia verging. Toen Julia die brieven ontving, was ze nog niet in staat hun inhoud helemaal tot zich door te laten dringen. Nu ze ze ruim anderhalf jaar later nog eens las, drong de betekenis ervan alsnog door. Nu besefte ze hoe attent ze waren, vooral omdat ze waren geschreven op het moment dat ook zij heel verdrietig waren geweest.

Julia had ook briefjes van leerlingen van de lagere school, engelen van papier die kinderen haar hadden gestuurd, programma's van herdenkingsdiensten die over de hele wereld waren gehouden en brieven van mensen die Tommy niet eens hadden gekend.

Ann las Tommy's grafrede. Ze las over Tommy's grote gave om vriendschap te sluiten, zijn hartelijkheid, zijn gulheid en energie. De woorden kwamen hard aan. Ann begon te huilen, maar tegelijkertijd besefte ze dat het verjaarsproject al moeilijk genoeg was voor Julia, zonder dat de anderen ook instortten. Ann liep naar binnen om de rede uit te lezen en daar kon ze de tranen de vrije loop laten zonder zich te hoeven inhouden. Terwijl Ann weer tot zichzelf kwam, verscheen Pattie om te vragen of alles in orde was. Ann wist dat Pattie het begreep. Het was onnodig om iets aan een ander uit te leggen; het belangrijkste was dat ze sterk bleven om Julia te kunnen helpen.

Hoewel de gevoelens van eenheid en intimiteit geen moment weken, gingen we toch ieder afzonderlijk aan de slag. Pattie sloeg weer aan het tuinieren met Lola in haar kielzog. Ann begon aan haar eigen project om foto's voor haar huis in te lijsten, een project dat ze heel lang had uitgesteld: foto's van Ward, van de kinderen, van de club en van De Jongens. Claudia pakte Tommy's grafrede en las een deel ervan hardop voor. Doug, een van Tommy's boezemvrienden, had gesproken over zijn sportieve tijd op de middelbare school: 'Op de middelbare school blonk Tommy uit in skiën, waterskiën en lacrosse. Ik zal nooit vergeten dat onze coach tijdens een lacrossewedstrijd waarbij we aan de verliezende hand waren, met veel gevoel voor drama midden in een *huddle* ging liggen en de spelers in een emotioneel moment, dat bedoeld was om hen te motiveren, smeekte om maar 'gewoon over hem heen te lopen'. Zonder een moment te aarzelen liep Tommy naar het midden van de huddle en nam een reuzenstap over de geschrokken coach. Op dat moment besefte ik dat Tommy een leidersfiguur was.'

Claudia lachte en huilde en wenste dat ze hem had gekend.

Daarna deelde Julia zo af en toe een brief, een artikel of een foto met ons. We deden allemaal iets anders, maar tegelijkertijd waren we samen. Zo hadden we ook dikwijls tijd met onze echtgenoot doorgebracht, gewoon samenlevend, en nu beseften we hoezeer we dat gevoel hadden gemist. Het was een zeldzame rijkdom om met elkaar alleen te kunnen zijn.

Die avond maakten we een speciaal verjaarsdiner voor Julia. Pattie nam de barbecue voor haar rekening. Zij en Caz hadden het heerlijk gevonden om gasten te ontvangen. Elk weekeinde hadden ze eters. Ze had het hele systeem in haar vingers: wanneer ze de barbecue aan moest steken, wanneer ze water moest koken en wanneer ze de salade moest maken. Toen Pattie nog met Caz was, ging de verdeling van de taken naadloos, en nu vond ze het heerlijk om geholpen te worden. In een goede relatie gaat het teamwerk tussen echtelieden vanzelf en voltrekt de rolverdeling zich automatisch. Nu was het aan Pattie om de houtskool te storten, het vuur aan te steken en de juiste temperatuur vast te stellen voordat het vlees erop kon. In deze moeilijke tijd voor Julia was het bereiden van de feestmaaltijd met de club voor haar een keerpunt; het gevoel weer deel uit te maken van zo'n goed gecoördineerd team was van cruciale betekenis. Er was een geweldige onderlinge energie.

Naar instructie van Pattie hielden we ons allemaal bezig met salades maken, groenten bereiden, flessen wijn opentrekken, tafeldekken en kaarsen aansteken. Toen alles klaar was, maakten we een foto van de tafel, van hoe die was gedekt, het eten en de borden, zo trots waren we op onze herculesarbeid. Het menu bestond uit Julia's lievelingsgerechten en -smaken. De klap op de vuurpijl was Patties zelfgemaakte pepermuntijs met chocoladevlokken, gemaakt met verse munt uit de tuin; Jamie Oliver had het Pattie niet kunnen verbeteren. En alle schuldgevoel dat we in ons vorige leven misschien gekoesterd hadden over de calorieën loste op in deze herwaardering van voedsel, vriendschap en conversatie.

Claudia zei dat we dankbaar moesten zijn voor verjaardagen, omdat onze mannen er alles voor overgehad zouden hebben om veertig te mogen worden. Daar dronken we op.

Tijdens het eten kwam het gesprek op moederschap. Claudia, Julia en Pattie stonden altijd versteld van Ann, en van de manier waarop het haar lukte om sterk te blijven en de intensiteit van het verdriet te overleven terwijl ze voor drie kinderen moest zorgen.

'Met kinderen kun je je ergens op richten,' zei Ann. 'Je hebt verantwoordelijkheid voor iemand anders dan jezelf. 's Morgens móét je opstaan. Je hebt geen keus. Je moet blijven functioneren.'

Ann zei tegen de anderen hoezeer ze hen bewonderde om

hun kracht en vastberadenheid om het beste van hun leven te maken terwijl ze juist géén kinderen hadden.

'Mijn kinderen zijn een geweldige zegen gebleken. Van meet af aan wist ik dat ik een stukje Ward had dat door zou leven. Het heeft het echt gemakkelijker gemaakt. Ik zie het in Billy wanneer hij me te slim af is met een grapje. Het zit 'm in TJ's verlangen om Ward te evenaren in sportprestaties en ik zie het in Elizabeths glimlach. Ik weet dat ik altijd een stukje van hem zal hebben.'

Maar, legde Ann uit, zoals met alles is er ook een keerzijde. Wanneer ze naar de kinderen keek, wanneer ze succes hadden op school of een nieuw stadium in hun ontwikkeling bereikten, een grapje maakten of iets gedenkwaardigs deden, kon ze alleen maar denken aan alles wat Ward moest missen en hoeveel zij moesten missen omdat hij er niet meer was.

De anderen hadden het over hun toekomst, over het tikken van de biologische klok dat hun 's nachts uit hun slaap hield.

'Zou ik ooit nog een baby kunnen krijgen?' wilde Julia weten.

'Natuurlijk...' zeiden we.

'Mooi, want ik denk erover een paar vrienden van Tommy te vragen om spermadonor te zijn. En dan kies ik een willekeurige pipet, zodat ik niet weet wie de vader is, maar wel dat het iemand is op wie Tommy dol was en die ik ook erg graag mag.'

'Een soort spermalotto.'

Julia barstte in lachen uit. 'Precies!'

'Waarom doe je het niet op de ouderwetse manier? Ga eropuit, zoek een leuke vent en huppekee,' stelde Claudia voor.

'Hé, Julia, niet vergeten dat je mijn kinderen altijd kunt lenen hoor...' zei Ann.

Na het eten deed Pattie, een beetje aangeschoten, een bekentenis. De afgelopen paar weken had ze telefoongesprekken gevoerd met een advocaat die op het bureau van haar accountant werkte. Hij heette Stanley.

Stanley wist dat Pattie weduwe was en zij wist dat hij vrijgezel was. Ze legde de club uit dat hij zonder meer 'geografisch aantrekkelijk' was. Hij woonde niet alleen buiten de stad, hij kwam ook uit een andere staat en dat betekende, zoals iedere New Yorker weet, dat hij praktisch een buitenaards wezen was. Ze was weliswaar een cliënt, maar als ze het niet met elkaar konden vinden, zou dat geen problemen opleveren omdat ze hem zelden zou zien en kon voorkomen dat ze hem zou spreken.

'Klinkt perfect,' zei de club.

Bovendien had Stanley al aan Pattie laten weten dat hij de eerste dinsdag in juni, de volgende week dus, naar de City zou komen voor een vergadering waar zij ook bij aanwezig zou zijn.

'Dat is dan echt perfect.'

Patties missie, als ze die op zich zou nemen, was om hem te vragen iets met haar te gaan drinken.

'Is het niet ongelooflijk dat we dit soort gesprekken überhaupt voeren?' vroeg iemand.

'Hadden jullie, toen je je trouwgelofte uitsprak, ooit kunnen denken dat je hier ooit nog een keer over zou moeten praten?'

Het is net alsof we stappen terug deden terwijl onze vrienden doorgingen, huizen kochten, kinderen kregen en volwassen werden.

'Hoe zijn we hier beland?'

11 ❖ *Pattie en Caz*

PATTIE:

Het huis aan het strand was zo'n bijzondere plek voor Caz en mij. Elke vrijdagochtend was het eerste wat Caz zei als we wakker werden: 'We gaan op vakantie.' Het huis was van Caz voordat het van ons werd, maar hij deelde het met zijn gebruikelijke enthousiaste plezier.

Caz en ik hebben ons laatste weekeinde in dat huis doorgebracht. De huurders die er 's zomers hadden gezeten, waren vertrokken. Het was een geweldig weekeinde van blauwe luchten en heldere zonneschijn, warm genoeg om de hele dag op het strand te zijn. Caz was dol op de zee; hij was gek op de geur, de lucht en het zout. Hij bracht uren door op zijn *boogie board* of ging op krabbenjacht in het nabijgelegen Georgica Pond. Dat weekeinde stoeide Caz zoals gewoonlijk in de branding en hij zwaaide met zijn armen; hij wilde dolgraag dat ik er ook in kwam. Ik gehoorzaamde tot mijn vingers blauw en gerimpeld zagen van de kou. Toen ik terugkeerde naar mijn boek en mijn badhanddoek, bleef Caz in het water en maakte hij contact met vreemden die weldra goede bekenden werden. Wanneer de zon me weer had opgewarmd en ik een poosje naar zijn gedartel in het water had gekeken, ging ik er af en toe weer in om nog wat plezier te maken.

Na zijn dood vroeg ik me steeds maar weer af waarom ik niet langer in het water was gebleven, waarom ik niet had begrepen waarom die momenten zo kostbaar waren.

Toen we op zondag 9 september 2001 de ochtenddienst van de kerk in East Hampton verlieten, de kerk waar we ook waren getrouwd, bleef Caz op het kerkhof staan. Hij pakte mijn handen. Hij keek me recht aan. 'Laten we even stilstaan bij wat we in ons eerste huwelijksjaar tot stand hebben gebracht, lieverd.'

Lachend zei ik: 'Liefde, Lola, lachen en geen leningen!' Dat jaar had Caz er maanden over gedaan om de perfecte kleine terriër, ons kindje Lola, te vinden.

Ik wilde niet op het kerkhof blijven rondhangen. Ik had het die morgen op mijn heupen en wilde naar huis om me te verkleden zodat we naar het strand konden gaan. De zon scheen; de golven wachtten. Ik wilde geen tijd verspillen. Ik nam aan dat Caz er altijd zou zijn en dat we nog alle tijd van de wereld zouden hebben om te praten, dat we ons eerste huwelijksjaar wel zouden doornemen wanneer we drie weken later ons eenjarig huwelijksfeest zouden hebben. Ik gunde me niet de tijd om fatsoenlijk van gedachten te wisselen.

Later zou het tafereel me achtervolgen. Waarom had ik niet de tijd genomen om even stil te staan? Waarom genoot ik niet van het moment? Waarom?

Op de terugweg naar huis hadden we in de auto een malle woordenwisseling. Caz overdreef in alles en ik probeerde hem ervan te overtuigen dat veertig graden voor het water in de jacuzzi van het strandhuis te heet was, dat het zonde was van de elektriciteit en waarschijnlijk slecht voor zijn gezondheid. Het was een domme discussie en ik zat te pruilen op de passagiersstoel.

'Hou mijn hand eens vast,' zei Caz.

'Nee,' zei ik koppig.

'Pak mijn hand, schat. Nu,' zei Caz.

Ik bleef weigeren.

'Ooit,' hield hij vol, 'is die hand er misschien niet meer, lieverd.'

Ik greep zijn hand. De hele terugreis naar Brooklyn bleven we hand in hand zitten.

Mijn verhaal begint in 1988, het jaar waarin ik afstudeerde en naar New York City verhuisde. Ik was een product van de voorsteden en wilde dolgraag in de grote stad wonen, aangetrokken door de glamour en de energie. In het begin waren mijn ouders sceptisch, maar omdat ik een goede baan had gevonden, steunden ze mijn besluit, brachten me naar de City en zetten me af op de hoek van Third Avenue en Eleventh Street met dertig dollar en een koffer. Bleek ik mijn tas met schoenen te zijn vergeten en moest ik de volgende morgen in lunchtijd naar Woolworth Penny Store om mijn eerste paar werkschoenen te kopen. Tegenwoordig staat mijn kast vol met allerlei schoeisel, maar dat haalt het niet bij die oudjes van 10,99 dollar.

Nadat ik een paar jaar op futons bij vrienden had gewoond, kon ik me mijn eigen appartement in Soho veroorloven, een eenkamerwoning van eenentwintig vierkante meter. Het kon me niet schelen dat het zo klein was als een broodtrommel; ik vond het te gek dat ik zelfstandig in zo'n hippe buurt woonde. In de weekeinden ging ik te voet op ontdekkingsreis om de City te leren kennen. Ik ging voor vijfendertig dollar per jaar naar de openbare fitness, bezocht gratis concerten in Central Park, juichte voor de Yankees op vrijkaartjes van de zaak en ging nieuwe galeries af. Ik was ervan overtuigd dat de filmdoeken in New

York breder waren; de straten leken in elk geval op filmdecors. Het eten smaakte beter, de mensen waren boeiender, de gebouwen spectaculairder. Ik kwam uit een kleine plaats en vond het heerlijk om een visje in een grote vijver te zijn. New York leek de perfecte plek om mezelf in te verliezen en vervolgens uit te zoeken wie ik was en wat ik van het leven verlangde.

Als ik naar foto's van mezelf uit die tijd kijk, zie ik een ongecompliceerde, enthousiaste en optimistische jonge vrouw, het type dat het leven van de zonnige kant bekijkt. Hoewel ik cynische en sarcastische vrienden had en genoot van hun gevoel voor humor en hun kijk op de wereld, had ik dat niet met hen gemeen. Ik was opgegroeid in een veilige omgeving, afgeschermd van pijn en lijden. Zelfs mijn puberteit was betrekkelijk pijnloos geweest. Ik was me vrij onbewust van wat andere mensen dachten en daarom immuun voor de gebruikelijke kwellingen van het tiener zijn. Nu ik in de twintig was, was ik een zwerver die het leven ontdekte via filmhuizen, literatuur, muziek en reizen. Ik kocht een abonnement voor een seizoen van de New York City Opera; ik deed een cursus Italiaans in de hoop dat ik ooit naar Italië zou emigreren en werd mentor van een negenjarig meisje uit een achterstandsbuurt in Brooklyn. Reizen werd nummer één op mijn prioriteitenlijst. Ik ging met mijn broer of met vrienden naar Engeland, Ierland, Frankrijk, Spanje, Hongarije, Polen en Tsjechoslowakije. Ik ging vissen met kunstaas in Montana en skiën in Colorado. Ik ging wildwatervaren in de stroomversnellingen van Wyoming en Utah.

Af en toe had ik een date, maar het was nooit het belangrijkste van mijn leven. Ik was niet op zoek naar een man. Ik was op zoek naar nieuwe ervaringen en sensaties.

Vervolgens leerde ik in de zomer voordat ik dertig werd Caz kennen. Jeremy 'Caz' Carrington was een trotse Engelsman en een succesvolle Wall Street-makelaar met een onuitputtelijke energie en levenslust. Hij stormde mijn wereldje binnen met een kracht die me ondersteboven kegelde, en zoiets had ik nog nooit meegemaakt.

Caz en ik leerden elkaar in 1996 kennen op het strand. Tot die bewuste zomer was ik geen fan van de patserige Hamptons en ik had al een paar jaar aanbiedingen afgeslagen om met een groep een huis aan het strand te huren. Maar de zomers in de City begonnen hun tol te eisen. Ik had al een paar lentes gestudeerd voor een intensief examen financiën en vertoonde de eerste tekenen van een burn-out. Net toen ik mijn belastingteruggaaf openmaakte, werd ik gebeld door mijn studievriendin Susie, die nog een plek vrij had in haar gedeelde zomerhuurwoning en wilde dat ik meedeed.

'Het wordt leuk, dat beloof ik je,' zei ze vol overtuiging.

Ik keek naar mijn cheque. Het bedrag was precies zo groot als mijn aandeel in de huur van het huis.

'Goed,' zei ik. Wat had ik te verliezen?

Het weer leek die zomer verre van volmaakt en het hoosde regelmatig. Een verregende zaterdag van het feestweekeind van 4 juli was ik met Susie, haar vriend en mijn broer in het huis. We besloten gewoon ontspannen thuis te blijven. Ik werd herinnerd aan de regenachtige dagen van mijn kinderjaren en stelde voor een potje te kaarten.

'Goed idee,' vond Susie, maar er waren geen kaarten in huis. 'Laten we even naar Caz rijden. Die woont vlakbij en heeft vast wel een kaartspel.

Ik zei dat ik mee zou gaan. Susie en Caz hadden na haar studie een paar jaar een relatie gehad en waren vervolgens goede vrienden gebleven.

Inmiddels was de zon onder en leek het door de regen nog donkerder dan anders. Het huis van Caz stond onzichtbaar vanaf de weg op een heuvel. Er viel licht van binnen op de omringende bomen toen we langzaam de steile oprijlaan op reden. Het huis, een moderne witte villa, kwam in zicht. Het was een volwassen huis. Susie en ik gingen naar binnen en naar boven waar het woongedeelte was en waar we Caz en zijn vrienden begroetten.

Caz was een knappe man met een brede glimlach, een borstkas als een kleerkast en sprankelende blauwe ogen. In plaats van te verdoezelen dat hij kalend was, had Caz zijn hoofd helemaal kaal geschoren, en dat had een verpletterend effect. Ik had altijd gezegd dat ik waarschijnlijk zou trouwen met iemand die kalend of grijzend was, want ik vond beide gedistingeerd. Caz vroeg meteen of we iets wilden drinken of een hapje wilden eten. 'Zeg het maar.' Hij was de vleesgeworden gastvrijheid en had bovendien een charmant Brits accent. Nadat Caz iets voor ons had ingeschonken ging hij te midden van zijn gasten zitten om de hond van een van zijn vrienden te knuffelen. Mijn eerste indruk was die van een extraverte persoonlijkheid, die met zijn uitbundige verhalen het middelpunt van de belangstelling was. Hij beschreef ons zijn huis als 'ondersteboven' omdat het woon- en leefgedeelte boven waren en de slaapkamers beneden en hij gedroeg zich als de heer van het landgoed.

We zeiden dat we terug moesten, namen afscheid en beloofden dat weekeinde contact met elkaar te houden.

Zodra we in de auto zaten, bedolf ik Susie onder de vragen. Had Caz een vriendin?

'Ja, en hij zit griezelig dicht tegen een verloving aan,' vertelde Susie. 'Maar laat dat je alsjeblieft niet weerhouden. Om je de waarheid te zeggen, is het een loeder.'

'Zou jij er iets op tegen hebben?'

'Nee hoor,' antwoordde Susie. 'Ik zou je juist dankbaar zijn.'

Op de terugweg vertelde Susie grappige verhalen over Caz. Al was het dan uit tussen hen, het was duidelijk dat ze hem nog steeds bewonderde. Thuisgekomen bleef ik aan Caz denken, hoewel hij de rest van het weekeinde eigenlijk niet meer ter sprake kwam.

De volgende zaterdag regende het weer. Caz belde Susie om te horen wat onze plannen waren.

'Niet veel,' zei Susie.

Hij vroeg of hij kon komen om een film te kijken. Even later vloog de deur open en kwam Caz binnen. Er werd meteen over eten gesproken. Wat gingen we eten bij het kijken naar de film?

Blijkbaar was dat van levensbelang. Susie en Caz raakten in gesprek alsof ze een uitgebreid diner voor de koningin van Engeland voorbereidden. Uiteindelijk beaamde Susie dat Caz de meest geëigende persoon was om het menu samen te stellen en voor de hapjes te zorgen. Op weg naar buiten vroeg Caz of ik zin had om mee te gaan.

'Ja hoor,' zei ik en ik liep hem achterna.

We gingen naar de 'geheime traiteur', een winkel in een achterafstraatje met een decadent maar ouderwets assortiment lekkernijen. Toen Caz de zoete en hartige lekkernijen uitzocht, leek hij wel een klein jongetje in een speelgoedwinkel. We kochten ham, paté, kaasbrood én kaas. Toen ik overlegde of ik koek of een muffin voor mezelf zou kopen, loste Caz mijn dilemma op.

'Neem ze gewoon allebei,' zei hij. 'Gun jezelf zoiets simpels.' Later zou ik erachter komen dat die opmerking zijn hele levenswijze symboliseerde.

Voordat we weer naar huis gingen, stelde Caz voor dat we naar het strand zouden gaan om naar de golven te kijken. We reden naar een parkeerterrein aan Main Beach om vijf meter hoge golven op het strand te zien storten en witte schuimvlokken van het loodgrijze water te zien vliegen. Terwijl de regen tegen de voorruit sloeg, besefte ik dat ik me nog nooit zo tot iemand aangetrokken had gevoeld als tot deze man.

Weer thuisgekomen keken we volgens plan naar video's en aten we onze exquise snacks. Caz en ik zaten op dezelfde bank. Hij maakte het zich gemakkelijk aan het ene uiteinde en ik aan het andere. Mijn voeten lagen opgetrokken naast hem. Het was duidelijk dat er iets broeide.

In de loop van de week belde Caz om te vragen of ik met hem naar de bioscoop wilde. Omdat ik nog steeds niet wist hoe het nou precies met die vriendin van hem zat, was ik niet al te happig, maar hij verzekerde me dat hij niets verkeerds deed door mij mee uit te nemen. Na de film gingen we eten en drinken en praatten we honderduit. Caz was grotendeels aan het woord. Ik kreeg er bijna geen speld tussen. Toch was ik betoverd. Hij bracht me naar huis en we spraken af elkaar het weekeinde daarop weer te treffen.

Caz ontworstelde zich aan zijn relatie en knoopte er met mij een aan. Hoewel ik voor het eerst ware liefde beleefde, voelde alles heel natuurlijk. Weldra had ik het gevoel dat ik niet meer zonder hem kon. We waren onafscheidelijk. Voor het eerst deelde ik mijn ervaringen met een partner en legden we de basis voor een leven met elkaar.

Ik vond Caz fascinerend. Zijn achtergrond was zo totaal anders dan de mijne. Hij was het product van een Britse militair en een Schotse moeder en had als kind in Noord-Ierland, Hongkong, Singapore en Cyprus gewoond voordat hij op zijn zevende naar kostschool ging, waar hem werd geleerd hoe hij een fatsoenlijke Engelsman moest worden en algauw een gevoel voor humor als overlevingsmechanisme ontwikkelde. De weekeinden bracht hij door bij zijn geliefde grootmoeder van moederskant, Nanna. Op zijn dertiende gingen zijn ouders uit elkaar en werd Caz 'de man van de familie'. Hij bleef uitermate beschermend naar zijn moeder en zijn zus Sarah. Zijn vader beschreef hij dikwijls als 'de kolonel', een 'beminnelijke boef' en een 'schurk'. Hij moest snel volwassen worden, maar hij vertelde zijn herinneringen zonder een spoortje bitterheid. Geen 'arme ik'. Caz had iets stoïcijns Schots over zich, wat hij van zijn moeder had; hij liet de dingen liever achter zich dan er klaaglijk bij stil te staan. Caz ging op zijn achttiende van school om een carrière in de financiën te beginnen en op zijn twintigste verhuisde hij naar New York voor een baan op Wall Street.

Die achtergrond had niet meer kunnen verschillen van de mijne. Ik was opgegroeid in een heel gelukkige, godvrezende familie met een hoog appeltaartgehalte in New England, was de jongste van vier kinderen en mijn ouders waren nog altijd bij elkaar. Ondertussen was Caz niet bepaald de ideale schoonzoon voor mijn ouders. Hij was vreemd, luidruchtig en spontaan. Hij was de eerste die bekende dat zijn carrière onzeker was. Het ene jaar bracht mooie financiële beloningen, het volgende kon hij zonder werk zitten. In die tijd rookte hij nog. Hij miste een van zijn voortanden dankzij een ruige rugbywedstrijd en hij vond het leuk om zijn stifttand eruit te halen en het gat te laten zien. Hij was Engelsman.

Toen ik bij hem introk voordat we verloofd waren, zette ik mijn ouders voor het blok. Ik hield veel van hen, maar door iets te doen wat tegen mijn opvoeding inging, bevestigde ik mijn zelfstandigheid. Caz was niet bepaald de op-en-top Amerikaanse jongen die mijn ouders aan mijn zijde hadden verwacht. Maar na een verrassend korte tijd had hij hen voor zich ingenomen. Hij maakte mijn moeder aan het lachen met zijn grapjes en luisterde oprecht geboeid naar de levensverhalen van mijn vader. Onder de showfiguur zat een zachtaardige ziel. Caz wilde gewoon dat de mensen die hem omringden gelukkig waren. Mijn familie voelde dat aan en accepteerde hem in haar midden.

Misschien zagen ze wel hoezeer Caz en ik elkaar aanvulden. Zo overdadig als hij was, zo voorzichtig was ik. Op een keer kochten we limoenen voor een recept waarvoor we er maar twee nodig hadden. Caz kocht er een dozijn.

'Waarom twaalf?' vroeg ik.

'Waarom niet?' antwoordde hij. 'Je weet maar nooit! Limoenen zijn goedkoop.'

Ik sloeg mijn ogen ten hemel en beaamde dat limoenen inderdaad goedkoop waren, maar waarom hadden we er tien extra nodig?

'Misschien krijgen we wel gasten!' Het was waar dat Caz het heerlijk vond om gasten over de vloer te hebben, en die tien limoenen verdwenen dan ook weldra in een gul rondje margarita's.

Ooit maakte ik tussen neus en lippen door de opmerking dat ik 'niet echt het gevoel had het in New York gemaakt te hebben' voordat ik mijn eigen was- en droogmachine had. Maar heel weinig mensen in New York hebben de luxe van een was- en droogmachine in hun appartement wegens het gebrek aan ruimte en aan toereikende elektra.

De volgende dag al spande Caz op zijn werk samen met een collega om haar oude wasmachine te kopen. Een paar dagen later zag ik bij thuiskomst een grote Sears-doos en Caz die op me afkwam met een fles champagne en een brede glimlach op zijn gezicht.

'Lieverd,' zei hij, met zijn fles in de richting van onze wasmachine met droger in de kast in de hal zwaaiend. 'Je hebt het gemaakt!'

Caz liet het breed hangen en soms was dat irritant, maar hij was hartstochtelijk en nooit saai. Hij was flamboyant, ik gelijkmatig. Ik lachte graag, hij maakte graag grapjes. In relaties was hij altijd de gever geweest, nu stond hij zichzelf toe om ook te nemen. We pasten bij elkaar; het werkte. Ik was altijd zo zelfstandig geweest, dat het verfrissend was om iemand in mijn leven te hebben die me zo graag steunde en aanmoedigde. Als ik gefrustreerd was op mijn werk of me onzeker voelde, zei hij gewoon: 'Wat maak je je druk? Jij bent veel intelligenter en charmanter dan al die lui. Gewoon doorgaan en je best doen...'

Caz wist overal iets van af. Deels door zijn Engelse achtergrond en deels dankzij een aangeboren nieuwsgierigheid kon hij over een schijnbaar eindeloze hoeveelheid onderwerpen goed meepraten. Sterrenconstellaties, Latijnse plantennamen, het waarom en wanneer van eb en vloed, waarom fosfor licht geeft, de schijngestalten van de maan, namen en geluiden van vogels, hoe je moet zeilen en vissen. Hij kon breien, tuinieren, rugby spelen, koken, willekeurige woorden definiëren, en het belangrijkste was dat hij mensen kon laten huilen van het lachen. Ik vond het heerlijk om naar hem te luisteren wanneer hij de wereld voor me beschreef.

Vier jaar nadat we elkaar hadden leren kennen, trouwden we in september 2000 op een bloedhete zomerdag op het strand. Caz vond het een fantastische trouwdag, hij vond het heerlijk om het middelpunt van de belangstelling te zijn en zijn geluk met anderen te delen. Op de statische foto's van ons huwelijk komt zijn stralende geluk helaas amper tot zijn recht. Op één wel: die waarop hij op het strand staat met de blik omhoog, een hand van mij vasthoudt en zijn andere arm zich naar de lucht uitstrekt. Op die foto is hij zo levend, zo vervuld van verwondering over de wereld.

We zouden de rest van ons lange, gezonde leven samen doorbrengen en op dat moment was dat geen onrealistische verwachting. Ons eerste jaar als man en vrouw ging in een oogwenk voorbij; het was een opwindende en romantische tijd. In juli ging ik vier dagen voor mijn werk naar Korea. Hoe moesten we die doorkomen? Caz vertelde dat hij van kussens een lichaam had gemaakt, zodat hij net kon doen alsof ik er was, omdat hij zich het leven zonder mij niet kon voorstellen. Ik had een fax op de kamer en hij stuurde me elke dag een brief en bovendien belde hij 's morgens en 's avonds. Hij liet bloemen bezorgen, zoals altijd wanneer ik ergens alleen in een hotelkamer moest slapen. We maakten plannen om op vakantie naar Vietnam en Cambodja te gaan en we zouden op 23 september vertrekken. Caz had zijn zinnen op twee kinderen gezet om ons gezin compleet te maken, eerst een meisje, dan een jongen. Ons eerste huwelijksfeest kwam eraan. Het leven bruiste van de mogelijkheden.

Vervolgens vertrok Caz, even dramatisch als hij mijn leven was binnengekomen, maar met nog meer intensiteit, en ik veranderde voorgoed.

Die bewuste ochtend was Caz eerst opgestaan om onze hond Lola uit te laten. Ik bleef in bed om te wachten tot hij naar zijn werk ging, wat voor mij het teken was om op te staan. Terug van de wandeling liet hij Lola op bed vallen en maakte hij zich klaar om naar zijn werk te gaan. Voordat hij wegging, kwam hij naar het bed om zijn meisjes te kussen. Gebruind van het weekeinde zag hij er heel pront uit in zijn kakibroek, witte overhemd en instapschoenen. Hij tilde Lola aan haar vier poten op als een varken voor de grill en ging met zijn neus over haar buik. Hij gaf me een zoen en haastte zich de deur uit met de woorden dat hij van me hield.

Even later kwam hij de kamer weer in hollen omdat hij het pasje van zijn werk in zijn broek van gisteren had laten zitten. Hij mompelde dat hij te laat zou komen.

Hij kwam weer naar het bed om nog een keer gedag te zeggen, om Lola nog een knuffel te geven en mij een fijne dag te wensen. Na nog een kus op de mond haastte hij zich weg met de belofte dat hij me later zou bellen.

Ik stond op, nam een douche en trok een broekpak met een krijtstreepje aan. Ik ging gewoon met de trein naar mijn werk, pauzeerde bij een koffiekarretje en ging met de lift naar de zestiende etage van mijn kantoorgebouw aan Park Avenue. Toen ik mijn kamer betrad, ging de telefoon. Ik nam op. Het was mijn vriendin Kara met de vraag of alles goed was met Caz.

Dat was het moment waarop mijn leven begon in te storten.

Ik had geen idee wat Kara bedoelde met haar verhaal over een neergestort vliegtuig en ik nam aan dat er een sportvliegtuigje was afgedwaald. Ik bedankte haar met de belofte dat ik Caz direct zou bellen. Zo gezegd zo gedaan. Ik kreeg een jachtige ingesprektoon. Mijn hart ging al sneller kloppen. Ik liep mijn kantoor uit om mijn collega James te vragen of hij iets wist. Zijn broers werken bij de politie. 'Ja,' zei hij. 'Ik probeer zo veel mogelijk informatie te krijgen.' Mijn telefoon bleef maar overgaan; mijn baas, familieleden en vrienden belden me. Mijn vriendin Kia belde en beloofde dat ze direct zou komen.

'Waarom?' vroeg ik.

'Omdat...' antwoordde ze.

Ik bleef het nummer van Caz proberen. In gesprek. Een snelle, bedrijvige ingesprektoon.

Mijn directrice holde naar binnen.

'Alles goed met jou?' vroeg ze bezorgd.

Ik zei dat ik naar St. Patrick's Cathedral zou gaan om te bidden. Ze zei dat ze met me mee zou lopen. De kerk was maar twee blokken verderop. Op het bordes aan Fifth Avenue keken we in de richting van het centrum en zagen we rookwolken uit de Towers komen.

'O, mijn god,' zei ik, en ik voelde hoe mijn knieën het wilden begeven.

Er stond een politieman op de trap. We mochten er niet in.

Mijn bazin zei dat mijn man in het Trade Center werkte en dat ik alleen maar een gebed wilde zeggen voor zijn veilige sprint via de trap naar beneden.

Dit was de eerste van talrijke deuren die opengingen in mijn nieuwe 'bevoorrechte' positie.

Ik betrad de kolossale hoofdingang van de kathedraal en vond het merkwaardig dat mensen midden in een crisis een religieus gebouw niet mochten binnengaan. Ik bad en vroeg aan God om Caz voldoende kracht te geven om zo hard als hij kon die trap af en in mijn armen te rennen. Ik sprak zowel met Caz als met God. Ik weet nog hoe dikwijls ik herhaalde hoeveel ik van allebei hield.

Terug op kantoor liepen we Kia tegen het lijf, die net was gearriveerd. Haar gezicht was een masker van zorgelijkheid. Ze zei niet wat ze wist. Zwijgend gingen we met de lift naar boven.

Toen we weer in mijn kamer waren, belde mijn buurman Chris. Hij bood aan om naar mijn huis te gaan om een crisiscentrum in te richten en de telefoon aan te nemen. Inmiddels was de communicatie verstoord. Nu eens kon je iemand bereiken, dan weer niet. Ik kreeg de moeder van Caz te pakken, zijn zuster en zijn vader. Mijn zwagers. Hoe meer mensen ik sprak, des te meer vragen er rezen. Ik had geen enkel antwoord. Ik kon geen moment van mijn bureau weg, want ik wilde er zijn wanneer hij belde. Het nieuws was willekeurig en verwarrend. James vertelde me aarzelend dat het World Trade Center II was ingestort. Wát? Mijn gedachten tuimelden over elkaar heen en probeerden wanhopig de stroom van gebeurtenissen bij te houden, maar mijn paniek nam met de seconde toe.

In een poging mijn angst de baas te blijven zei ik dat ik weer naar St. Patrick's wilde gaan. Kia en ik liepen er samen heen, maar toen we om de hoek van Fifth Avenue kwamen en naar het centrum keken, zagen we niets. De lucht was een rookgordijn geworden. Dit kon niet waar zijn. Op de een of andere manier wist Kia ons naar binnen te loodsen. We staken een kaars aan. Lieve God, breng hem alstublieft veilig thuis, ik smeek het U. Breng hem naar beneden. In mijn hoofd berekende ik honderdvijf etages, vermenigvuldigd met twaalf treden, dat is ongeveer 25.000 seconden, nog geen uur. Hij kon het halen. Alstublieft God, alstublieft.

Terug op kantoor wachtte Kia's man Rob. Wat moesten we doen? Ik wilde er voor hem zijn als hij belde. Maar moesten we niet naar hem tóé gaan? We belden Chris op de thuisbasis. Heeft hij gebeld? Ik keek naar James. Die deed zijn best om optimistisch te doen, maar zijn gezicht verried hem. Hij was erg van zijn stuk.

We besloten erheen te gaan om hem te zoeken. Ik veranderde de boodschap voor inkomende gesprekken om hem te laten weten dat we onderweg waren en dat hij Robs mobiele nummer moest bellen. *I love you, I love you, I love you.*

We gingen terug naar Fifth Avenue. Ik keek weer naar de rook en de lege lucht. Die Towers hoorden erg bij het stadslandschap. We woonden in Brooklyn Hights, de woonwijk aan de andere kant van de rivier, tegenover Lower Manhattan. Ik zag die gebouwen dagelijks. 'Ik snap het niet,' bleef ik maar mompelen. Ik vergeleek dit met 1993 en berekende trappen en minuten.

We liepen midden op straat in de richting van het centrum en maakten een omweg om het Empire State Building. Verderop zag ik mensen overdekt met grijswitte roet, verdwaasde overlevenden die te voet huiswaarts keerden. Alstublieft, God; laat Caz alstublieft over de Brooklyn Bridge naar huis toe lopen. Chris maar weer bellen. 'Al iets gehoord?' Ik controleerde de voicemail op mijn werk. Ik bad.

We liepen de kant van St. Vincent's Hospital op, waar hele rijen lege brancards op straat lagen en mensen reikhalzend naar arriverende ambulances keken. Toen de ambulancedeuren opengingen, bleken ze leeg. Er lagen geen gewonden in. In het ziekenhuis gaven we Caz als vermist op. Op de EHBO zaten mensen die de Towers waren ontvlucht op behandeling te wachten en informatie uit te wisselen. Op welke verdieping zat jij? In welke Tower werkte jij? Goed, zij zaten vele verdiepingen lager, maar mijn hoop nam toe. Caz kon het.

Vrijwilligers stonden bloed af. Ik stelde voor dat wij hun voorbeeld zouden volgen. Mijn vrienden keken me aan alsof ik drie hoofden had. Dit waren de eerste 'blikken'. Blikken die voortkwamen uit liefdevolle steun, maar wat ze uitzonden was: beseft zij wel wat er aan de hand is?

Tring, tring, tring; Chris, heeft hij al gebeld, heeft hij al gebeld, heeft hij al gebeld?

In het ziekenhuis werden we niets wijzer. We gingen naar een andere locatie om zijn naam te laten bijschrijven op een algemene lijst. De mensen wisten niets. Iedereen wilde helpen. Stille chaos. Inmiddels hadden zich mijn vrienden Debs, Jonathan en Sandy bij me gevoegd, en ik stemde ermee in om naar een bistro in de buurt te gaan omdat niemand die dag nog iets had gegeten of gedronken. Ik kreeg geen hap naar binnen. Ik nam een slokje en werd direct misselijk. Waar was hij?

We vertrokken naar de aanmeldingscentra. Misschien was hij daar wel en had hij geen telefoon bij de hand.

Uiteindelijk kwamen we in Houston Street. De barricades waren al opgeworpen en we kregen te horen dat niemand verder zuidwaarts mocht. We smeekten om te worden doorgelaten onder vermelding van mijn relatie met iemand in de Towers; weer dat 'voorrecht'. Toen we Canal Street overstaken, moesten we weer smeken om te worden doorgelaten. We waren diep de zwarte rookwolken binnengedrongen en de giftige dampen schroeiden onze neusvleugels. Overal lag vuilnis. Humvee's kropen door de straten. We waren een soort oorlogsgebied binnengedrongen. In Chambers Street kregen we opnieuw te horen dat er niemand door mocht. Deze keer was de politieman –

bijna in coma van shock en verdriet – niet in de stemming om te onderhandelen. Hij stelde voor dat we terug naar Brooklyn zouden keren via de Manhattan Bridge. Voorbij de politieman zagen we een oranje vuurgloed.

Op de brug draaide ik me om voor een blik op het centrum. Waren we echt in New York? Gebeurde dit allemaal echt? Zou hij echt gewond kunnen zijn? We belden opnieuw met Chris en de voicemail van mijn werk. Al iets gehoord?

Thuis had Chris de touwtjes stevig in handen. Hij had een lijst van meer dan honderd bellers samengesteld die uiting van hun bezorgdheid hadden gegeven. Hij had de lijst in drie kolommen opgesteld met de naam, het nummer en het bijbehorende commentaar. Maar we wilden maar van één telefoontje weten. Waar stond dat op de lijst? Waar was Caz?

Ik tilde Lola op en drukte haar tegen me aan alsof mijn leven ervan afhing. Ik liet de eerste tranen even komen. Ik ging zitten. Iemand gaf me een glas wijn.

Nog meer wachten. Na een poosje liepen we een half blok naar het eind van mijn straat en het begin van de Brooklyn-promenade, vanwaar je uitzicht hebt op Lower Manhattan. Voor me stond een verkeersbord dat ik nog nooit had gezien: een gele waarschuwingsdriehoek met DEAD END. Op een ander bordje er vlak achter stond END. Probeerde de kosmos me soms iets duidelijk te maken? Er hing een dichte grijze rook. Overal woeien kranten, zwart van het roet. We gingen op een bankje naar de smeulende lucht zitten staren. Mensen hadden bloemen en foto's aan de balustrade gehangen. Er brandden kaarsen.

Terug naar huis om een lijst van de noodhulpdiensten samen te stellen, van ziekenhuizen in het knooppunt van drie staten, van contactpersonen bij Cantor Fitzgerald. Eindeloos bellen. Nummer toetsen. In gesprek. Nummer toetsen. In gesprek. Nummer toetsen. Nee, het spijt me, we hebben hier niemand die zo heet. De hele nacht zaten we op de vloer van mijn slaapkamer te bellen. Ik gunde mezelf geen rust. Ik gaf het niet op. Boven ons in de lucht raasden straaljagers. Mijn broer, die met onze ouders in Frankrijk was, wist me uiteindelijk te bereiken. O, god, als we met hen mee waren gegaan, had Caz niet op zijn werk gezeten. Kom maar gauw naar huis, zei ik tegen mijn broer. Positief blijven, we hebben je nodig.

Al die tijd, de langste dag van mijn leven, sliep ik niet. Het telefoneren ging de hele nacht en een deel van de volgende dag door. De volgende morgen ging ik grauw en leeg naar de kerk. Waar kon ik troost vinden? Thuis kwamen mensen langs om steun te bieden. We praatten bij. De tv stond niet aan. Niemand sprak over dood of verlies, en toch hingen die tastbaar in de lucht. En maar bellen, bellen en nog eens bellen.

Die dag ging de telefoon stuk en moest iemand eropuit om een nieuwe te halen.

Ik wilde niet toegeven aan de slaap. Kia stelde een halve slaappil voor.

'Pattie, alsjeblieft. Je hebt al in geen zesendertig uur een oog dichtgedaan.' Hoewel ik gehoorzaamde, verzette ik me toch toen de pil zijn werk begon te doen en worstelde ik me weer bij kennis wanneer de telefoon ging. Uiteindelijk liet ik mezelf onder zeil gaan, hoe pijnlijk dat ook was.

Op donderdag arriveerden mijn zussen. Die avond sliep mijn zus Maggie bij mij in bed. In het holst van de nacht brak de storm los. Knetterende donderslagen, witte bliksemflitsen, de hemel sprak. Rechtop zittend in bed drukte ik Lola tegen me aan, die hijgde van angst. Was hij ergens daarbuiten in wind en regen, blootgesteld aan de elementen? De volgende morgen werd mijn neus bij het ontwaken geteisterd door de stank van brandend metaal en rubber. De regen had de geur nog sterker gemaakt, de wind stond naar het oosten, naar Brooklyn en drong het huis binnen.

Die ochtend kreeg ik een telefoontje van de broer van een van Caz' collega's. Hij vertelde me dat hij zijn broer nog had gesproken vlak nadat het vliegtuig zich in het gebouw had geboord.

'Hij heeft afscheid genomen, gezegd dat hij van zijn familie hield en dat hij er niet uit zou kunnen komen.'

Ik probeerde me te beheersen; hier had ik geen ervaring mee. Het lukte me nog net om op te hangen voordat ik in elkaar zakte.

Ik belde de vrouw van een andere collega. Heb jij nog met hem gesproken voordat de Towers instortten?

'Ja, hij was bang. Hij zei dat hij van me hield en dat hij niet het gevoel had dat hij het er levend van af zou brengen.'

O, mijn god.

Ik hing op en zette het op een brullen. Ik kreeg geen adem. Ik wilde er niet aan. Het kon niet. Caz zou niet bang zijn. Hij zou de touwtjes in handen hebben genomen. Zijn plan getrokken hebben. Hij was een leidersfiguur. Hij moest het gered hebben. Ik sidderde van angst. Ik hyperventileerde. Ik kon het nog altijd niet geloven. Waarom zou iemand een vliegtuig in een gebouw boren om opzettelijk mensen te vermoorden?

Shock staat overtuiging in de weg en beschermt ons tegen het ondraaglijke karakter van informatie. Het is de manier waarop de natuur ons een kans geeft om de afgrijselijke werkelijkheid druppelsgewijs tot je te laten doordringen, in plaats van in één kolossale klont die je van je leven niet kunt behappen.

In die verschrikkelijke weken erna, de dagen die naar ons eerste huwelijksfeest op 30 september hadden moeten leiden, deden mijn broer, zussen, ouders, vrienden en collega's alles wat ze konden om me te helpen. Ik kende Kia en Sandy al sinds mijn studietijd en na de elfde waren ze amper van mijn zijde geweken. Ze wisselden het af met mijn broer Fran en collega Chris; ze spoorden me aan om te eten, dwongen me om naar bed te gaan, maakten me wakker, deden mijn was, hielden het papierwerk bij en namen dagelijks honderden telefoontjes aan van vrienden, familie en bijna volslagen vreemden. Het was een welgemeende stortvloed van liefde en steun, maar ik wilde niet praten aan de telefoon. Ik was te verdrietig voor woorden.

Kia hield zich staande door schoon te maken. Ze boende en schrobde, waste, vouwde en streek. Op een ochtend vouwde ze een verse lading wasgoed uit de droger op. Ik keek naar haar en mijn mond viel open.

Ze besefte het meteen.

'O, mijn god, ik heb zijn short gewassen.' Ze had zijn blauwe korte broek gewassen. De laatste die hij aan had gehad, de vorm van zijn lichaam zat er nog in. Ik zou hem nooit in de was gedaan hebben, ik wilde ieder spoortje van hem vasthouden.

'O, god, het spijt me, het spijt me, ik heb je hart helemaal opnieuw gebroken.'

Dat weekeinde liep ik de keuken in en zag ik dat mijn vader een zak chips openmaakte die Caz net had gekocht bij een Engelse kruidenier in Greenwich Village.

'Hoe kun je daar aan zitten? Die zijn van Caz...' zei ik. Ik wist dat ik onredelijk was, maar in dat stadium hield niets in mijn leven zich meer aan de wetten van de redelijkheid. Ik moest me aan iedere strohalm vastklampen.

Omdat ik Caz niet kon bellen of spreken, schreef ik hem lange brieven om te zeggen dat ik van hem hield en hem miste en alleen maar aan hem kon denken. Ik trok me terug in een cocon van het verleden. Om mijn geestelijke gezondheid te bewaren, kon ik me niet aan het heden blootstellen. Het schrijven werd mijn veilige haven. Daar kreeg ik lucht. Ik hield een logboek met herinneringen bij. Ik wilde niet vergeten hoe hij liep, hoe hij danste, hoe hij zijn tanden poetste. Ik wilde blijven onthouden hoe hij zijn lippenbalsem opdeed (met de lippen stijf op elkaar en dan ertussen smeren, tot de stift een punt was geworden).

Ik wilde het woordenboek herschrijven. Er waren geen woorden die krachtig genoeg waren voor mijn verdriet. Het woord 'eenzaamheid' betekende niets. Het was niet groot genoeg om het gemis te beschrijven. Woorden waren zo nietig vergeleken met de uitgestrektheid van mijn gevoelens.

Mijn vrienden en familieleden liepen op hun tenen om me heen, als op eieren. Ze konden niet voorzien wat precies mijn tranen zou oproepen, of wat ze konden doen of zeggen om me te helpen. Wat kón er worden gedaan? Ze konden me te eten geven, mijn rekeningen betalen, ze konden mijn was doen, maar ze konden hem niet terugbrengen.

Ik was lamgeslagen. Ik was een robot. Zelfs een eenvoudig taakje als Lola uitlaten werd een beproeving. 'Koekje, tasje, riem, sleutels,' moest ik voordat ik op pad ging tegen mezelf zeggen, om mezelf niet buiten te sluiten.

Dagen en nachten wisselden elkaar af, de een na de ander, en ze moesten allemaal verdragen worden. Half oktober ging ik weer aan het werk. Ik geloofde dat ik het als ik me gedeisd hield en me aan mijn dagelijkse bezigheden hield zou redden zonder te weten wat 'het' was en wat ik in godsnaam moest doen als ik 'het' gered had.

Ik was een weduwe in het bezit van een overlijdensakte van haar man waarop het woord 'moord' stond. En ik kon nog steeds niet geloven dat ik überhaupt iemand kénde die was vermoord, laat staan Caz.

Ik wist dat ik niet klaar was voor een herdenkingsdienst. Wanneer vrienden of familieleden erop aandrongen, hield ik voet bij stuk. Ik schoof de dienst niet op de lange baan omdat er geen lijk was, ik deed het omdat ik nog niet klaar was voor die mijlpaal.

Iedereen vond er iets van, maar ik wist dat Caz zou willen dat ik deed wat ik moest doen. Ik zat aan de knoppen en ik wilde daar geen misverstand over laten bestaan. Eerst zouden we een herdenkingsdienst houden in de Verenigde Staten en daarna zouden we in december naar Engeland gaan voor een tweede dienst. Ik werkte samen met zijn familie om alles goed op elkaar aan te laten sluiten en om ons ervan te vergewissen dat het voor iedereen schikte. We kozen de stukken die zouden worden voorgelezen, drukten een programma, wezen sprekers aan en regelden de muziek. We spraken met een priester en kozen onze kleding. We deden alles om maar niet te hoeven denken aan wat er feitelijk gebeurde.

We hielden de herdenkingsdienst in de kerk waarin we getrouwd waren. Ik ging op de bank zitten en keek naar de plek waar we allebei hadden gestaan om de huwelijksgelofte af te leggen. Buiten verwelkomde een enkele doedelzakspeler de mensen die naar binnen kwamen. De muziek zette in. Het was slechte, ongeïnspireerde katholieke muziek. Het spijt me, Caz. Het spijt me heel erg dat het geen krachtige, fatsoenlijke Anglicaanse muziek is. Ik wilde het goede voor hem doen op deze dag die zo heel verkeerd was. Er waren vijf toespraken; vijf mensen staken de loftrompet over zijn leven, ieder vanuit een ander perspectief.

Naderhand was de receptie in een restaurant in de jachthaven. Toen we er aankwamen, begon het net te motregenen. Binnen zagen we de gezichten van alle mensen die zoveel moeite hadden gedaan om er te zijn; ze waren vanuit het hele land en uit Engeland gekomen. Hij zou die menigte mensen te gek gevonden hebben. Waarom kon ik dit niet met hem delen? We draaiden een video die we hadden gemaakt van foto's van Caz' hele leven, die op muziek waren gezet. De mengeling van liefde en verdriet in de zaal was schrijnend. Toen de film was afgelopen weigerde de band eruit te komen, dus richtten we de video op een zwarte plek op de wand en draaiden hem de hele dag af. Het was vast een boodschap van Caz, een man die zich niet makkelijk uit liet zetten. Tijdens de receptie liepen we de steiger van het restaurant op terwijl de zon onderging en de haven in spectaculaire oranje en roze tinten zette.

De dag na de herdenkingsdienst vertelde mijn vader dat zijn gezondheidsproblemen terug waren gekeerd. Drie jaar daarvoor was er slokdarmkanker bij hem vastgesteld en die had hij met succes bevochten, maar nu was de ziekte weer terug. Waarom, God? In een radeloze poging om bezig te blijven en niet te hoeven nadenken, gingen mijn familie en ik in de achtertuin van het huis aan het strand bladeren harken. Caz was dol op zijn tuin en onderhield die met eindeloos geduld, trots op zijn robuuste rozemarijnplant, pochend over zijn vlinderstruik en zijn

Montauk-margrieten vertroetelend. Hij vond het heerlijk om grote bossen gladiolen voor me te snijden en elke zondag keerden we terug naar Brooklyn met bloemen voor de hele week.

Het was al een eind in de herfst en de perken lagen vol kale twijgjes en dorre bladeren. De muur van hortensia vol met roze bloemen van het vroege najaar, was allang zijn bloemen kwijt. Maar daar in het midden van de rij stond nog een felblauw trots exemplaar. Eén blauw hoofd in november. Een teken, een zegen, die me bewust maakte van Caz' aanwezigheid toen ik begon aan de moeizame weg naar het besef dat hij er niet meer was en dat zijn afwezigheid niet voor even maar voor eeuwig was.

Toen Kia en Sandy aankondigden dat ze me na de dienst en vlak na Thanksgiving wilden meenemen op een minivakantie in Florida, was het heel moeilijk om nee te zeggen. Ze hadden al zoveel voor me gedaan; door ja te zeggen, was het alsof ik iets terug kon doen. Ik voelde dat zij er ook onder leden. In die tijd lag Kia in scheiding. Sandy had net een punt achter een relatie van tien jaar gezet. Zoals bij zoveel mensen gebeurde, had de shock van I I september hen een kritische blik op hun prioriteitenlijst laten werpen. Het leven was te kort en te kostbaar. Geen van hen wilde meer een relatie zonder betekenis. En zij rouwden ook om Caz, zij misten hem ook en ze hadden hartzeer om mij. Dit uitstapje was voor ons alle drie. Het was een gelegenheid om bij elkaar te zijn en elkaar te steunen, en tegelijkertijd zouden we hartje winter wat zon op ons lijf krijgen.

'Wat vind je? Alleen wij drieën?' vroegen ze.

Mijn eerste gedachte was: wat doe ik met Lola?

Natuurlijk wist ik wel dat ik haar bij mijn buurman Adam kon laten. Daar ging het niet om. Ik wilde Lola niet alleen laten. Zij was mijn beste vriendin, mijn maatje. Ze was intuïtief en voelde aan wanneer ik behoefte aan haar nabijheid had. Als ik huilde, likte ze mijn gezicht tot ik weer glimlachte. Ik had haar net zo hard nodig als zij mij.

Als ik niet met Caz praatte, praatte ik met Lola. Ik was ervan overtuigd dat ze met haar papa kon communiceren met een knipoog of het bewegen van een oor.

'Maar wat moet ik beginnen zonder Lola?' protesteerde ik tegen Kia en Sandy.

'Dat red je best,' antwoordde Sandy. 'Lola is een hónd!'

Mijn vriendinnen maakten het me allemaal heel gemakkelijk; ze boekten de vlucht en de hotelkamer en zagen erop toe dat dit de beste reis zou worden die onder de gegeven omstandigheden mogelijk was. Maar al in het vliegtuig heen stelde ik me voor dat ik weer thuis was, en was ik niet meer afgestemd op mijn omgeving en zelfs niet op mijn geliefde vriendinnen.

'Nou, daar gaan we dan,' zei Kia, toen het vliegtuig grommend naar zijn vertrekpunt taxiede. 'De oude vrijsters. Net als vroeger. De Golden Girls...'

Ik kromp ineen. Ik was absoluut geen oude vrijster. Ik was getrouwd met Caz, de man die me de ringen aan mijn vinger had gegeven. Kia en Sandy waren alleen omdat ze daarvoor hadden gekozen. Voor mij was er geen sprake van een echtscheiding; er was geen besluit genomen om uit elkaar te gaan. Caz was de man met wie ik de rest van mijn leven had willen delen. En ik besefte wel dat Kia en Sandy dat begrepen, dat ze me vriendelijk in de situatie wilden betrekken, maar hoe konden ze mijn situatie invoelen? Ikzélf kon niet eens mijn eigen situatie invoelen.

Terwijl het vliegtuig steeds hoger steeg, concentreerde ik me op het raampje en bestudeerde ik de lucht boven de wolken. Ik keek altijd omhoog wanneer ik met Caz praatte en nu zat ik hier, midden in 'omhoog'. Waar was hij? Waar was de hemel? Ik geloofde in zijn bestaan, maar kwam er maar niet achter waar de hemel was en hoe hij werkte. Was het een plek met begrensde parameters? Hoe oud werd je in de hemel? Zou ik zoveel ouder zijn dan Caz wanneer ik naar de hemel ging? Groeiden er kinderen op? Wat voor taal werd er gesproken? Waren er Britse accenten of was er gewoon een hemelaccent? Zat hij bij Churchill of Lincoln? Zag hij mij? Was hij gewond? Was hij veilig? Zorgden ze daarboven wel goed voor hem? Had hij een hond in de hemel?

Buiten het raampje vormden de wolken zich tot onoverzichtelijke bergketens, weids en wit, de randen door de zon verzilverd alsof ze van binnenuit licht gaven. Ik richtte mijn aandacht op mijn boek – *Grief Observed* – van de Engelse schrijver C.S. Lewis, over zijn rouwproces na de dood van zijn vrouw. Ik kon alleen maar boeken lezen die ik relevant vond.

In het hotel had ik sterk het gevoel dat ik daar zolang als dit uitstapje duurde niet weg wilde. Ik wilde nergens anders heen. Ik was al heel ver gekomen; dit was me avontuurlijk genoeg. Toen ik me klaarmaakte voor het avondeten, bereidde ik me al voor om naar mijn kamer terug te keren, onder de wol te kruipen en weer te gaan slapen. Ik trok mijn zwarte kleren aan.

De volgende dag haalden we zowaar het strand. We namen alle drie een ligstoel, op een rijtje. Kia en Sandy aan weerskanten van mij.

De golven rolden binnen en kleurden het gouden zand donkerbruin tot het water zich weer terugtrok en de hitte haar werk liet doen. Op ligstoelen een eindje voor ons lag een groepje vrouwen uit New York. Je kon zien dat het New Yorkers waren. Misschien door de manier waarop ze zich bewogen, of door het feit dat het tijdschrift *New York* en *The New York Times* van hand tot hand gingen. Ze babbelden zonnebadend met elkaar en bestelden cocktails.

Ik wist dat ik niet had moeten gaan. Mijn huid voelde kwetsbaar en warm en prikte. Dit was verkeerd. Ik wilde thuis zijn in New York, waar het koud was. Ik wilde Lola zien. Ik wilde zijn waar Caz was geweest. De gedachte aan Caz en mijn behoefte aan hem joeg zo'n loodzwaar pijngevoel door me heen dat ik me verbeeldde dat mijn lichaam nog dieper in het zachte ligbed wegzonk, steeds dieper, diep onder het zand tot een donkere en koele plek waar alles voorbij was. Ik haatte het om in die bana-

le speeltuin te liggen. Door hierheen te komen had ik het gevoel dat ik Caz ontrouw was, plus de duizenden anderen die er
die dag waren vermoord.

'Gatver,' zei Kia op een gegeven moment. 'Zij heeft dezelfde
bikini als ik...'

Ik dwong mezelf om op te kijken. Het was zo. Een van de
vrouwen in de groep New Yorkers een stukje verderop – een opvallend grote en aantrekkelijke blondine – liep naar het water
in een paarse bikini met panterprint, net als die van Kia.

En de vrouwen vielen om nog meer redenen op. Een ander
lid van de groep was zwanger. Op een gegeven moment ging
haar mobiele telefoon over en hoorde ik haar een verhit gesprek
met iemand aan de andere kant van de lijn voeren. Daarna klapte ze haar telefoon dicht en zei ze dat haar man zojuist een bod
had uitgebracht op een huis in Long Island voordat zij het had
gezíén.

'Niet te geloven, hè?' zei ze tegen de anderen. 'Hoe haalt hij
het in zijn hoofd? Geen sprake van dat ik naar een doodlopende straat in de buurt van mijn ouders in Port Washington ver-
huis!'

Ik weet nog dat ik dacht: 'De man van die vrouw leeft nog.
Ze is zwanger. Ze kopen een huis. Wat kan het haar schelen of
het in een doodlopende straat in Port Washington staat? Hoewel ik mezelf nooit had gezien in de rol van buitenwijkmoeder
met 2,2 kinderen en een Ford Explorer, was ik zo jaloers als de
pest. Ik was nog niet eens begonnen onder ogen te zien dat Caz
en ik nooit kinderen zouden hebben.

Ik zag dat een van de vrouwen hardop een van de 'Portraits
of Grief' las, geschreven portretten van omgekomenen die de
Times dagelijks afdrukte.

'Ik wil er iets om verwedden dat een van die vrouwen een weduwe is,' zei ik tegen Kia en Sandy.

'Best mogelijk,' beaamden ze.

Later, nadat het groepje voor ons hun spulletjes had opgepakt en naar het hotel was teruggekeerd, besloot ik op zijn minst

een poging te doen om aan mijn gezondheid te denken. Ik reeg mijn sportschoenen dicht, liep in de richting van het water en veranderde mijn snelheid tot een ontspannen jogtempo over het strand in noordelijke richting. Links van me stonden de lange rijen zonnebedden en de pastelkleurige, hemelhoge hotels van South Beach. Rechts was het water, schitterend doorschijnend blauw water met witte schuimkoppen.

Ik bedacht dat deze zelfde oceaan zich helemaal uitstrekte naar Engeland waar Caz was geboren, en naar het noorden, de kust langs naar New York City om Long Island en de huizen aan het strand te omvatten. Onder het lopen kwam ik zo dicht als ik kon in de buurt van troost, in het besef dat deze ene watermassa me met huis verbond en me op de een of andere manier dichter bij de man bracht van wie ik zoveel hield, naar wie ik maar bleef uitreiken, maar die ergens heen was gegaan waar ik hem niet meer kon volgen.

In het vliegtuig naar huis gaf ik het op om uit het raam naar tekens te turen. Het werkte niet. Caz zou me geen boodschap in wolkenletters sturen. Waarom zou de hemel trouwens 'daarboven' moeten zijn? Misschien was de hemel niet in parameters uit te drukken, misschien was de hemel wat ons omringde, en niet beperkt tot dimensies. Misschien leefde Caz wel voort via mensen, via onze herinneringen aan hem, of via de natuur. Ik moest denken aan de prachtige nieuwe maansikkel in de vorm van een c die ik de weken na zijn dood had gezien; bedoeld als zijn initiaal, dat wist ik zeker. Het noodweer van de dagen erna en de krakende donderslagen. Die ene blauwe hortensia in de tuin. Dat was hij, dat was zijn manier van communiceren. De grootse zaken waar ik me vroeger zo druk om maakte – mijn banen, doelen en toekomstplannen – waren allemaal onbelangrijk geworden. Maar ik vond wel betekenis in een schilderij dat opeens op onverklaarbare wijze van de muur viel, of het ritselen van een vogel die in een boom landt precies op het moment dat ik om een teken van hem vroeg.

Opgelucht keerde ik terug naar mijn huis in Brooklyn. Lola zat me op te wachten en sprong blaffend van opluchting en opwinding om me heen. New York in de winter paste beter bij mijn geestesgesteldheid, de ijzigheid, de kale bomen, de vertrouwde huizen van bruinrode baksteen in onze buurt. Kerstmis was in aantocht. Ik voelde me bevoorrecht dat Kate, de moeder van Caz, de feestdagen met mijn familie en mij kwam doorbrengen. Het uitwisselen van Carrington-tradities en verhalen zou me erdoorheen helpen. Dat jaar kreeg ik zoveel cadeaus, ik had nog nooit van zoveel mensen kerstcadeaus gekregen. Fran stelde een kerstpakket voor Caz samen vol attente verrassingen: een crêpespan, barbecuespullen, een openhaardaansteker, Stilton – zijn favoriete kaas – en een fles port. Dat pakket openmaken was een van de meest blije momenten die ik me van die vier lange maanden van verdriet herinner. Het was het gebaar dat zoveel betekende; het geschenk was het attente zelf.

Ik overleefde onze huwelijksdag, Thanksgiving, mijn verjaardag en Kerstmis. Nu moest ik oudejaarsavond nog zien door te komen en dan zouden de feestdagen voorbij zijn. Een groepje vriendinnen, onder wie Kia en Sandy, was van plan om middernacht te gaan hardlopen door Central Park. Ik zou meegaan omdat ze me eigenlijk niet alleen wilden laten.

Maar toen de temperatuur op 31 december beneden nul zakte, trok ik me terug. 'Bij twintig graden vorst ga ik geen vijf kilometer joggen,' zei ik tegen Kia en Sandy. 'Het leven doet zo al genoeg zeer!'

De volgende dag hadden we een gezamenlijke nieuwjaarsbrunch. Dan zou ik hen wel zien. Dus kroop ik op oudejaarsavond om een uur of negen in bed en bladerde lusteloos een reistijdschrift door. Een halfuur later trok ik de dekens over mijn hoofd en huilde me zoals gewoonlijk in slaap.

De volgende morgen hees ik me in mijn kleren en stak ik de rivier over naar Manhattan; in het ijzeren raster van de Brooklyn Bridge flitste de skyline, en de twee lege plekken in de lucht

lichtten op in het morgenlicht, kolossaal en machtig in hun afwezigheid. Drieduizend beminden, tweehonderdtwintig etages,
en elke Tower was vierhonderdvijftien meter hoog. Verdwenen.
Het was nog altijd onmogelijk en ondenkbaar.

De taxi reed dwars over het eiland en zette me af bij Pastis,
een populaire bistro in het Meatpacking District. Pastis was mijn
keuze. De zomer daarvoor had ik er met Caz op Labor Day
champagne gedronken en kaas gegeten. De bistro was vertrouwd
terrein en ik wist hoe weinig ik op had met uitstapjes buiten
mijn eigen kringetje.

Ik baande me een weg door de menigte bij de ingang en ontdekte Kia. Daarna kwam Sandy. Kort daarna haastte Chrissy,
een oude vriendin van Caz, zich naar binnen met een vrouw met
gitzwart haar en helblauwe ogen aan haar zijde. Chrissy had zich
de afgelopen vier maanden een ongelooflijke steun betoond en
nu wilde ze dat ik een andere vriendin van haar, wier man Bart
ook in de Towers was omgekomen, leerde kennen.

Dat was Claudia.

Tot dan toe had ik alleen mensen om me heen willen hebben
die mij kenden en die Caz hadden gekend. Hoewel ik met tegenzin was gekomen, wist ik dat Chrissy me wilde helpen en dat
ik haar dit voor mij moest laten doen. Tenslotte hoefde ik die
Claudia hierna nooit meer te zien als ik dat niet wilde.

Claudia's eerste woorden tegen mij waren: 'Bloody mary?'

'Ertegenaan.' Het lukte me te glimlachen. 'Ik heb toch geen
kater nodig om me klote te voelen.'

'En hoe was jouw oudejaarsavond?' vroeg ik, waarbij ik Claudia door mijn toon liet weten dat ik niet op 'goed' zat te wachten.

'Ik heb de dag huilend in bed doorgebracht,' antwoordde
Claudia. 'Daarna ben ik naar mijn vrienden Peggy en Todd gegaan, maar op één voorwaarde, dat niemand het over oudejaarsavond zou hebben of op de een of andere manier feest probeerde te vieren. Ik kwam daar, we bestelden Chinees, we
dronken te veel, ik huilde tranen met tuiten, wist tot midder-

nacht het hoofd boven water te houden en toen heb ik een taxi naar huis genomen.'

'Nou, dan heb je het beter gedaan dan ik. Ik lag om negen uur in bed een *Travel and Leisure* door te bladeren en daarna heb ik de dekens over mijn hoofd getrokken.'

'Waarom doe je dat in hemelsnaam?' flapte Claudia eruit. 'Ik zou het niet kunnen verdragen om dat tijdschrift te zien en te beseffen hoeveel fantastische reisjes mijn man en ik gaan missen.'

Een waar woord. Maar ik lette niet echt op de woorden en de plaatjes op de bladzijden. Ik bladerde er dof doorheen en bad dat de tijd maar snel mocht verstrijken zodat ik eindelijk mijn ogen kon sluiten.

Vervolgens gaf Claudia toe dat ze weliswaar geen reistijdschrift kon zien, maar toch de stad uit moest wanneer ze maar de kans kreeg. Ze had behoefte aan vluchten. Het merendeel van haar vrienden en vriendinnen was getrouwd of had een gezin, maar zodra ze iemand tegenkwam om het weekeinde mee weg te kunnen, greep ze die kans met beide handen aan.

'Als ik de stad uit ben, kan ik me tenminste verbeelden dat Bart thuis op me zit te wachten...' legde Claudia uit.

'Ik denk dat het voor mij net andersom is,' bekende ik. 'Ik vind het vreselijk om ergens anders te zijn dan thuis. Ik moet de spullen van Caz om me heen hebben. Ons huis, onze hond, mijn vertrouwde dagelijkse routine. Kia en Sandy hebben me vorige maand op een reisje getrakteerd, maar ik vond het vreselijk in Miami. Ik wilde alleen maar zo gauw mogelijk naar huis.'

'Dat is grappig. Ik ben vorige maand ook in Miami geweest,' zei Claudia. 'Wanneer was jij daar?'

'Vlak na Thanksgiving. En jij?'

'De eerste week van december. Waar heb jij gelogeerd?'

In de eerste week van december was Claudia met Barts zussen en drie van hun vriendinnen in hetzelfde hotel als waar ik toen met Kia en Sandy logeerde.

'Wacht eens even,' vroeg ik, 'was er een zwangere vrouw bij jullie groepje?'

Ja, Peggy was vijf maanden zwanger.

'Ik weet nog dat je zwangere vriendin schreeuwend telefoneerde met haar man,' zei ik tegen Claudia. 'Jij las hardop de 'Portraits of Grief'. Ik wilde met Kia en Sandy wedden dat jij ook een weduwe was!'

Nu wilde ik het ook weten: 'En hébben ze nou dat huis in die doodlopende straat gekocht?'

'Nee joh, ze zijn naar Connecticut verhuisd!'

Claudia legde uit dat Peggy zo boos op haar man was vanwege het feit dat ze vijf maanden zwanger was en hormonaal in de war was, maar vooral vanwege haar verdriet om Bart. Hoe kon haar man een huis in Port Washington willen kopen? Daar waren Peggy en Bart als buurkinderen opgegroeid. Hoe konden ze er zelfs maar aan denken om uit de City te vertrekken zonder dat Bart het wist? Iedereen in de groep had het gevoel de tijd te willen stilzetten. Niets zou mogen doorgaan zonder dat Bart ervan wist.

Onthutst door de overeenkomsten beschreven we onze uitstapjes en alles wat er dat weekeinde en de afgelopen vier maanden door ons heen was gegaan. Het leven was vol tekens.

'Een vogel bij mijn vensterbank is Bart,' vertelde Claudia. 'Het licht dat flikkert op mijn nachtkastje is Bart. Achter het stuur zeg ik vanbinnen: Bart, als je bij me bent, springt nu het licht op groen en ja hoor...'

Ik zei tegen Claudia dat ik wist hoe dat voelde. Ik vertelde dat ik veel nadacht over wat Caz in de hemel uitspookte. Claudia zei dat ze zich Bart al skiënd in St. Moritz op een mooie dag voorstelde. Ik zei dat ik me verbeeldde dat Caz door zijn held Churchill werd ontvangen. We werden het eens dat onze jongens elkaar daarboven al gevonden hadden en ontspannen hemelse bloody mary's met elkaar dronken. Zou er alcohol zijn in de hemel? Absoluut...

Toen we na de brunch afscheid namen, vroeg Claudia of ik bij haar wekelijkse praatgroep voor weduwen wilde komen. Men had al eens eerder geprobeerd me te bewegen in therapie te gaan, maar ik was blijven weigeren. Dat was gewoon mijn stijl niet. Maar toen Claudia het vroeg, zei ik ja. Het zou me op zijn minst de kans geven meer tijd met haar door te brengen. Hoewel ik er de vinger nog niet op kon leggen wat het precies was, had Claudia's kijk op het leven iets wat ervoor zorgde dat ik haar vaker wilde ontmoeten.

Ik voelde een enorme verwantschap met haar. We hadden allebei het kostbaarste wat we hadden verloren. Net als bij mij had het verdriet Claudia onherkenbaar veranderd. Struikelend probeerde ze haar evenwicht te hervinden in een wereld die ze niet langer begreep. Hoewel Claudia iedere ochtend wakker werd en dezelfde uitdagingen als ik onder ogen moest zien, had ik het gevoel dat haar benadering totaal anders dan de mijne was. Claudia beschikte over een ongeëvenaard doorzettingsvermogen. Zij zou zich er niet onder laten krijgen.

We begonnen elkaar elke week te ontmoeten bij onze groepstherapie en brachten dan vervolgens de avond door in een café, voor gesprekken die net zo therapeutisch waren als de sessies die eraan voorafgingen. De kennismaking met Claudia was een enorme openbaring. Claudia wist dat ze het er niet bij liet zitten. Ze had na de dood van haar man besloten niet ook te sterven. Ze had een bewuste keuze gemaakt: doorgaan, verdergaan, leven.

Die winter ging ik bijna elk weekeinde op eigen houtje naar het huis aan het strand. Ik overwinterde; ik had die stille tijd nodig om te genezen, om de accu op te laden en mijn leven te overdenken. Ik staarde uren in het vuur van de open haard en maakte strandwandelingen in alle soorten weersgesteldheid. Ik las elk boek en artikel over de vraag waarom ons systeem de gebeurtenissen van 11 september niet had kunnen voorkomen. Dagen en maanden kropen voorbij, iedere minuscule verandering in het seizoen was weer zo'n teken dat de tijd genadeloos verstreek.

Het voorjaar sloop naderbij en er verscheen een limoengroen bladerdak op de bomen om het huis; een aanslag op het oog. Ik zou er wat voor over hebben gehad om dat moedige, sprankelende vertoon van leven een halt toe te roepen. Maar ik bleef er maar terugkeren. Ik zat er dikwijls uren in mijn eentje in de ruimte te staren. Zodra de zon doorbrak, zat ik buiten op het terras huilend te kijken naar de bomen, met de vogels erin.

Dat voorjaar kreeg ik promotie op mijn werk. Dat was reden voor feestvreugde en toch had ik me nog nooit zo leeg gevoeld. Ik kon Caz niet bellen om hem het nieuws te vertellen. Snikkend belde ik Claudia om te vertellen over de vorige promotie toen Caz een spontaan feestje had georganiseerd en hoe trots hij op zijn vrouw, 'de vice-president van de bank', was geweest. En dat ik het niet kon verdragen, dat ik het echt niet kon verdragen.

De zomer arriveerde als een onwelkome gast. Aan het strand omringde ik me maar met vrienden en familieleden zodat ik een reden had het zwembad op orde te brengen, eten te koken en het leven te leven. Ik voelde me waarachtig bevoorrecht dat ik het huis niet hoefde te verhuren of verkopen. Ik kon de gedachte aan iemand anders in ons huis niet verdragen. En trouwens, als ik het verhuurde, zou iemand misschien iets verplaatsen. Misschien gooiden ze het plakje bruiloftstaart dat we in de diepvries bewaarden wel weg, of vonden ze Terry's Dark Chocolate Orange weggestopt achter in de koelkast. Dan zouden de badhanddoeken gewassen moeten worden. Ik was vastbesloten alles precies zo te laten liggen als hij het de laatste keer had achtergelaten. Hardnekkig onderhield ik het huis in mijn eentje. Ik wilde het gras maaien, de bloemperken wieden, reparaties uitvoeren, het zwembad schoonmaken. Het was een manier waarop ik mijn liefde voor Caz kon blijven tonen.

Die zomer leerde ik Claudia's vriendinnen Ann en Julia kennen, en er voltrok zich een merkwaardig alchemistisch verschijnsel tussen ons. Wanneer we bij elkaar waren, konden we ons verdriet verdragen, grapjes maken, brullen van het gemis en even hard brullen van het lachen. De kennismaking met die vrouwen heeft mijn leven veranderd. Voordat ik Claudia en de club leerde kennen, wilde ik voor eeuwig de stoïcijnse weduwe uithangen. Ik zou de ringen nooit afdoen, ik zou nooit met iemand anders uitgaan, ik zou de spulletjes in ons appartement nooit verplaatsen en nooit een centimeter opschieten. Dit is wat de club me heeft gegeven: het gevoel dat ik weliswaar niets te zeggen had gehad over wat me was overkomen, maar dat ik mijn reactie erop wel in de hand had.

Ik bleef naar het strand gaan en dompelde mezelf onder in de natuur. Ik wilde de verandering van de seizoenen beleven, hoeveel pijn ze ook brachten. De herfst bezweek weer voor de winter, en ik trok me terug, overeenkomstig mijn stemming. De lente was pijnlijk, net zoals het jaar daarvoor. Weer een nieuw begin zonder hem. Ik nodigde de club uit voor het vieren van Julia's verjaardag en betrapte me erop dat het me echt plezier deed om de wereld die Caz onder mijn hoede had achtergelaten met hen te delen.

Door het ritme van de bezoekjes aan het strandhuis kwam mijn energiereserve onzichtbaar en tergend langzaam weer op peil. Toen ik er de eerste keer heen reed, dacht ik niet dat ik die ervaring nog een keer zou overleven. Maar ik bleef er komen, keer op keer. Hoe vaker ik over die Long Island Expressway reed, hoe meer ik zelf over die weg navigeerde – en niet naast Caz – hoe meer ik leefde, des te zekerder ik wist dat ik kón leven. Net zoals het alsmaar herhalen van het woord 'weduwe' me er uiteindelijk van overtuigde dat ik dat was. Hoe meer ik deed, hoe minder bang ik werd. Toen ik begon te beseffen dat ik het kon, wilde ik opeens steeds meer ondernemen.

12 ❖ Gered door Lola

Patties hond, Lola

Aan het eind van Julia's verjaardagsweekeinde nam de club een beslissing. Het werd tijd dat Pattie het voortouw nam. Ze moest advocaat Stanley vragen om iets met haar te gaan drinken. Tot nu toe was Pattie nog met niemand gaan stappen. Ze had er geen behoefte aan gehad. Was ze klaar voor een ontmoeting met een andere man? Nee, in de verste verte nog niet. Als ze al aan een andere man dacht, had ze het gevoel dat ze Caz ontrouw was. Maar gesteund en aangemoedigd door de club wist Pattie dat dit iets was wat ze moest 'volbrengen'. Ze was zesendertig en hoe verder ze die afspraakjes op de lange baan schoof, des te hoger de drempel zou worden. Zoals al die andere dingen was dit ook een kwestie van overleven, en zo volledig mogelijk blijven leven. Pattie had het gevoel dat ze het moest doen, omdat

ze anders misschien nooit meer de moed ervoor zou kunnen opbrengen.

Pattie wist al dat Stanley in de stad zou zijn voor een woens-
dagvergadering op het kantoor van haar accountant. Maandagochtend stuurde ze hem een e-mail.

> Als je morgen in de stad bent en morgenavond niets te
> doen hebt, zullen we dan wat gaan drinken samen?
> Laat maar weten... P.

> Ja hoor, waarom niet. Mijn trein komt om acht uur aan.
> Zeg maar waar en hoe laat.

Pattie was een en al zakelijkheid. Ze had een opdracht te ver-
vullen. Ze mailde terug:

> Zullen we in de Brasserie afspreken om 20.15 uur?

> Afgesproken, tot morgen...

De bewuste dinsdagavond moest Pattie overwerken. Vroeger
kon ze niet wachten om de computer uit te zetten en naar
huis te gaan, waar Caz op haar wachtte. Zodra het zes uur was,
kwamen de telefoontjes: 'Hoe laat ga je weg? Hoe laat kom je
thuis? Vlug! Lola en ik willen je zien...' Maar nu bracht ze vrij-
willig meer tijd aan haar bureau door en de geringste aanleiding was voldoende: er moest nog een memo worden geschreven, er moest nog een e-mail worden gestuurd enzovoort.
Ze kon maar beter op kantoor blijven om te voorkomen dat ze
naar huis moest voordat het tijd werd voor Lola's avondwan-
deling.

Vanavond was het anders. Rond halfacht kreeg ze een e-mail.

> Mijn trein is een halfuur vertraagd. Wil je nog?

Pattie meende een aarzeling te bespeuren maar besloot er geen acht op te slaan.

Ja hoor. Om negen uur op dezelfde plek.

Pattie besloot Kia te bellen om de tijd te overbruggen. Dit was volmaakt. Als die vent niet bleek te sporen, zou ze meteen een excuus hebben.

'Ja, hoor, ik zal voor secondant spelen,' zei Kia. Niet voor het eerst bedankte ze haar handlanger.

Pattie moest denken aan Claudia's grapje dat weekeinde: 'Hé, Pattie, denk je niet dat je het geluk een beetje op de proef stelt met die enorme diamant aan je vinger?' Pattie keek naar haar verlovingsring en haar trouwring die robuust achter elkaar zaten aan haar linkerhand en de stenen fonkelden. Ze was dol op die ringen. Geen sprake van dat ze die af zou doen; die gingen haar juist geluk brengen.

Pattie en Kia nestelden zich aan de bar van de Brasserie, bestelden martini's en raakten aan de praat. Kia merkte op hoe kalm Pattie was, en hoe onverstoorbaar ze die nieuwe stap zette.

'Na alles wat ik heb doorstaan? Dit is een makkie,' legde Pattie uit.

Om negen uur liep Stanley op de bar af. Hoewel Pattie hem al eerder had ontmoet, was dat nooit buiten werkomstandigheden geweest, en hij zag er een beetje ontheemd uit. Je kon merken dat hij niet uit New York kwam; hij was niet zo flitsend. Het was duidelijk dat hij een beetje in de war was omdat hij aan de bar zat met een vrouw die hij niet kende plus haar vriendin. Kia bleef nog wat drinken en nam beleefd deel aan het gesprek tot ze zeker wist dat het goed zat. Vervolgens verexcuseerde ze zich; ze moest op tijd naar bed vanavond.

'Dank je wel, Kia,' zei Pattie. 'Ik spreek je morgen wel.'

Daarna waren het alleen zij tweeën. Ze bleven kletsen. Ze

hielden zich aan de klassieke vragen. Waar ben je opgegroeid? Heb je broers en zussen? Waar heb je gestudeerd? Stanley bleek pas enkele jaren daarvoor te zijn afgestudeerd, maar hoewel Pattie duidelijk de oudste was en meer levenservaring had dan hij, praatten ze gemakkelijk. Pattie hield zichzelf voor dat ze Stanley niet had uitgenodigd om over koetjes en kalfjes te praten. Ze stond op om naar het toilet te gaan en een en ander te overwegen, maar terwijl ze dat deed, gleed haar hand van de bar. Stanley stak vriendelijk een arm uit om te voorkomen dat ze op zijn schoot viel.

Dat was het moment dat Pattie besefte dat ze dronken was.

In het damestoilet tuurde ze in de spiegel. Haar haar was half uit haar paardenstaart gezakt en hing in slierten om haar oren. Nee, niet weglopen. Rug rechtop. Je ziet er goed uit, meid!

Pattie liep terug naar de bar en zei dat het tijd was om naar huis te gaan. Stanley keek verrast en misschien ook een beetje gekwetst. Dat was een goed teken. Pattie pakte de rekening en tekende met zwier het bonnetje van de creditcard.

Gelukkig betrapte Stanley haar erop dat ze een nul te veel had geschreven en op het punt stond de barman honderd dollar fooi te geven.

Ze wankelden naar buiten. Buiten op de stoep liet Pattie drie lege taxi's voorbijgaan toen ze onhandig afscheid namen. 'Oké, ik zie je morgen dus wel, denk ik...' zei Pattie.

'Nou, dat is goed, lijkt me...' begon hij. 'Tot morgen!' Nee, zo was het niet voorbeschikt. Pattie wist dat ze hem een kus moest geven. Ze moest gevoelens wakker maken die ze bijna twee jaar had verwaarloosd.

Buig je naar hem toe; gewoon dóén. Waar ben je zo bang voor? Dat hij je zal afwijzen? Natuurlijk vindt hij je leuk! Hij boft dat hij je mag kussen...

Pattie kwam in actie. Ze kuste Stanley stevig op de mond. Die kus kon met geen mogelijkheid worden verward met een kusje op de wang, en ze hield vol. Maar het was moeilijk om vast te stellen of hij reageerde, dus ze maakte zich los om te zien of alles goed met hem was. Hij had de blik van een hert dat gevangen zit in het licht van je koplampen.

'O, god, het spijt me...' zei Pattie direct en ze sloeg een hand voor haar mond.

'Nee, je hoeft je niet te verontschuldigen...' Stanleys gezicht stond verward, maar niet vervuld van afschuw. 'Dat was wel... prettig, denk ik. Ik bedoel, als je met me mee wilt naar mijn hotel om nog wat te drinken...'

Pattie had beslist geen druppel meer nodig. Ze moest naar huis om Lola uit te laten. Meestal gebeurde dat om negen uur en het was al elf uur. Patties arme viervoeter zou met gekruiste pootjes en de neus tegen de deur staan te wachten tot het vrouwtje thuis zou komen.

'Oké, nog één glaasje dan!' zei Pattie.

Gearmd liepen ze door Fifty-third Street en Pattie wees de weg.

In het hotel zagen ze af van een bezoek aan de bar. Pattie stelde voor dat ze meteen naar zijn kamer zouden gaan. Stanley deed de deur open. Pattie nam plaats op het voeteneinde van het bed. Stanley kwam naast haar zitten. Ze kusten elkaar. Pattie probeerde haar ogen dicht te doen en ervan te genieten, maar het was moeilijk te peilen wat er precies aan de hand was. Wat doe ik hier? Wie is die man? Wat doe ik in een hotel? Heb ik iets met die man? Pattie hoorde een telefoon overgaan. Het drong tot haar door dat het haar mobiel was. Waarom belde iemand haar nog zo laat? Ze moest maar even kijken.

'Het spijt me, neem me niet kwalijk...'

Er was een sms-bericht van haar buurvrouw dat Lola blafte als een gek en of ze alsjeblieft naar huis kon komen om haar uit te laten.

'Ik moet ervandoor,' zei Pattie. 'Het spijt me. Mijn hond gaat tekeer en mijn buurvrouw maakt zich zorgen. Ik moet je verlaten.'

'Nou, als je het zeker weet...'

'Het spijt me, ik kan niet anders...'

'Dan zie ik je morgen op de vergadering...' zei hij.

'O, lieve hemel, die vergadering. Oké, tot dan.' Pattie wilde er niet bij stilstaan hoe belabberd ze er de volgende dag aan toe zou zijn.

Toen ze uiteindelijk in haar appartement terugkwam, was het bijna middernacht en klom Lola jankend in haar been. Ze wankelde naar buiten, het maanlicht van de zomernacht in, met Lola op sleeptouw. Gered door Lola. Dankjewel, Lola. Je hebt het vrouwtje voor middernachtelijke rampscenario's behoed. Wij vrouwen moeten één front vormen...

De volgende dag probeerde Pattie zich ondanks haar bloeddoorlopen ogen en barstende hoofdpijn in vorm te dwingen. Tussen het ontwaken en haar komst op het kantoor van haar accountant dronk ze een paar liter koffie. Stanley was eerder gekomen dan zij. Hij leek haar ook een beetje katterig, maar Pattie moest bekennen dat hij er nog prima uitzag. Naderhand stopte Stanley haar een briefje toe. Ze opende het onder de tafel. Er stond op: IK VOND HET HEEL GEZELLIG GISTERAVOND. DAT SMAAKT NAAR MEER, KAN DAT?

Oké, dat klonk niet slecht.

Stanley belde haar die middag. Konden ze iets gaan drinken voor hij vanavond weer op de trein moest? Pattie had al een afspraak met Claudia, maar vroeg Stanley gewoon mee, want ze vond het leuk om haar vriendin kennis te laten maken met de man over wie ze het weekeinde daarvoor nog gesproken hadden.

Toen Stanley was vertrokken, zei Claudia dat hij haar een goeie vent leek. Misschien een tikje jong, maar vriendelijk en zonder meer een lekkertje. De eerste indruk die zich aan haar had opgedrongen, was dat hij het mensen verschrikkelijk graag naar de zin wilde maken. Hij leek in de verste verte niet op Caz, miste diens charisma en gevoel voor humor, maar misschien was dat juist wel goed. Pattie zocht niet naar een vervanger van haar onvervangbare man. Bovendien had Claudia zo gezien dat hij weg van Pattie was en dat was uiteindelijk het belangrijkste.

'Misschien is hij wel de perfecte "tussenman", iemand die je kan helpen weer open te staan voor het idee van een nieuwe relatie.'

Na Claudia's ervaring met Paul begreep ze dat het in veel opzichten moeilijker was voor mannen om met een weduwe om te gaan dan andersom. We vinden het heerlijk om over onze man te praten; we zijn niet op onze hoede wanneer we hem ter sprake brengen. We hadden foto's van hem bij ons in onze Brag Books en die hingen ook door het hele huis. Hun stem stond op ons antwoordapparaat. Bovendien hadden we de club. We waren in een fase waarin we emotioneel niet meer afhankelijk van een man hoefden te zijn omdat we elkaar hadden. Dat kunnen sommige mannen misschien moeilijk verteren, maar Stanley liet het zich nog aanleunen. Dus Stanley mocht van Claudia door naar de volgende ronde. Alleen een sterk soort man wil met een weduwe uit.

Die avond bracht Pattie ook het onderwerp van haar vriend John ter sprake.

'Hij is een voormalig vriendje van me dat weer in de stad is na zeven jaar in Hongkong en Londen,' legde Pattie uit. 'Hij is geweldig. Hij is erg geestig en ziet er heel goed uit. En hij is vrijgezel...'

Pas een week daarvoor had Cheryl, Claudia's therapeute, voorgesteld dat ze na de breuk met Paul haar leven weer op moest pakken en dat een scharreltje misschien een welkome afleiding zou zijn.

'Klinkt goed,' zei Claudia tegen Pattie. 'Maar ik wil het even zonder verwachtingen doen. Na mijn vingers te hebben gebrand aan Paul, ben ik nog niet klaar voor het front.'

Zoals Pattie het zag, waren John en Claudia twee mensen van wie ze hield en hopelijk zou het klikken tussen die twee. Pattie was heel lief: ze wilde niet dat Claudia zich onder druk gezet voelde. Niettemin benadrukte ze dat ze haar een goed stel leken.

13 ❖ Echt een perfect moment

Claudia

CLAUDIA:

Ik leerde John kennen op de vooravond van mijn vijfendertigste verjaardag. Pattie had besloten ons allebei te verrassen. Ze
had John verteld dat de club een feestje voor mij zou geven en
dat hij was uitgenodigd. Wat Pattie niet tegen John zei, was dat
we een etentje hadden in een Italiaans restaurant in de Lower
Eastside en dat de andere gasten allemaal vrouwen zouden zijn.
En ik had natuurlijk geen idee dat John zou komen. Onderweg
naar het restaurant goot het van de regen. Ik voelde me dik, oud
en chagrijnig. Deze verjaardag kon onmogelijk erger zijn dan
de eerste verjaardag zonder Bart – toen ik in een café met Pattie mijn ogen uit mijn hoofd jankte – maar toch was ik bepaald
nog niet in een feeststemming.

Pattie en ik arriveerden als laatsten. John was er al. Hij leek een beetje in de war. Hij had verwacht een paar borrels te drinken in een café. In plaats daarvan zat hij te eten met tien vrouwen, van wie er twee hoogzwanger waren. De club gaf John direct de taak erop toe te zien dat het ons aan niets ontbrak. We noemden hem onze 'cabana boy', en hij moest ervoor zorgen dat er steeds een fles wijn op tafel stond.

Af en toe merkte iemand aan tafel op: 'Hé, cabana boy, mijn wijnglas is leeg, je laat je werk versloffen!'

John protesteerde niet en charmeerde het hele gezelschap. Het werd een geweldig leuke avond met fantastisch eten, veel hilariteit en het klikte tussen iedereen.

Pattie had ervoor gezorgd dat John en ik naast elkaar zaten. Hij vertelde hoe hij naar het restaurant was komen lopen door de zuidelijke straten van de Lower East Side, een van de armere buurten in het hart van New York. Onderweg keek hij uit naar een verjaarscadeau voor mij, maar hij kwam alleen maar langs buurtwinkeltjes. Hij had even overwogen om dan maar een blikje Goya-bonen voor me te kopen...

Toen Pattie me in de loop van de avond vroeg wat ik van mijn verjaardagsverrassing vond, moest ik bekennen dat ik John aanbiddelijk vond. Zodra ik de zaak binnenkwam, werd mijn aandacht getrokken door zijn brede glimlach en stralende blauwe ogen. Hij kon het hoogste woord voeren en iedereen om de tafel lag in een deuk. Bovendien zag ik dat hij Cole Haan-schoenen droeg, het bedrijf waarvoor ik werkte. Dat was een goed teken.

Maar de volgende morgen had ik mezelf er al van overtuigd dat de wijn me een rad voor ogen had gedraaid. Daarna kreeg ik een e-mail van John:

> Het was me een genoegen om je v-dag te vieren,
> Claudia. Je bent een feest om mee uit te gaan! Ik ben
> je een v-dagsetentje schuldig en/of een aardigheidje.
> Laten we nog eens samen jammen. Hou je haaks.
> xxxxx jd.

Hm, 'xxxxx'. Niettemin was ik er nog niet aan toe. Ik zette John op een laag pitje.

Ik was uitgenodigd voor een bruiloft in het weekeinde van 4 juli. Ik had vreselijk getwijfeld of ik wel zou gaan. Kon ik dat wel aan? Of zou ik halverwege de plechtigheid een zenuwinzinking krijgen? Ik had de afgelopen twee jaar al heel veel uitnodigingen voor bruiloften afgeslagen. Maar na wat aanmoediging van de club en na voor de zoveelste keer gehoord te hebben: 'Het zou verkeerd zijn om het niet te doen', besloot ik ervoor te gaan. In mijn achterhoofd hoorde ik Bart zeggen: 'Het enige waarvan je spijt hebt in je leven zijn de kansen die je niet hebt gegrepen.'

Ik begon erachter te komen dat ik meestal meer in beslag werd genomen door tegen de dingen opzien dan door de dingen zelf, en in werkelijkheid had ik het geweldig naar mijn zin op die bruiloft. Ik keerde opgekikkerd en gesterkt terug naar huis; dat wil zeggen, tot ik mijn voordeur opentrok. Terwijl ik weg was, had ik de airconditioning aan gelaten en het huis was ondergelopen. De vloeren waren doorgezakt. Ik stond midden op een achtbaan. Terug naar de werkelijkheid. Bart was er niet; mijn vloer was geruïneerd, en net toen er ergens een sprankje hoop gloorde, werd ik er weer aan herinnerd dat het leven altijd anders uitpakt dan je denkt. Dus deed ik wat elk zichzelf respecterend clublid zou doen. Ik deed het licht uit, draaide de voordeur op slot en ging naar The Grill voor een avond met de meisjes.

Die avond zouden de leden van de club kennismaken met Stanley, en dat wilde ik niet missen. Maar toen we allemaal in het restaurant waren, bleek een collega van Pattie ook in The Grill te eten. De club ging in conclaaf. Pattie had het gevoel dat ze er nog niet aan toe was om publiekelijk met Stanley gezien te worden. Toevallig wist Pattie dat John in de buurt was, dus gingen we daarnaartoe.

Deze tweede keer maakte John nog meer indruk op me, maar

ik had last van jetlag en was te gefrustreerd om iets van opwinding toe te laten.

Pattie zou de vrijdag daarop een strandpicknick organiseren en stelde voor dat John en ik er samen naartoe zouden rijden. Hoewel ik het opzetje wel doorhad, stond ik er niet al te lang bij stil. Hij moest natuurlijk met iemand meerijden en ik had een auto.

Op de valreep konden we geen van beiden naar het strand. Ik verdronk in het werk, en John was net in zijn nieuwe appartement getrokken. Toch kreeg ik een mailtje van John of ik zin had zaterdagavond een hapje te eten of iets te gaan drinken. Ik zei dat hij me zaterdag maar moest bellen. Ik hield mijn verwachtingen de hele tijd in toom. Niet omdat ik John niet zag zitten, maar omdat ik net weer het idee begon te krijgen dat het wel oké was om alleen te zijn.

Die zaterdag ging ik op bezoek bij Marcella op Long Island. Het was een mooie dag en we gingen met haar kinderen naar het zwembad. Ik lag in het zwembad met mijn nichtjes te spelen toen de telefoon ging. Marcella nam op, hoorde een vreemde mannenstem naar Claudia vragen en wierp me het toestel toe.

'Hallo... Ja, met mij,' zei ik. '... Ik zit op Long Island bij mijn zus en haar kinderen... O, ja hoor, dat zijn we. Goed, ik ga eruit en me afdrogen. Hoe laat?' Ik zag Marcella en mijn moeder met gespitste oren luisteren. Toen ik de verbinding had verbroken, keken ze me aan en zeiden ze als uit één mond: 'Jij hebt een áfspraakje!'

Maar ik hield bij hoog en laag vol dat het niets voorstelde. John was net weer in de stad komen wonen en had nog niet veel vrienden.

Mijn moeder zei: 'Clòòòdia, het is zaterdagavond en jij gaat stappen in New York City. Met een man. Dat noem ik een afspraakje!'

Ik zei dat ze aan waandenkbeelden leden. Als ik echt om zeven uur een afspraakje had, zou ik heus niet om vijf uur in een zwembad op Long Island liggen. Toch besefte ik dat ik maar beter op kon schieten als ik mijn zomaar-een-kennis om zeven uur wilde treffen.

Ik reed terug naar de City, nog steeds vastbesloten niet te veel te verwachten. Wat ik aan moest trekken? Nee, daar ging ik me niet druk om maken, want dit was geen afspraakje. Ik trok een spijkerbroek aan, zwarte hoge hakken met riempjes en een leuk topje. Ik keek in de spiegel en dacht: nonchalant-chique. Verzorgd, maar niet al te overdreven.

We troffen elkaar in het Savoy in Soho. Ik kwam binnen en John zat al aan de bar met een cocktail. Hij zag er heel knap uit, moet ik zeggen. Ook zag ik dat hij nog een paar Cole Haan-schoenen had. Ik bestelde iets te drinken en we raakten aan de praat. Dat ging vanzelf; John was ontspannen en we hadden een boel te bespreken. Omdat ik heel zeker wist dat dit geen date was, vertelde ik John alles over Bart. Ik weet nog dat ik hem vertelde dat ik bang was dat ik op een dag niet meer zou weten hoe zijn handen eruitzagen, dus telkens waneer ik een foto van hem zag, keek ik daar het eerst naar. Bart had ongelooflijk sexy handen; die maakten dat ik me veilig voelde, die raakten me aan, daar zat zijn trouwring.

Ik vertelde John hoe mijn vader was gestorven toen ik studeerde en wat dat voor mij had betekend. John vertelde dat zijn moeder aan kanker was gestorven, ook tijdens zijn studie. Hij wist nog hoeveel moeite sommige mensen ermee hadden om het over haar te hebben. Toen had hij ervaren dat je het onderwerp dood nooit uit de weg mag gaan.

'Je kunt niet doen alsof het niet bestaat of er terughoudend over zijn wanneer je er wel over praat. Hij speelt een rol in ieders leven, dus hoe kun je het dan negeren?'

We hadden een geweldig gesprek. Het ene moment stortten we ons hart uit en het volgende zaten we te lachen. John liet tussen neus en lippen door weten dat hij elders een tafeltje voor ons had gereserveerd om negen uur. Goed, misschien zag hij dit wel als een afspraakje. Nee, laten we hier gewoon maar wat eten, in dit café, zei ik. Er was zoveel te vertellen, over alle plaatsen waar we allebei waren geweest en alle plaatsen waar we allebei nog heen wilden. Hij en ik hadden de hele wereld bereisd. We bespraken alle plaatsen die we hadden bezocht, tot we allebei beseften dat we geen van beiden ooit bij het Vrijheidsbeeld waren geweest. We hadden het over de boeken die we lazen en voor ik het wist ging het café dicht.

Johns appartement was vlak om de hoek en hij vroeg me binnen voor een slaapmutsje. Toen hij merkte dat ik aarzelde, beloofde hij dat hij zich als een heer zou gedragen. Goed, het was blijkbaar terecht dat ik nergens op hoopte; het zou gewoon vriendschap worden.

Boven gekomen stelde mijn nieuwe vriend voor om buiten op de brandtrap te gaan zitten. Geweldig, zei ik. Ik woonde al tien jaar in New York en was nog nooit op een brandtrap geweest.

Toen ik me voorbereidde om uit het raam te klimmen, zei John: 'Hier, hou eens vast,' en hij gaf me twee wijnglazen. En opeens boog hij zich naar voren om me op de mond te kussen.

Oké, dus dit was toch een date.

Ik klauterde uit het raam. John zette Chet Baker op.

Chet zong, de maan hing boven de huizen aan de overkant en watertorens op daken staken zwart af tegen de donkerblauwe nachtlucht. Dankzij de wijn en de muziek en het maanlicht was het een ongelooflijk romantisch moment. We kusten elkaar nog een keer.

Ondanks de verschrikkelijke pijn en het verdriet in mijn leven was ik verstandig genoeg om de schoonheid van het moment tot me te laten doordringen. Ik had wel eerder in mijn leven zulke momenten gekend, maar tot nu toe had ik nooit beseft hoe broos ze waren. Nu bleef ik even stilstaan om een kiekje van het tafereel in mijn geheugen op te slaan, zodat ik het me altijd zou herinneren.

Door John gekust worden op de brandtrap was echt een perfect moment.

John was een ware heer. We bleven een tijdje zoenen en toen ging ik naar huis. Het was vier uur 's morgens en ik straalde. De ochtend na ons afspraakje had ik een mailtje.

Hallo aanbiddelijkste wezen aller tijden, ik moet aan je denken...

Die dag belde hij om te vragen of hij me 's avonds kon zien.

14 ❖ Keerpunt

Julia en Ann

ANN:

Die zomer was een keerpunt voor mij, maar dan heel anders. Ik nam de beslissing om weer in therapie te gaan. Ik kwam nog steeds bij mijn weduwenpraatgroep in Rye en natuurlijk bij de club, maar ik had ook iets anders nodig. Ik stortte min of meer in. Dat had ik niet verwacht: ik deed alles wat ik kon om me beter en sterker te voelen, om vooruit te blijven gaan en nu werd ik opeens onstuitbaar teruggetrokken. Ik had het gevoel dat ik me door drijfzand bewoog, dat ik met iedere stap die ik zette dieper wegzonk en niet in staat was mezelf omhoog te trekken.

Mijn instorting werd in de hand gewerkt door een gebeurtenis waarover ik maar heel moeilijk kan schrijven. Hoewel er heel wat meer speelde wat me weer voor therapie liet kiezen dan die ene gebeurtenis, was die zonder meer aanleiding voor een heleboel angst, twijfel, verdriet en onzekerheid die me overspoelde.

In het begin van de zomer was een oude vriend van Ward in de stad. Op een avond troffen we elkaar in een vriendengroepje waarmee we iets gingen drinken. Het was laat geworden en deze vriend zei tegen mij dat hij een lift naar huis zocht.

Ik weet dat ik wel eens naïef kan zijn en dat ik mensen soms te veel vertrouw. Ik zocht helemaal niets achter zijn verzoek en dacht gewoon iemand te helpen. Hij was per slot van rekening getrouwd, en een vriend van Ward.

Onderweg vroeg die vriend om even te stoppen, omdat hij me iets wilde zeggen. Zonder verder na te denken vond ik een plekje om de auto neer te zetten. Ik nam aan dat hij het misschien over Ward wilde hebben, of over zijn vrouw. Zodra we gestopt waren, maakte hij zijn gordel los en legde hij zijn hand op mijn dij. Ik schrok ervan dat hij me aanraakte, maar in plaats van me direct terug te trekken, protesteerde ik niet. Hij had kennelijk behoefte aan een goed gesprek en ik wilde er voor hem zijn. Ik wilde hem niet kwetsen door hem weg te duwen. Ik had nooit kunnen voorzien waar dit heen ging. Voor ik wist wat er gebeurde, had hij zijn lichaam naar mijn kant van de auto verplaatst, voelde ik zijn handen en gewicht op me en opeens kuste hij me. Dat wilde ik niet. Het was al uit de hand gelopen. Waarom gebeurde dit? Goed, genoeg. Ik duwde hem van me af en zei dat hij kon uitstappen en maar moest gaan lopen.

Razend reed ik weg. Ik voelde me aangerand.

De volgende morgen begonnen de gebeurtenissen van de vorige avond tot me door te dringen. Ik was me bewust van een toenemend gevoel van teleurgestelde weerzin over mezelf. Wat was ik naïef en mal geweest. Ik was niet sterk genoeg geweest en als gevolg daarvan had ik me door hem laten misbruiken. Hoe kon ik zo slap en stom zijn geweest? Ik schaamde me, niet alleen voor mijn kinderen en mezelf, maar vooral ook tegenover Ward en zijn nagedachtenis. Dit was een vriend van Ward.

Die had misbruik van me gemaakt en ik had het laten gebeuren.

Die gebeurtenis was het begin van mijn instorting. Ik volgde een vrij pittige therapie. Ik was bang, ik was depressief. Ik liet me het leven ontglippen. Ik was als de dood dat ik het niet meer op de rails kon krijgen. Ik wist niet eens wat 'op de rails' betekende! Ik herinner me alleen dat ik vreselijk veel heb gehuild omdat ik Ward zo miste. Dit zou nooit zijn gebeurd als hij nog had geleefd. Alweer iets om toe te voegen aan de eindeloze lijst van 'als hij nog leefde zou alle ellende die we te verstouwen krijgen niet bestaan'. Uit schaamte vertelde ik niemand behalve de club en één andere vriendin wat er was gebeurd, maar al mijn vriendinnen merkten dat ik op het randje balanceerde. Onder de oppervlakte woelden heel wat meer emoties dan ik bereid was te erkennen, laat staan dat ik er iets aan deed in mijn vastbeslotenheid om een goede ouder te zijn en voor een gelukkig gezinsleven te zorgen. De instorting maakte dat ik me geschokt en onzeker voelde.

Ik herinner me dat ik naar een bijeenkomst van de club in de City ging. Pattie had op een sponsorgala kaartjes voor een concert van Conan O'Brien gewonnen en wilde ons trakteren. Toen we in de rij stonden, ging mijn mobiel; het was de oppas. Elizabeth had haar hoofd gestoten en het wondje op haar kruin wilde maar niet stoppen met bloeden. Vanwege de spits zou het op zijn minst anderhalf uur duren voordat ik thuis zou zijn en ze moest nú verzorgd worden. De moed zonk me in de schoenen. Hier had ik zo de pest aan. De machteloosheid, het feit dat het me niet lukte haar voor dit soort dingen te behoeden. Het onvermogen om haar beter te maken. De onmogelijkheid om in een oogwenk vanuit hartje Manhattan thuis in Rye te zijn. En geen Ward om de honneurs waar te nemen. Het verscheurende schuldgevoel; enerzijds het verlangen om een goede moeder te zijn, anderzijds het verlangen een loopbaan te hebben plus een eigen leven te leiden; het huichelachtige van in de rij staan voor Conan O'Brien en lol te hebben met mijn vriendinnen, terwijl mijn dochter medische zorg behoefde. Soms had ik het gevoel dat dit, hoe ik ook mijn best deed aan een positieve instelling vast te houden, Gods manier was om te zeggen: niet al te gelukkig worden, niet al te zeer je gemak ervan nemen, vergeet niet dat het leven moeilijk is en misschien heb je momenteel nog wat meer lijden nodig om je daaraan te herinneren.

Toen Ward nog leefde, waren we een eenheid, een team. Ward was een zorgende papa. Ik herinner me dat ik op zakenreis moest toen Elizabeth een jaar of drie was en ik toevallig werkte in New Haven, Connecticut, een minuut of veertig rijden van huis. Ik was vergeten mijn mobiele telefoon uit te zetten en die ging over toen ik met een klant zat te praten. Ik weet niet waarom ik opnam, want doorgaans zou ik hem gewoon uit hebben gezet en mijn gesprek hebben vervolgd, maar ik nam op. Het was Ward die vertelde dat alles goed zou komen, maar dat Elizabeth naar de EHBO was omdat ze stuipen had gekregen die maar niet ophielden. De artsen hadden haar intraveneus medicamenten toegediend die de stuipen zouden laten stoppen en Ward bleef me geruststellen dat alles goed zou komen. Zijn laatste woorden waren: 'Rijd alsjeblieft, alsjeblieft voorzichtig.' Hij had Elizabeth naar de EHBO gebracht en maakte zich ook nog druk om mijn veiligheid. Toen al begreep ik de volledige betekenis van zijn woorden. Hij had mij daar nodig, maar de gedachte dat mij iets zou overkomen joeg hem meer angst aan dan het vooruitzicht de toestand met Elizabeth alleen onder ogen te moeten zien. We hadden elkaar nodig om die moeilijke tijden te doorstaan.

De nacht van de opnamen van Conan O'Brien was Elizabeth bij mijn oppas en een verpleegkundige die haar parttime verzorgde, en ze verzekerden me dat het maar een sneetje was, dat nog steeds bloedde. Ze zeiden dat het maar een klein ongelukje was, niets om me zorgen over te maken.

Vervolgens vroegen ze of ze het wondje moesten laten hechten. Ik zei: 'Weet ik veel! Ik ben er toch niet? Ik ben de verpleegster niet! Hoe kan ik die beslissing nou nemen?' Ik belde

mijn vriendin Mimi, die naar mijn huis reed. Ik had advies nodig en iemand moest me helpen. Mimi belde om me gerust te
stellen dat het maar een kleinigheidje was. Toch zei ik tegen de
zuster en de oppas dat ze naar het ziekenhuis moesten gaan. Het
zekere voor het onzekere. Ik zat mijlenver van mijn dochter en
kon wel janken. Hoewel ik alles had gedaan om mijn gezin op
de eerste plaats te laten komen, schoot ik toch tekort. Ik kon
niet alles voor hen zijn. Ik had Ward niet meer om dit soort situaties het hoofd te bieden. En ik wilde mezelf weer vinden, wat
vrolijkheid beleven, zodat ik weer een sterke moeder kon worden, maar ik was te depressief en machteloos om alles goed te
maken.

De club keek toe. Ze waren er helemaal voor me, maar beseften dat ze dit niet voor me konden oplossen. Ik wist ook niet
wat ik eraan moest doen. Ik wilde gewoon dat het niet zo moeilijk was.

'Wanneer wordt het ooit makkelijker?' vroeg ik hun. 'Laat
het alsjeblieft wat makkelijker worden...'

Even later belde de oppas weer. Ze was in het ziekenhuis en
er was echt niets aan de hand. Volgens de dokter hoefde het
wondje niet te worden gehecht en ze waren naar huis gestuurd.
Maar die zorgelijkheid, het feit dat ik helemaal alleen ouder was,
het feit dat ik 'het' voor mijn kinderen was, maakte me op dat
moment alleen maar nog veel onrustiger.

In de loop van de zomer begonnen de dingen wat lichter te
worden. Door een en ander met mijn therapeut door te nemen,
zag ik toekomst. We hadden het uitvoerig over het feit dat ik zo
vastbesloten was om beter te worden, om te helen, om mijn leven weer gelukkig te maken en de beste moeder te zijn die ik
maar voor mijn kinderen kon zijn, dat ik mezelf niet de tijd had
gegund om mijn verlies volledig onder ogen te komen. Een van
mijn vriendinnen vertelde me dat ze mij de laatste jaren had gezien als een footballspeler die een heel belangrijke wedstrijd
speelt: ik stormde zonder op of om te kijken zo hard mogelijk
over het veld, met mijn gezicht omlaag, met één arm om de

football die ik met mijn leven bescherm, en de andere arm voor me uitgestrekt om alles wat in de weg loopt opzij te duwen. Ik was wanhopig op zoek naar het doel en vergat de nodige stappen te nemen om daar te komen.

Met behulp van mijn therapeute en de club besefte ik dat ik nog zo graag een goede moeder kon willen zijn, maar dat ik niet altijd onoverwinnelijk was. Af en toe moest ik kunnen instorten om toe te geven aan mijn verdriet en machteloosheid.

Ik besefte ook dat het incident met de vriend van Ward mijn schuld niet was. Hij had misbruik gemaakt van mijn vertrouwen en ook van zijn relatie met Ward. Ik liet die ene rotte appel niet van invloed zijn op mijn oordeel over mensen in het algemeen. Ik besefte dat hij zijn eigen redenen had gehad om te doen wat hij deed. Ik leerde mezelf vergeven. Een paar stappen terugdoen en op mijn schreden terugkeren om te zien wat er zich onder de oppervlakte had afgespeeld had uiteindelijk tot gevolg dat ik sterker werd.

JULIA:

Op een donderdagmiddag half augustus stond ik voor mijn kantoor met een paar collega's te praten toen de lichten flikkerden en uitgingen. Iedereen was van streek en vroeg zich af wat er mis kon zijn. Mensen riepen dat hun computer was uitgegaan. Ik liep naar mijn bureau en besefte dat ook de telefoons het hadden begeven. Over de intercom klonk een stem die een paar keer herhaalde: 'De elektriciteit in het hele gebouw is uitgevallen. Er is geen reden tot bezorgdheid, maar gaat u alstublieft naar buiten.' Iedereen ging. Ariane, een van mijn collega's die ook een goede vriendin is, kwam naar mijn kamer om te zien of alles in orde was.

Ik begreep de haast niet, maar Ariane overtuigde me ervan mijn spullen bij elkaar te rapen: 'Kom op, Julia, we gaan naar buiten, allemaal...'

Pas toen we afdaalden in het trappenhuis, sloeg de paniek toe. Ik maakte me niet druk om mijn eigen veiligheid, integendeel.

Het herkennen van deze situatie bracht de paniek teweeg. Ik bevond me in het trappenhuis van een gebouw dat werd geëvacueerd. Ik deed wat Tommy en zoveel anderen op die bewuste dag hadden gedaan. Ik beleefde die situatie, opnieuw. Was hij in het trappenhuis toen het toestel zich in het gebouw boorde? Hoe ver was hij gedaald toen het gebouw instortte? Ik keerde me om naar Ariane.

'Dit heeft Tommy ook gedaan...' Ze wierp me een blik van 'het is al goed' toe, greep mijn hand en samen gingen we zo rustig mogelijk in een stroom van honderden collega's naar beneden.

Niemand liet het woord 'terreuraanval' vallen, maar natuurlijk was het in ieders gedachte. Ik was op die bewuste dag niet hier geweest; ik was niet een van de duizenden New Yorkers die uit de eerste hand de angst, de shock, het ongeloof en de zenuwen ervoeren van het verblijf in een stad die wordt aangevallen. Ik zat toen vast in Denver. Voor mijn gevoel ving ik een glimp op van hoe de zaken ervoor moesten hebben gestaan in New York op II september.

Op straat was een mensenmassa op de been; overal mensen, waar we maar keken. Auto's waren op Park Avenue tot stilstand gekomen. De verwarring was totaal. Ik bleef proberen de club te bellen, maar kreeg geen verbinding via mijn mobieltje. Ik moest erachter zien te komen waar de anderen zaten. Ik wilde weten of het goed met hen ging. Als een van hen ook maar iets was overkomen... Nou, daar durfde ik niet eens bij stil te staan.

Met de club hadden we het er nota bene over gehad wat we in geval van nood zouden doen. Omdat we ons niet tot een echtgenoot konden wenden, spraken we af dat we elkaar zouden bellen. En als we elkaar niet te pakken kregen, zouden we naar Pattie in Brooklyn gaan – als de ramp zich buiten het centrum zou afspelen – of naar Julia in de voorstad – als het centrum getroffen werd. Ik was hard op zoek naar een van mijn collega's, wiens vrouw Diane ook op II september was omgekomen. Ik besefte hoezeer hij van streek zou zijn.

Opeens zag ik hem in de menigte. We omhelsden elkaar en hoefden niets te zeggen. Allebei wisten we wat de ander doormaakte. We besloten naar het Waldorf-Astoria Hotel te gaan, om te zien of we aanvullende informatie konden krijgen over wat er aan de hand was. Daar werd ons verteld dat er een groot gebied met stroomuitval kampte, niet alleen New York, maar de hele oostkust. Het was een gewone stroomstoring, geen terreuraanval.

Mijn club was gespaard!

We besloten naar huis te gaan. Het Waldorf deelde zaklantaarns uit, en ik nam er een aan omdat ik wist dat ik die thuis niet zomaar kon vinden. Tommy zou precies hebben geweten waar die lag.

Mijn collega besloot met me mee naar huis te lopen. Ik was blij dat hij naast me liep. We werkten al jaren bij hetzelfde bedrijf, maar hadden elkaar nog nooit gesproken, totdat de gebeurtenissen van 11 september ons bij elkaar brachten. Hoewel hij pas drie jaar getrouwd was toen ze stierf, was hij altijd dankbaar geweest voor het feit dat hij de ware liefde uiteindelijk had gevonden. Telkens wanneer ik hem spreek, gaat mijn hart naar hem uit. Het is alsof hij na de dood van zijn vrouw zelf ook was gestorven.

Op straat was er een dichte drom mensen, daarom duurde het even voordat we één blok waren opgeschoten. Ik bof dat ik maar twintig blokken van mijn werk woon; anderen moesten kilometers lopen naar Harlem en de Bronx. Onderweg praatten we met andere mensen. Ondanks het grote ongemak was de sfeer gemoedelijk. Nu de mensen waren gerustgesteld omdat het geen nieuwe terreuraanval betrof, zagen ze het zoals het was: een ongemak maar geen wezenlijk probleem. Er waren winkels die al hun diepvriesspullen op straat verkochten, mensen die met armenvol bier, water en ijs wegliepen. Er waren gewone burgers die de taak op zich hadden genomen om het verkeer op de kruispunten te regelen. Voor het merendeel lachten de mensen, glimlachten ze naar elkaar en praatten ze met elkaar. Naarmate we verder liepen over de brede weg, ontstond er een soort wandelend feestje.

Bij mijn gebouw spraken we af dat we contact zouden houden en dat we als we iets nodig hadden maar een gil moesten geven. De liften deden het niet, dus moest ik met de trap. Ik droeg mijn nieuwe zaklantaarn negentien etages omhoog. Toen ik eindelijk op mijn verdieping aankwam, liep ik een buurvrouw tegen het lijf. Zij vertelde me dat de stroomuitval het gevolg was van een kapotte transformator en dat het wel eens tot de volgende dag kon duren voordat we weer elektriciteit zouden hebben. Ze nodigde me uit om iets bij hen te komen drinken; we zouden hamburgers bakken om de tijd te doden. Perfect! Ik wist dat ik niets te eten in huis had, maar ik was niet wanhopig genoeg om nog eens negentien verdiepingen af te dalen, boodschappen te doen en weer omhoog te klimmen. Toen ik mijn voordeur opendeed, ging de telefoon. Het was Ann. Goddank. Ze zei dat ze niet naar huis in Rye kon en vroeg of ze bij mij mocht slapen. Je meent het! Natuurlijk! We kunnen een slaapfeestje houden!

Net als ik was Ann aan het werk geweest toen het licht uitviel. Algauw lukte het haar om haar schoonmoeder te bereiken die ze kon vragen een kijkje te gaan nemen bij de kinderen en de oppas. Toen Ann de opvang van de kinderen had geregeld, moest ze nog iets voor zichzelf regelen. In het ergste geval kon ze de nacht op de vloer van haar kantoor doorbrengen, er waren tenslotte wc's. En ze zou niet verhongeren. Maar wonderlijk genoeg wist Ann mij te bereiken, dus ze kwam eraan.

Die avond brachten we door bij de buren; we maakten een geweldige maaltijd op hun barbecue. Op het terras, omgeven door kaarslicht en verduisterde wolkenkrabbers, sloot ik vriendschap met mensen die al jarenlang mijn buren waren, maar die ik nu pas leerde kennen.

Die ene avond moest iedereen uit zijn huis komen; we werden allemaal gedwongen van de bank op te staan en de tv te laten voor wat hij was. Beneden op straat kon je mensen met hun zaklantaarn zien lopen om de hond uit te laten, op straathoeken een praatje zien maken en zich om radio's (op batterijen) zien verdringen. Er was amper een auto te zien. Zonder de oranje gloed van de straatverlichting konden we honderden sterren zien wanneer we omhoogkeken. Er hing een gevoel van geborgenheid en vreedzaamheid. Dit was een avontuur. Het vertrouwen dat we hier doorheen zouden komen, overheerste; een stroomstoring langs de hele oostkust was in het grote geheel der dingen geen ramp en we zouden ons door zoiets niet klein laten krijgen.

Zou deze feestelijke stemming mogelijk zijn geweest zonder 11 september? Dan zouden we over de hitte, het gebrek aan vervoer en aan telecommunicatie hebben geklaagd. Maar de overweldigende reactie was die van opluchting en zelfs blijdschap; het was niks; we hadden wel voor hetere vuren gestaan. Laten we blij zijn met de kans bij elkaar te zijn zonder de dingen die ons meestal afleiden.

Diep in de nacht struikelden Ann en ik met de zaklantaarn in de hand naar boven (deze keer maar één trap) naar mijn zeer warme appartement. We vonden het niet erg. We trokken een t-shirt aan en gingen met de ramen wijd open op bed liggen. Ik weet nog dat ik wakker werd van een lichte bries. Ann kleedde zich aan en ging naar huis. Ik had vrijdags hoe dan ook vrij, en toch had ik net als iedereen het gevoel dat we spijbelden. Niemand ging terug naar kantoor zolang de elektriciteit het niet deed.

In de loop van de ochtend zoemden lichten en huishoudelijke apparaten weer aan. Ik maakte een ronde door het huis om klokken gelijk te zetten en lichten te controleren. Toen zag ik het lichtje van mijn antwoordapparaat knipperen. Ik ging op de grond zitten om te kijken of ik iets aan dat geknipper kon doen. Toen ik daarmee bezig was, besefte ik opeens dat de uitgaande boodschap door de stroomstoring weg was. Ik bleef maar op de knop drukken om Tommy's boodschap te horen, maar ik hoorde niets.

Toen we dit huis betrokken, stelde Tommy voor dat we zijn boodschap in 'wij' zouden veranderen. We oefenden een paar keer om het gelijktijdig te zeggen, maar dat lukte niet; we moesten telkens zo hard lachen dat het steeds weer over moest. Uiteindelijk besloten we alleen zijn stem te gebruiken: 'We zijn momenteel niet thuis, spreek een boodschap in...'

Nu was die boodschap weg. Ik had zijn stem nooit van het antwoordapparaat willen wissen. Ik had me voorgenomen er niets aan te veranderen. Nooit! Hoe vaak had ik ons eigen nummer niet gebeld om zijn stem te horen? Hoeveel telefoontjes had ik het afgelopen jaar niet gekregen van vrienden die hetzelfde hadden gedaan, die ook hun boodschap niet hadden veranderd? De elektriciteit deed het weer, maar Tommy's stem was weg! Nog steeds op de grond zittend, huilde ik om het verlies van de boodschap. Het voelde alsof mijn laatste contact met hem verbroken was.

De weken na de stroomuitval kon ik mezelf er niet toe brengen een nieuwe boodschap in te spreken. Ik liet het antwoordapparaat gewoon uit. Uiteindelijk lukte het me wel om mijn stem op de tape te krijgen. Ik wist dat mijn vrienden zouden denken dat ik de boodschap met opzet had veranderd. Ik was bang dat ze zouden denken dat ik het verleden wilde wissen om vooruit te komen. Wanneer ze een boodschap inspraken, meende ik aan hun stem te horen dat ze onthutst waren bij de klank van mijn stem. Dan viel er een lange stilte en klonk het: 'Eh.. eh... wil je me terugbellen, Julia?'

Vaak overwoog ik om de volgende boodschap op te nemen: 'Hallo, met huize Collins. Ik heb Tommy's stem op het antwoordapparaat niet vervangen. Dat zou ik nóóit gedaan hebben. Zijn boodschap was gewist door de stroomstoring. Ja, ik ben gek, dus spreek na de piep maar een boodschap in.' Piep.

Ik kwam tot de slotsom dat de stroomstoring Tommy's manier was om me te vertellen: 'Hou eens op met mensen de stuipen op het lijf te jagen door de stem van je overleden man op je antwoordapparaat te laten!' Misschien begreep hij wel dat ik het zelf niet over mijn hart kon verkrijgen. Misschien moest hij wel de grootste stroomstoring sinds 1977 in New York teweegbrengen om het te laten gebeuren. Ik was bereid alles te geloven. Tommy was nou juist het type man dat zo'n stunt kon uithalen.

15 ❖ *I Love Him, I Love Him Not*

Julia en Ann

In de weken die volgden belden Stanley en Pattie elkaar vaak op. Het excuus voor het contact was zakelijk, maar de zaken waren beslist niet zoals anders.

Stanley kwam eind juni weer naar de stad voor een vergadering, dus Pattie besloot hem die avond aan het strand uit te nodigen. Het was een brutale stap, maar – zoals Pattie de club voorhield – gek genoeg maakte ze zich nergens druk over. Stanley leek haar een aardige vent en ze wilde gezelschap. Ze voelde zich zo veilig in haar liefde voor Caz dat ze erdoor werd beschermd: in haar hart was nog geen plaats voor iemand anders, dus kon dat hart ook niet worden gebroken. De club stelde zich op het standpunt dat Stanley iets goeds was en gezien moest worden als het zilveren randje van de donkere wolk. Dat vond Pattie ook.

Toen hij kwam, had Pattie gekookt. Ze staken kaarsen aan, trokken een fles wijn open en begonnen openhartiger tegen elkaar te worden. Pattie was ervan uitgegaan dat Stanley door zijn jeugdigheid misschien niet volwassen genoeg was om zich in haar situatie te kunnen verplaatsen, maar hij bleek juist indrukwekkend begaan. Het was een verrassend aangename avond en ze namen allebei de tijd om elkaar te leren kennen. Hoewel Stanley zaterdagochtend vroeg had moeten vertrekken, bleef hij uiteindelijk het hele weekeinde.

Die zomer kwam Stanley dikwijls naar het huis aan het strand. Zo zoetjes aan stelde Pattie hem voor aan haar vrienden en vriendinnen daar, mensen die Caz hadden gekend. Dat deze man ineens in haar leven was, was minder vreemd dan ze had verwacht. Ze vroeg zich af of dat kwam doordat ze dit niet als een serieuze relatie beschouwde. Ze wist dat ze daar nog niet aan toe was. In zekere zin was haar omgang met Stanley een soort pose. Pattie bleef rouwen, ze hield haar dialoog met Caz gaande, ze leidde haar leven en Stanley kwam zo nu en dan binnen om een tijdje de rol van vriendje te spelen.

Pattie wist dat haar vrienden haar aankeken en zich afvroegen: waarom hij? Een paar mensen deelden die gevoelens zelfs met haar. Maar Stanley was precies wat Pattie in deze fase van haar leven nodig had. Het was een speciaal iemand die om haar gaf en haar op alle mogelijke manieren wilde helpen. Een enkeling onder haar vriendinnen vroeg: 'Hoe kun je Caz dit aandoen?'

Pattie was soepel. Natuurlijk reageerden ze zo en ze nam hun niets kwalijk. Nog maar een paar maanden geleden had zíj het zich niet kunnen voorstellen dat ze ooit van haar leven nog een andere man zou kussen. Maar vervolgens ontdekte ze, gesteund door de club en een paar beste vrienden, haar eigen behoefte om die nieuwe relatie te ervaren. Pattie moest ervan overtuigd raken dat ze weer kon beminnen en bemind kon worden.

Ondertussen bleven Claudia en John ook niet stilzitten. Iedere

morgen dat ze op haar werk kwam, wachtte haar een lieve, te-
dere en geestige e-mail. Op hun tweede afspraak nam hij een
miniuitvoering van het Vrijheidsbeeld voor haar mee, naar aanleiding van het gesprek tijdens hun eerste avond, en ze spraken
af er samen heen te gaan. Ze spraken elkaar dagelijks en troffen
elkaar zo vaak mogelijk. Claudia had het gevoel dat ze werd mee-
gevoerd door een stormachtige romance. Ze wilde alleen maar
bij John zijn en voor het eerst liet ze haar automatische be-
hoedzaamheid varen. Ze wist dat het goed voelde en was zo verstandig zich er niet tegen te verzetten.

John was achtendertig en klaar om zich te binden. Hij was
tactvol en hartstochtelijk, grappig en slim. Hij kende Pattie al
goed. Hij kon direct geweldig goed opschieten met de rest van
de club; hij was verliefd geworden op de groep en die had het
compliment beantwoord. John had iets zelfverzekerds waardoor
je je zeer op je gemak voelde bij hem. Hij besefte dat wat er
groeide echt was. Claudia merkte dat ze met hem over alles kon
praten en dat ze haar verdriet niet hoefde te verbergen voor haar
nieuwe vriendje. Het verlies was een deel van haar en daarom
moest het ook deel van deze nieuwe liefde uitmaken.

John begreep Claudia's behoefte om tijd door te brengen met
de club en haar eigen en aangetrouwde familie. Hoewel haar
agenda al helemaal vol stond, wist ze manieren te vinden om
hem toch tot prioriteit te verheffen. Op zaterdag en zondag
maakten ze bloody mary's, gooiden ze zitzakken op de brandtrap en maakten ze samen de kruiswoordpuzzel van *The Times*.
De eenvoudigste dingen voelden heel goed, zolang ze die maar
samen deden.

Er waren zonder meer keren dat Claudia bang en overweldigd was en dat deelde ze dan met de club. Maar ze maakte zich
niet ongerust over het feit dat ze haar hart opende voor John.
Ze was voornamelijk overweldigd omdat ze niet had geloofd dat
zoiets je twee keer in je leven kon overkomen. Twee jaar lang
had Claudia de mantra 'het leven pakt altijd anders uit dan je
verwacht' herhaald. En als ze die woorden nu uitsprak, merkte

ze dat ze een andere betekenis hadden gekregen. Misschien had het leven toch nog een paar leuke verrassingen voor haar in petto.

Het moeilijkste was dat Claudia John in de zomer had leren kennen, een periode waarin de spanning over de tweede herdenking zich al begon af te tekenen. Het viel niet mee voor Claudia om een evenwicht te vinden tussen de opwinding over deze nieuwe relatie en 11 september. Hoe kon ze gelukkig zijn in augustus?

Bovendien was 5 september Johns verjaardag. Claudia probeerde de goede vriendin uit te hangen, die de verjaardag van haar vriend wil vieren, maar het was moeilijk het juiste midden te vinden. Zijn zus Trisha gaf een feest voor hem en Claudia zou een heleboel van zijn vrienden voor het eerst ontmoeten. Onder ideale omstandigheden kan de rol van nieuwe vriendin al zenuwslopend zijn, maar het feest was nog geen week voor de herdenking, een tijd waarin Claudia zich vreselijk schuldig voelde wanneer ze over iets anders sprak dan 11 september.

De club was er op de avond van Johns verjaardag bij om een beetje op Claudia te letten.

'Wat moet ik doen?' vroeg ze hun. 'Telkens wanneer John me aan iemand voorstelt, wil ik vertellen dat ik weduwe ben.'

Maanden later vroeg Claudia aan John of hij dat ooit vreemd had gevonden. 'In het begin wel,' bekende hij. 'Ik weet nog dat ik helemaal in het begin dacht dat ik er niet op zat te wachten iets met een weduwe te beginnen, laat staan met een 11-septemberweduwe.' John beschreef de echtgenoten van de club als topsporters die op hun hoogtepunt waren omgekomen. 'Net als Roberto Clemente,' zei hij, 'heb je alleen de goede jaren om op terug te kijken. Zonder aftakeling en lage-slaggemiddelden voor je pensionering.' Wie had zin om te proberen zich te meten met de nagedachtenis van een held?

Maar toen hadden ze hun eerste avond samen, die John als 'Intens Uitje' beschreef.

'Alle dingen die ter zake doen en die je doorgaans langzaam maar zeker blootgeeft in de loop van een hele reeks avondjes uit, bespraken wij in één enkele nacht,' legde hij uit.

In de weken die volgden kreeg de relatie onherroepelijk iets van een eigen energie. Het was niet iets waar je bij stilstond; het was iets waarin je je gewoon mee liet gaan.

John gaf toe dat hij het in het begin een beetje vreemd vond om bij Claudia te komen en al die foto's van Bart te zien.

'Maar ik wilde gewoon zo lang mogelijk bij je zijn,' legde hij uit, 'en na een poosje was er niets anders belangrijk.'

Daags voor de herdenking ontving Claudia een gedicht dat John had geschreven en haar per post had gestuurd.

Van al die kussen waarmee ik je heb overladen,
Zou ik willen dat er een bij was die vandaag je tranen
kan drogen,
Maar mijn lippen kunnen niet helpen, want het is een
geschenk van mijn hart.
Mijn omhelzing kan je even troosten, maar mijn diepe
gevoel van liefde zal je helpen deze wond te dragen.
Voor alle zomervreugd die we hebben gedeeld, zal er altijd
regen vallen.
Maar het besef dat onze harten en zielen één zijn, zal ons
door de pijn heen helpen.

Claudia erkende dat ze van nu af aan samen hun levens zouden leiden. Vanbinnen koesterde ze twee verschillende liefdes. Bart was evenzeer deel van haar als haar ogen blauw waren. Ze zou altijd zielsveel van Bart houden en om hem rouwen; en ze zou doorgaan met stapelverliefd worden op John. Ze stond versteld van de capaciteit van het menselijk hart om zo intens lief te hebben, niet één keer, maar zelfs twee keer in een mensenleven. Het was iets wat ze misschien nooit afdoende zou kunnen verklaren; ze kon alleen anderen verzekeren dat het tot de mogelijkheden behoorde. Claudia's hart was wel gebroken, maar wonderbaarlijk genoeg bleef het kloppen. Ze wist niet waar ze die mysterieuze liefde voor John aan te danken had; ze wist alleen dat ze er constant dankbaar voor was.

16 ❖ De tweede herdenking

Van linksboven naar rechtsonder: *Bart, Caz, Tommy en Ward*

Net toen we het gevoel kregen dat we sterker werden, naderde de tweede herdenking, die ons weer totaal van slag bracht.
De angst voor die dag kondigde zich al weken van tevoren aan
en sloopte onze met moeite opgebouwde energievoorraad. We
hadden gedacht dat het makkelijker zou worden, omdat we al
een herdenking hadden meegemaakt. Maar twee jaar na dato
begon de werkelijkheid van de gebeurtenissen pas goed door te
dringen. We waren minder van de wereld; we waren ons be-
wuster van de realiteit.

Ondertussen likte de City zijn wonden. De metro's in de buurt
van Ground Zero reden weer; de aanplakborden die ooit vol-

geprikt zaten met lijsten en foto's van vermisten waren allang verbleekt of verwijderd; en het grootste deel van de plek zelf was aan het oog onttrokken door bouwwerkzaamheden. En toch waren we er. Het was weer zo'n dag met een strak blauwe lucht in september en we bevonden ons weer in een duizendkoppige menigte die onstuitbaar werd gezogen naar die laatste plaats waar onze geliefden waren geweest.

Opgenomen in de menigte was het onmogelijk niet diep geraakt te worden door de totale, respectvolle stilte van zoveel mensen die waren bijeengekomen. Tijdens de tweede herdenking lazen de kinderen van de slachtoffers de namen hardop voor; en de stemmen van de kinderen die de namen van hun moeders en vaders oplazen, waren hartverscheurend. Het was haast ondraaglijk dat zij zouden opgroeien en dat die ene cruciale persoon altijd zou ontbreken. De intensiteit van de plechtigheid was verpletterend, we werden overstelpt door een stortvloed van emoties, het was een gevecht om er niet onder te bezwijken.

Opnieuw daalden we af in de bouwput. Zou dit voor het laatst zijn dat we dit deden voordat er serieus gebouwd ging worden? Deze keer had iedereen foto's en bloemen meegebracht. Vanaf de bodem van de put, oog in oog met de troosteloosheid ervan, hieven we de blik naar het lege uitspansel.

Hoe ver we ook waren opgeschoten en hoe we ook ons best hadden gedaan, we waren weer terug bij af. Op Ground Zero verdwijnen vierentwintig lange maanden in het niets. Twee jaar geleden wordt gisteren. Mensen zeggen altijd dat de tijd alle wonden heelt. Maar als het op herdenkingen aankomt, is tijd van geen enkel belang.

Deel twee

❖

September 2003 tot augustus 2004

Persoonlijk ben ik een optimist; het lijkt me weinig zinvol om iets anders te zijn.

WINSTON CHURCHILL

17 ❖ Good To Go

Julia, Claudia, Pattie en Ann

Daags na de herdenking vertrokken we uit New York om naar Cabo San Lucas in Mexico te gaan voor ons tweede jaarlijkse uitstapje. Claudia – als altijd onze reisspecialiste – had het vakantiecentrum gevonden, een locatie op het zuidelijkste puntje van het schiereiland Baja, een cluster witte villa's met uitzicht op zee.

We vonden allemaal dat we makkelijk een week konden slapen, maar in plaats daarvan pakten we onze koffers, namen we een taxi, waren we op tijd voor onze vlucht en bleven we in beweging. Bij aankomst in het hotel ontfermde iemand zich over onze bagage en met z'n vieren liepen we via een flagstonepad een gewitte ontvangsthal in, die uitzag op een kalme blauwe zee. Boven ons hoofd twinkelden stervormige lantaarns in het zonlicht, alsof we een andere wereld betraden. Onze kamers bevonden zich in witte huisjes die uitkeken op het water en lichte zandstranden. Die avond hield de zeebries ons koel en suste het geluid van de golven ons bijtijds in slaap.

De volgende morgen werden we gewekt door Julia, onze trouwe reiswekker. Ze herinnerde ons eraan dat we een missie hadden. Vanmiddag mochten we rusten, maar die ochtend hadden we het druk.

Onze eerste opdracht was Patties nieuwjaarsvoornemen uit te voeren: we gingen leren surfen.

PATTIE:

Toen ik de club over mijn goede voornemen voor 2003 vertelde, vonden ze het al heel wat dát ik een voornemen had. Nog maar een jaar geleden was ik amper in staat om me uit bed te slepen voor de kennismaking met Claudia aan de nieuwjaarsbrunch. En nu had ik het al over surfen...

Eigenlijk dateerde dat voornemen van de zomer van 2002 toen ik de meisjes leerde kennen. Ik bracht de meeste weekeinden alleen door in het huis aan het strand. Maar toen het zomer werd, begon ik anderen uit te nodigen; het inspireerde me om het zwembad schoon te maken, maaltijden te bereiden en te leven. Dat bewuste weekeinde had ik een vriendin met haar twee kinderen uitgenodigd.

Zaterdagochtend bereidden we ons voor op een lange dag aan het strand; we pakten parasols, voedzame drankjes, kaartspelen en strandstoelen in. Aan het strand betrapte ik me erop dat ik onwillekeurig naar het water staarde. Het was een stralende dag, het zonlicht weerkaatste op de branding en het woei net hard genoeg om je kippenvel te bezorgen en je niet te laten stikken van de hitte.

'God heeft er wat van gemaakt toen hij hier belandde,' zeiden Caz en ik tegen elkaar wanneer we op die plek waren.

De zon was fel. Ik moest mijn ogen met mijn hand afdekken. Recht voor me zag ik een meisje van een jaar of acht in een oranje badpak aan de rand van het water. Ze hoorde bij een man met dreadlocks in een bermuda en ze droegen allebei een surfplank. Eerst liet de man aan het meisje zien hoe ze plat op haar plank moest liggen, zodat ze kon oefenen om met haar armen te peddelen, en daarna liet hij zien hoe je met gebogen knieën, de armen opzij en met een sprongetje overeind moest komen. Het meisje had blond haar en een rond gezicht en ik besefte hoezeer ik op haar leek op foto's van vroeger, toen ik ook op het strand speelde. Vervolgens dacht ik dat May Carrington er ook zo uit zou hebben gezien. May (de afkorting van Mary Grace) was de naam die Caz en ik hadden bedacht voor de dochter over wie we samen hadden gedroomd. Ik vond het gewoon een prachtnaam, maar Caz koos hem als nagedachtenis aan zijn geliefde grootmoeder, zijn Nanna.

Nu kon ik mijn ogen niet afhouden van dit visioen van May. Het was heel indrukwekkend om te zien hoe vlug ze de technieken die haar leraar haar voordeed onder de knie kreeg. Ze was soepel en atletisch. Ze was moedig. Als ze door een golf ondersteboven werd geduwd, kwam ze met een gillend lachje meteen weer boven. Het ging volledig voorbij aan het meisje en haar instructeur, maar een heel uur lang stelde ik me het leven voor van May Carrington in een liefdevol gezin, met de meest toegewijde vader van de wereld.

Toen mijn vriendin opkeek uit haar boek, deelde ik mijn gedachten met haar. Ik beschreef hoe de dochter van Caz net zo moedig en vol zelfvertrouwen zou zijn als het kleine meisje dat daar op een surfplank in het water peddelde.

'Met Caz als papa zou May gedacht hebben dat ze alles ter wereld aan zou kunnen,' zei ik tegen mijn vriendin. 'Maakt niet uit wat. Want zo was Caz wel. Hij maakte dat je je onkwetsbaar voelde.'

'O, daar heb je gelijk in,' antwoordde ze. 'De dochter van Caz zou geen beperkingen kennen, maar waarschijnlijk zou ze daardoor ook een beetje onuitstaanbaar worden.'

Zat ik een potje te fantaseren over een gelukkig, zorgeloos en zelfbewust meisje, stelde zich zij een 'onuitstaanbaar' kind voor!

Haar reactie nam me de wind uit de zeilen. Het was een on-verklaarbaar pijnlijke opmerking. Er was geen dochter. Er was geen man. Het was maar een dagdroom. Ik zou nooit weten wat voor iemand de kleine May zou zijn geweest. Ik bleef zwijgend en verward zitten.

Ik besloot de rollen meteen om te draaien. Oké, dus ik zal dat volmaakte meisje nooit krijgen van mijn volmaakte man. Oké, best. Maar ik geef me niet gewonnen. Ik gooi het bijltje er niet bij neer. Ik ga dat meisje wórden. Ik ga leren surfen.

Die eerste dag in Cabo San Lucas trokken we ons badpak aan en liepen we naar het strand voor een confrontatie met de gol-ven. We waren heel vastberaden. Wij waren de club. We lieten ons niets in de weg leggen.

Aldus leerden we les één: surfers hebben golven nodig. De zee was die ochtend spiegelglad. Verslagen, maar nog steeds vastberaden, besloten we een goed alternatief te kiezen: kajak-ken en snorkelen. Het bleek ieders beste snorkeldag te worden, want vlak onder de oppervlakte van het water blonken duizen-den vissen in de kleuren van alle edelstenen. We deden welis-waar niet wat we van plan waren, maar het bleek een zegen.

Vervolgens werden we wakker op dag twee en zagen we prach-tige golven die zich op het strand stortten.

Good to go. Nog zo'n clubzinnetje. Dikwijls afgekort tot g2g in e-mails. Geïnspireerd door Julia's cheerleaderhouding wilde het zoveel zeggen als: ik ben er klaar voor, ik ben van de partij, waarom niet nu meteen?

Gelukkig was onze instructeur Alfredo aanbiddelijk; het toon-beeld van de knappe surfinstructeur. Hij had donkerbruine krul-len die stijf stonden van het zout, een zachte bruine huid en een buik als een wasbord. Op het droge was hij al verrukkelijk, maar in zee was hij een god en bereed hij de golven alsof hij over het water liep.

Wij daarentegen waren zonder meer stervelingen. We lachten gillend wanneer de golven ons kopje-onder duwden en we telkens weer naar het strand werden teruggesleurd. Geen van ons bleef langer dan een seconde op haar plank staan. De branding was zo sterk dat we, als we met de plank aan onze enkels gegord kapseisden, hoestend en proestend weer bovenkwamen en controleerden of we geen hersenschudding hadden.

Al na een paar minuten brandden onze armen van het peddelen. We hadden gedacht dat rechtop staan het moeilijkste van surfen is. Maar geen van ons had kunnen voorzien hoe moeilijk het was om ver genoeg van het strand af te komen om überhaupt te kúnnen surfen. Als je een grote golf aan zag komen, moest je een 'schildpad' maken. Zoals Alfredo het deed, leek het een eitje. Je houdt je stevig aan je plank vast en draait je om zodat je plank op je buik ligt. De bedoeling is dat je je door de golf laat overspoelen om er vervolgens aan de andere kant uit te komen waar je je weer óp de plank kunt wentelen. Maar als je niet precies op het juiste moment omwentelt – wat doorgaans het geval was – worden jij en je plank halsoverkop op het strand teruggesmeten. Oef.

We waren allemaal behoorlijk slechte surfers. Dat deed er niet toe. We waren het erover eens dat we nog nooit zo slecht waren geweest in iets waar we tegelijkertijd zo van genoten. We hadden erop gerekend dat dit zwaar en uitdagend zou zijn. We hadden twee jaar met onzichtbare demonen gevochten. Razend op de moordenaars die ons van onze mannen hadden beroofd. Razend op God omdat hij niet had ingegrepen. In gevecht met ons eigen onvermogen om door te gaan. In gevecht om ons vast te klampen aan onze mannen. Maar die golven waren iets tastbaars, waarmee je echt kon vechten. En hoewel ze aanvankelijk onoverkomelijk leken, konden we er uiteindelijk met gebundelde energie doorheen komen. Alle pijn die we daarbij ervoeren, was in werkelijkheid opluchting.

Als je Ann op haar twintigste had verteld dat ze op haar veertigste zou gaan surfen, zou ze je nooit hebben geloofd. Toen ze

tegen de branding in zeewaarts peddelde, bleef ze maar denken: konden mijn kinderen me nu maar zien. Moeder van drie
kinderen in een bikini voorover op een surfplank... Ze had een
rauwe schaafwond op haar dij omdat een golf haar op scherpe
rotsen had geworpen. Het zout prikte als een gek. Maar dat
beetje prikken was niets vergeleken met de pijn die ze de afgelopen week, de afgelopen twee jaar had gevoeld. Het verbleek-
te allemaal bij wat De Jongens die bewuste dag hadden doorstaan. Het was in de verste verte niet bestand tegen haar nieuwe
pijngrens.

Peddelend tegen een overmacht bedacht Claudia hoezeer
haar leven was veranderd. Als Bart nog had geleefd, zouden
ze samen bij het zwembad zitten en meteen margarita's bestellen.

Toen Julia de plank voor de zoveelste keer in de richting van
de golven duwde, kon ze amper geloven hoeveel energie ze nog
had. Ze bleef maar aan Tommy's competitiedrang denken. 'Oké,
Tommy deze keer ga ik het redden,' zei ze tegen hem. Er was
geen sprake van dat die golven haar klein zouden krijgen.

Pattie was zo ver in zee als ze kon zonder te verdrinken. Ze
dacht: dit gaat me lukken, al wordt het mijn dood. Ze spande al
haar spieren aan, wachtte op het moment waarop de golf zou
gaan krullen en hield zich vast aan de voorkant van haar plank.
Klaar. Oké, nú! En vervolgens stond ze overeind met haar armen als vleugels uitgespreid, het water suisde en haar bloed
bruiste. Maar ze bleef overeind, ze vloog, en die paar seconden
voelde het alsof ze de macht van de hele oceaan achter zich had.

Gewonnen!

De andere drie juichten hun keel schor en de golven kwamen
aanrollen en stortten om ons heen in als een flink applaus. Pattie was buiten adem, haar lokken plakten op haar gezicht en ze
kon door de opwinding van de prestatie niets uitbrengen.

En voor het einde van die les slaagden ook Claudia, Ann en
Julia erin om op hun plank te klimmen en die zuivere, krankzinnige kick te voelen. Die kostbare ogenblikken voelden we ons

weer acht jaar oud, onoverwinnelijk en onschuldig; alsof alles mogelijk was, zelfs surfen.

Afgemat maar opgetogen en met pijnlijke spieren keerden we terug naar het zwembad. Pattie, Ann en Julia kwamen erachter dat bij hen alle drie op een zeker ogenblik tijdens de les dezelfde vraag door het hoofd had geflitst: waarom steeds maar weer zeewaarts gepeddeld wanneer de golven je steeds weer terugdreven naar het droge? Het zou tenslotte veel gemakkelijker zijn geweest om van de plank te glijden, bij de volgende golf kopje onder te gaan en nooit meer boven te komen. Het water was zo warm, helder en uitnodigend. We beaamden dat de verleiding om op te houden met de strijd soms even groot was als de wil om te vechten. Er waren altijd ogenblikken waarop we het liefst het bijltje erbij neer zouden gooien.

Aan een uiteinde van het zwembad was een bar waar je naartoe kon zwemmen, met stenen krukken en tafeltjes in het water, en daar kwamen we bij elkaar voor de lunch. De barkeepers waren heel vriendelijk, de service was onberispelijk en de drankjes waren overheerlijk.

'Goeiemiddag dames!' riepen ze toen we naar hen toe zwommen. 'Hoe was de ochtend?'

We vertelden over de golven en ons succes op de surfplank. Julia sprong op haar barkruk om haar surfmanoeuvres te demonstreren voor de barkeepers terwijl ze margarita's klaarmaakten.

Het werd tijd om het glas te heffen.

'Op De Jongens!'

'Ik wou dat ze erbij waren...'

Aan de lunch stelden we ons voor hoe het zou zijn als we met ons achten bij elkaar konden zijn...

Maar er dreef een wolkje boven het paradijs. Die week logeerden er toevallig negen – echt, negen – pasgetrouwde stellen op huwelijksreis.

We probeerden inschikkelijk te zijn. Wat hadden we anders verwacht van zo'n romantische plek? Bovendien konden we wel naar het uiteinde van de wereld reizen, maar er zou altijd wel een of andere associatie zijn.

'Niet kijken,' waarschuwde Julia toen we klaar waren met eten en naar de ligstoelen op de rand van het zwembad verhuisden, 'maar hier komt ons favoriete echtpaar...'

Dat paar vonden we irritant. Waar we ook kwamen, zij waren er ook. Kleffe taferelen bij het zwembad, wandelingen hand in hand over het strand. Fluisterend aan de lunch op het terras. Dat zou ons waarschijnlijk niet hebben dwarsgezeten – écht, we waren blij voor hen, heus – alleen moesten ze zo nodig op hoge toon over hun bruiloft gaan praten zodra ze een ander pasgetrouwd stel zagen.

Inmiddels wisten we dat ons favoriete stel chocoladetaart op de trouwerij had gehad en een ander stel had een toren van geglazuurde cakejes gekregen. De ene vrouw had witte lelies in haar boeket gehad en een andere orchideeën. Die daar hadden een kerkelijke inzegening gehad, een ander stel was op het strand getrouwd.

We konden ons tenminste vermaken met nabootsingen: 'O, hoe laat was jullie plechtigheid? De onze was om vier uur..'

'Wat voor hors-d'oeuvres hadden jullie?'

'Proost! We zijn één week getrouwd!'

Op een zeker ogenblik kreeg Julia zo genoeg van hun eindeloze bruiloftsgeleuter dat ze dreigde in te grijpen. 'Weet je wat ik ga doen,' kondigde ze aan. 'Ik ga terug naar mijn kamer. Ik ga een van Tommy's t-shirts aantrekken en dan ga ik voor ze staan en zeg: "Hé, kijk eens naar míjn man. Die, tussen haakjes, dood is. Wil je iets over míjn bruiloft horen...?'

Julia heeft een grote verzameling t-shirts met foto's van Tommy van de diverse liefdadigheidsbijeenkomsten die we namens hem hadden gehouden. We daagden haar uit om het te doen. Uiteindelijk gaf ze het toch maar op; het was tenslotte niet hun schuld dat dit ons was overkomen. Bovendien lag Julia veel te lekker op haar ligbed om in actie te komen.

We hadden zelf heel veel te bespreken. De rest van de middag brachten we door met praten en huilen en slapen en vervolgens wakker worden om verder te praten. De vorige keer dat we zo lang bij elkaar waren geweest, was in Scottsdale. Sindsdien hadden we een heleboel maanden hard gewerkt; veel emoties waren door de dagelijkse sleur, de stress van ons werk, het eindeloze, mechanische komen en gaan van het leven onderdrukt. We hadden heel hard gewerkt om weer op de been te komen. Nu stonden we onszelf die lange, zonnige middagen zonder verplichtingen weer toe om ons te laten gaan. Wanneer we alleen waren, wilden we dat niet altijd. Het voelde te riskant, alsof we misschien zouden doordraaien en nooit meer terug zouden kunnen naar een positie vanwaaruit het leven weer overzichtelijk zou zijn. Maar hier konden alle remmen los. We waren met z'n vieren. We zouden elkaar weer ophijsen als er iemand te diep wegzonk. We wisten dat er een bodem was en daar herinnerden we elkaar aan.

Een exemplaar van het tijdschrift *O* ging van hand tot hand zodat we allemaal een artikel konden lezen en herlezen van de schrijfster Anne Lamott, die haar leven als veertigjarige overzag.

Ik heb, zoals alle veertigjarigen, al zoveel verlies overleefd, schreef ze. Mijn ouders, mijn lieve vrienden, mijn huisdieren. Puin is het fundament waarop onze meest hechte vriendschappen zijn gebouwd. Als het je nog niet is overkomen, zal het je weldra gebeuren: het verlies van iemand zonder wie je niet kunt leven. Je hart wordt gebroken en het slechte nieuws is dat je nooit helemaal over het verlies van die beminde heen zult komen. Maar dat is ook het goede nieuws. Ze leven voor eeuwig voort in dat gebroken hart dat maar niet wil helen. En je komt erdoorheen. Het is als een gebroken been dat nooit honderd procent geneest, dat nog steeds zeer doet wanneer het koud wordt. Maar ondanks die mankheid leer je dansen. Je danst de absurditeit van het leven, je danst het menuet van oude vriendschap.

De woorden van de schrijfster raakten ons diep: tegen de tijd dat je die levensfase bereikt, is verlies onvermijdelijk. Verlies is universeel. Als je nog geen verlies hebt ervaren, behoor je tot een minderheid. Als mensen ons vroeger vertelden dat verlies een positieve kant heeft, wilden we daar niet altijd aan. Maar nu begonnen we te voelen dat er inderdááá ook goed nieuws was: wat ons niet klein had kunnen krijgen, had ons sterker gemaakt. Hoezeer we onze mannen ook misten, we begonnen te beseffen dat het een geschenk is om op zo'n jonge leeftijd te leren wat er echt toe doet. De andere kant van de medaille van de dood heet leven. Want als er iets is waarvan je leert om geen dag te verspillen, is het wel verdriet.

Toen we weer om ons heen keken, pakten de jonggehuwden hun spullen om zich te gaan 'verkleden voor het eten'. We wisten wat dat betekende: ze gingen naar hun kamer om te vrijen na de hele dag in de zon te hebben gelegen. Wij verlangden er ook naar: door en door verwarmd door de zon op een hotelkamer vrijen met de man op wie je gek bent. Maar omdat dit niet voor ons was weggelegd, besloten we nog een laatste rondje te zwemmen, aan het uiteinde van het zwembad bijeen te komen om de zonsondergang te zien, te kijken hoe de lucht aan de horizon donkeroranje kleurde...

Ann zei dat er geen plek ter wereld was waar ze nu liever wilde zijn. Toen de zon achter de horizon wegglipte, telden we onze zegeningen.

De volgende morgen waren we klaar voor onze nieuwe uitdaging. We hadden een uitstapje geboekt in *all-terrain vehicles*, of ATV's, vervoermiddelen die eruitzien als een kruising tussen een crossbike en een kleine jeep met vier enorme banden en vrij krachtige motoren. Geen van ons had ooit in een ATV gereden, of het zelfs maar overwogen.

Ann herinnerde zich dat ze een bruiloft in Texas had bijgewoond waar de gastheer voor ATV 's voor de gasten had gezorgd. 'Alle mannen gingen erop,' herinnerde ze zich. 'Ward was de hele middag weg; en maar buiten de paden rondjakkeren. Toen hij met een brede grijns terugkwam, zat zijn gezicht onder het stof. Hij vond het natuurlijk te gek.'

'Wat deed jij dan terwijl de jongens op die dingen zaten?' vroegen we.

'Nou, ik bleef met de meisjes op de ranch om lekker te roddelen, onder het genot van heerlijke cocktails...'

Sindsdien was er een heel universum veranderd.

Nu droegen we de voorgeschreven lange broek zodat we ons niet aan de motoren zouden branden en gingen we naar het strand. De hitte van het zand drong door onze gympen heen. Het was weer een wolkeloze dag in Mexico; de branding was tot bedaren gekomen en het water was weer kalm.

Op het strand stonden elf ATV 's. Hun enorme verchroomde motoren zaten onder de smeerolie en het rode chassis was overdekt met stof. Twee van de pasgetrouwde stellen en nog een ander stel uit het hotel waren er al, samen met de man die onze gids zou zijn. We moesten allemaal een exemplaar nemen, want we waren met zijn elven. Maar de vrouwen in de groep verzonnen gauw een smoes en klommen bij hun man achter op de vierwielige motorfiets.

Wij leden van de club namen onze posities in. Wij reden solo op vier ATV 's.

Toen we erachter waren gekomen hoe de ontsteking werkte en wat met gashendel en remmen hadden gespeeld, spoten we ervandoor, vastbesloten om die stelletjes stof te laten happen. We hadden een rood sjaaltje gekregen om voor neus en mond te binden, als vier bandietenweduwen.

Toen we optrokken, moesten we ons goed aan het stuur vasthouden. We gingen ertegenaan. We reden voor in de rij, vlak achter de gids. We zaten niet hoog boven de grond en konden dus maar een klein eindje vallen. En bovendien zouden we in zacht zand terechtkomen als het gebeurde. Dus we bleven de gashendel maar teisteren en lieten de duinen en de ATV ons heen en weer en op en neer slingeren, terwijl we ons aan het stuur vastklampten alsof we op zo'n mechanische stier in een café zaten. Af en toe was er een fractie van een seconde dat we zeker wisten dat we eraf gegooid zouden worden, maar iedere hobbel die we overleefden maakte ons moediger. We wilden weten hoe snel we over de duinen konden scheuren zonder over de kop te gaan, en het antwoord was: verdomd hard. De banden van die machines waren zo enorm dat het lastig was om je evenwicht te verliezen.

De gids beklom de hogere duinen naar de top van de kliffen, dus wij erachteraan. Hij voerde ons omhoog naar een pad dat evenwijdig aan het strand liep en uitkeek op het witte zand en de uitgestrekte blauwe zee; een ongelooflijk panorama. Julia wist dat Tommy een geweldige kick zou hebben gekregen als hij haar aan het hoofd van de roedel had kunnen zien scheuren. Ann had het gevoel dat ze weer een kind was, dat op de fiets gewaagde spelletjes speelde met de kinderen uit de buurt. Pattie ervoer met een tikje schuldgevoel de verlossende bevrijding dat ze alle regels overtrad: 'Die monsters kunnen niet goed zijn voor het milieu; kun je nagaan wat ze met de duinen uitspoken...' Ondertussen bedacht Claudia dat Bart van al die opwinding uit zijn dak zou zijn gegaan: het uitzicht, de snelheid, het gevoel van pure bevrijding. Iets in de wind die in ons gezicht blies en het geraas van de motoren maakte onze gedachten vrij.

Weldra daalden we een slingerend pad af om weer terug in de duinen te komen. Onze gids maakte een stopteken. Daarna kregen we te horen dat we een uur hadden om vrij rond te toeren, dus scheurden we er weer vandoor. Wij gingen landinwaarts en de stelletjes gingen de andere kant op. Julia drong voor Ann. Pattie drong voor Claudia. We scheurden rond; schreeuwend door onze monddoeken daagden we elkaar uit om steeds harder te gaan.

Maar toen zagen we iets onze kant op komen. We namen gas terug en zetten de motoren uit om het niet te verstoren.

Verderop zagen we een felgekleurde wolk die fladderend en fonkelend dichterbij kwam. Na een poosje zagen we dat de wolk uit honderden en nog eens honderden prachtige gele vlinders bestond. De vlinders kwamen steeds dichterbij, blikkerden om ons heen en omsingelden ons. Het schouwspel ging recht naar het hart. We hadden twee jaar naar onze mannen gezocht. Over onze schouder, tussen de gezichten van de menigten, in weerspiegelingen in het raam, uit onze ooghoeken, in de vorm van de wolken. Maar De Jongens waren niet meer op één plek. Ze waren vrij en waren hier en kwamen langs op de meest onverwachte plekken, als een wolk vlinders uit het niets, op een Mexicaans strand, uit het binnenland naar het strand gewaaid.

Toen we een uur later afstapten, namen we foto's van elkaar. Op die foto's zijn we gelukkig. De bovenste helft van ons gezicht is zwart, onze ogen staan ontspannen, onze glimlach is breed en ongedwongen, ons lichaam is slap van een hele ochtend hangen op die terreinvoertuigen. En op die foto kun je zien dat niet de tijd er verantwoordelijk voor is dat wonden helen. Er kunnen honderd jaar voorbijgaan; niets zal ons ooit de liefde die we voor onze man voelen afnemen, noch de pijn van het verlies. Wat wel heelt, is levenslust: die liefde voor het leven die door ons heen raast op het strand van Mexico, vanwege het uitzicht op de oceaan, de stuwende motoren, de wind in ons haar, onze beste vriendinnen vlak achter ons en honderden en honderden vlinders; vanwege de geur van het opspattende zoute water en de zuigkracht van de branding en het gewoon daar zijn, levend en wel, en alle uren van de dag om dat allemaal samen te beleven. Daar komt die glimlach van.

18 ❖ Is dit een date?

Julia

Claudia en Pattie hadden iets met John en Stanley. Ann was alweer een jaar aan het stappen. Julia beschouwde zich als de laatbloeier van de groep; zij had het gevoel dat ze er nog niet aan toe was. Ze was gewoon nog niet zover dat ze intiem kon zijn met een man. Soms vroeg Julia zich af óf ze er ooit aan toe zou zijn.

De club bleef haar geruststellen: 'Julia, jij bent de enige die echt kan beslissen of uitgaan al dan niet goed voor je is. Er is geen haast bij.'

Vervolgens leerde Julia aan het eind van de zomer iemand kennen. Tommy's oude vrienden Margaret en Billy hadden besloten als koppelaar op te treden. Ze hadden Julia voor het weekeinde van Labor Day, het eerste weekeinde van september, uitgenodigd in hun huis aan het strand, en er niet bij gezegd dat ze ook Matt, een goede vriend van hen, hadden gevraagd.

Toen Julia de bewuste vrijdag binnenkwam, stond Matt in de eetkamer met Billy te praten. Hm, dacht Julia, die nattigheid voelde. Matt en Julia praatten met elkaar terwijl hun vrienden het eten klaarmaakten. Ze herinnert zich dat ze hem interessant vond en dat hij zulke vriendelijke ogen had. Hier was iemand met een prettige persoonlijkheid en een geweldige glimlach die haar direct op haar gemak stelde. Ze dronken wat, aten en speelden tot laat in de avond bordspelletjes waarbij Matt en Julia een team vormden. Op een gegeven moment keek Julia op en besefte ze dat ze een heleboel plezier had met iemand met wie ze niet bevriend was en die nog een man was ook. Toen Billy en Margaret naar bed glipten, bleven Matt en Julia nog tot drie uur 's morgens praten. Toen Julia naar bed ging, had ze zo'n duizelig tienergevoel alsof ze zojuist voor het eerst van haar leven met een jongen had geflirt.

De volgende dag moest Matt weg om met vrienden een footballwedstrijd van de universiteit bij te wonen, maar voor hij vertrok, vroeg hij haar heel beleefd of ze een keertje met hem uit wilde uit. Hij zei dat hij een maand voor zijn werk op reis zou zijn, maar half oktober weer terugkwam. Of ze iets met hem wilde gaan drinken wanneer hij weer terug was in New York.

Julia dacht: best, waarom zou ik niet iets gaan drinken met een vriend van mijn vrienden? Dit was geen afspraakje, want daar deed ze niet aan.

Is dit een afspraakje? Heeft hij me net gevraagd iets met hem te gaan drinken, of heeft hij me mee uit gevraagd? Hij heeft me toch niet mee úít gevraagd?

Tenslotte was Julia nog steeds met Tommy getrouwd.

Ben ik nog getrouwd? Heeft Matt me mee uit gevraagd om onze wederzijdse vrienden een plezier te doen? Voelt hij zich verplicht? Heeft hij met me te doen? Ben ik zo interessant dat hij echt met me uit wil? Wat ben ik eigenlijk? Vrijgezel?

Nee, Julia was geen vrijgezel, ze was getrouwd.

Ben ik Tommy ontrouw als ik met iemand anders uitga? Denk ik er te veel over na? Wat bezielt me?

'Dat zou ik geweldig vinden!' zei ze tegen Matt, en ze troostte zich met de gedachte dat hij waarschijnlijk toch niet zou bellen.

Hij belt vast niet. En als hij wel belt, duurt het toch nog een maand.

Het was goed zo. Julia had een maand om zich voor te bereiden.

Kort na terugkeer van de club uit Cabo belde Matt met het voorstel iets te gaan drinken en daarna naar een musical op Broadway te gaan. Julia nam de uitnodiging met gemengde gevoelens aan. Niets is eenvoudig voor een weduwe. Ze wilde wel en ze wilde niet. Ze wist het even helemaal niet meer.

De avond tevoren had ze een dip gehad. Ze ging 's middags vroeg naar huis omdat ze van die overweldigende 'Tommy-momenten' had. Zo noemde ze de ogenblikken waarop ze hem verschrikkelijk miste, als de hele wereld haar te veel werd, als ze de strijd om het bestaan beu was. Ze voelde zich zo neerslachtig dat ze naar huis en naar bed ging. De volgende morgen meldde Julia zich ziek. Ze kwam die dag niet van de bank. Het enige wat ze deed, was tv kijken en huilen.

Opgekruld op de bank belde ze de club en snotterde ze dat ze haar afspraak ging afzeggen. Ze wilde alleen maar thuisblijven. Ze wilde helemaal niet uit, laat staan met een man. Julia had op een ander antwoord gehoopt, maar iedereen die ze sprak zei hetzelfde: dat ze zich nog belabberder zou voelen als ze thuis zou blijven, dat ze zich een stuk beter zou voelen wanneer ze zou opstaan om zich aan te kleden en er een paar uur tussenuit te zijn. Waarom de werkelijkheid niet een poosje ontvluchten?

Een combinatie van wanhoop en pure vastberadenheid deed Julia die avond opstaan van de bank om een douche te nemen. Ze kleedde zich aan en nam een taxi naar het Theater District. Julia was te vroeg. Ze bleef op een hoek voor het restaurant staan. Moest ze naar binnen? Wat deed ze hier? Julia's vriendin Jennifer belde om haar succes te wensen. Julia antwoordde dat ze niet het gevoel had dat ze hiermee door moest gaan, dat ze wegging. Ze was op van de zenuwen. Jennifer haalde haar over om te blijven en voorspelde Julia een geweldige avond.

'Ja, ik weet dat het waarschijnlijk wel leuk zal worden met Matt,' zei Julia. 'Maar ik flip al van de gedachte dat ik überhaupt met iemand uitga.'

Toen ze met Tommy trouwde, dacht ze dat ze afscheid had genomen van het uitgaanscircuit.

Ze zag Matt glimlachend op haar af komen. Nu was er geen terugkeer meer mogelijk. Bovendien kon het allemaal niet zo moeilijk zijn als Julia verwachtte. Eenmaal binnen raakten Matt en Julia aan de praat. Het was niet moeilijk, maar makkelijk. Matt was geweldig, hij was tenslotte bevriend met Margaret en Billy. Ze dronken en knabbelden wat, maar het duurde zo lang voordat het eten arriveerde dat ze het lieten inpakken om mee te nemen naar de musical. In de pauze hadden ze hun eigen picknick in de foyer met inktvisringen en bier. Julia moest bekennen dat ze best een leuke avond had. Na de musical bracht Matt haar te voet naar huis en gaf hij haar bij het afscheid een kus op de wang. De volgende dag stuurde hij haar een e-mail. Ze bleven elkaar spreken en namen zich voor nog een keer uit te gaan.

19 ❖ Metamorfosen

Claudia en Pattie

PATTIE:

Vlak na de dood van Caz zag ik op tegen reizen. Ik vond het niet prettig om uit mijn vertrouwde omgeving weg te zijn. In die tijd waren mijn twee huizen zo'n grote troost dat ik geen behoefte had om elders te zijn. Als ik buiten die zone kwam, drong de wereld zich aan me op om me eraan te herinneren dat alles altijd verandert, dat het leven voor iedereen gewoon doorgaat. De last van het verdriet drukte zwaar op mijn schouders. Ik had geen zin om deel te nemen aan de genoegens van het leven – ook niet aan reizen – als ik ze niet met mijn man kon delen.

Al reizend raak je bewust gedesoriënteerd. Aanvankelijk was ik van mezelf al zo gedesoriënteerd, dat reizen me van mijn stuk bracht. Maar gaandeweg ging ik me anders voelen. Naarmate mijn zelfgevoel terugkeerde, kreeg ik weer zin in reizen. Ik heb me altijd aangetrokken gevoeld tot andere culturen, talen en levenswijzen. Het was een deel van de reden dat ik zo op Caz was gevallen. Hij was zelf een buitenlander. Mijn horizon werd al breder door gewoon bij hem te zijn. Nu besefte ik dat ik weer verlangde naar dat gevoel van nieuwheid en ontspanning dat je in een vreemde omgeving krijgt. Reizend probeer je jezelf te verliezen in de hoop dat je op een nieuwe versie van jezelf stuit. Toen Caz stierf, was ik het spoor ernstig bijster, maar de afgelopen maanden begon ik mijn weg weer te vinden.

Ik wilde echt weer gaan reizen in de aloude geest van vrijheid en avontuur.

Terug uit Cabo bereidde ik me voor op een bezoek aan Caz' moeder Kate. Ik vond het een zegen dat de verhouding tussen mij en Kate zich bleef verdiepen. Mijn schoonmoeder is een ongelooflijk sterke, mooie en doortastende vrouw. Na de dood van haar zoon maakte ze een onvoorstelbaar verdrietige periode door, een ervaring die meehielp om haar de moed te geven haar droom te verwezenlijken, iets wat Caz altijd had gestimuleerd. Ze verhuisde naar een huisje op het platteland van de Dordogne in Frankrijk om te tuinieren en de Franse taal te leren.

In november vloog ik naar Frankrijk. Caz' zus Sarah kwam over uit Londen. Met z'n drieën haalden we urenlang herinneringen op bij familiefoto's en gaven we helemaal toe aan de behoefte om over Caz te praten en verhalen over hem uit te wisselen. Overdag toerden we langs kerken en dorpen en stopten we wanneer er ergens markt was. We luncheten en proefden de plaatselijke wijn in drukke cafés. Een van onze favoriete activiteiten was snuffelen door plaatselijke brocantes, curiosa- en antiekwinkeltjes vol verborgen schatten.

Op een dag scharrelden we in een brocante in een naburig plaatsje. Ik zag een prachtige korte bontmantel aan het rek hangen. Ik moest direct aan Audrey Hepburn in *Breakfast at Tiffany's* denken. We vonden hem allemaal prachtig. Ik paste hem en hij zat perfect. Hij was chic en toch praktisch en stond me heel goed. Maar hij viel totaal uit de toon in mijn garderobe. Dit was gewoon niet mijn soort jas.

'Die moet je nemen!' zeiden Sarah en Kate als uit één mond.

'Nee, nee, dat kan niet!' protesteerde ik.

'Waarom niet?' hielden Kate en Sarah vol. 'Het is een geweldig jasje en om de prijs hoef je het niet te laten.'

'Het is gewoon niet mijn stijl...'

'Maar hij staat je prachtig...'

'O, goed dan,' zwichtte ik. 'Hij is leuk.'

Het reisje naar Frankrijk was een succes. De moeilijkheden ontstonden niet door de reis, maar door het terugkomen. Op het vliegveld aankomen en hem niet kunnen bellen. Dat eenzame, donkere gevoel aan het eind van een lange vlucht, wanneer ik de persoon van wie ik het meest hield wilde vertellen dat ik gauw weer bij hem zou zijn.

In huize Carrington was het een ongeschreven regel dat je, wanneer je op reis ging, altijd iets meebracht voor degene die thuis was gebleven. Ook al was ik op zakenreis, ik moest een cadeautje meebrengen. Zo kreeg Caz een bierpul van het vliegveld van Chicago of barbecuesaus uit Kansas City (dat zijn zo mijn flitsende bestemmingen). Die belachelijke voorwerpen maakten hem zo blij als een kind, wat eens temeer aantoonde dat het hem om de geste te doen was.

Telkens wanneer ik in New York landde, hunkerde ik ernaar om Caz te bellen en te zeggen: 'Raad eens wat ik voor je heb meegenomen?' Als Lola niet op me wachtte, zou terugkeren naar het appartement een kwelling zijn.

Deze keer nam ik mijn bontmanteltje mee. Mijn geschenk voor zowel Caz als mezelf.

Er kondigde zich een metamorfose aan. Terug in de City merkte ik dat ik mijn appartement verliet met lange handschoenen die ik van mijn broer had gekregen, laarzen die ik via Claudia met korting had gekocht met hakken van acht centimeter hoog en het bontmanteltje uit Frankrijk. Ik keek giechelend omhoog.

'Wat gebeurt er met me, Caz?'

Ik wist hoezeer Caz in zijn sas zou zijn met het manteltje, dat op zich niet zo belangrijk was, maar wel om waar het voor stond. Het was een frivole, opvallende en extravagante jas. Ik was nederig opgevoed; ik diende me op de achtergrond te houden en bescheiden te zijn. In mijn familie was het niet goed om je hoofd boven het maaiveld uit te steken en de show te stelen. Laat dat maar aan anderen over, hadden mijn ouders me ingeprent. Mijn broer, zussen en ik werden niet aangemoedigd om een wedstrijd te winnen; we kregen opdracht ons team te steunen. Mijn ouders zijn geweldige mensen; intelligent, hartelijk, hardwerkend en gezond. Maar toen ik Caz ontmoette, was ik erg onder de indruk van het feit dat 'opgaan in de massa' en 'nederig zijn' hem geen zier konden schelen. Hij was iemand die geen vrees kende. Hij danste naar zijn eigen pijpen. Hij vond het heerlijk om op te vallen in een groep (hoe kon het ook anders?). Zijn aanwezigheid werd altijd opgemerkt.

Telkens wanneer ik dat jasje aantrok, moest ik aan Caz denken en hoe blij hij zou zijn dat ik het voor mezelf had gekocht. De aanschaf strookte niet met mijn bescheiden opvoeding. Ik nam een coupe soleil, liet mijn nagels doen en liet me masseren. Het zijn geen grote dingen en ik wil niet beweren dat ze in het grote geheel veel gewicht in de schaal leggen. Maar ik weet hoe blij Caz zou zijn als hij kon zien hoe goed ik voor mezelf zorgde. Hij spoorde me altijd aan om minder zuinig te zijn en het breder te laten hangen. 'Koop die sjaal van kasjmier, niet die van gewone wol!' Hij wilde alleen het beste voor me. In afwezigheid van Caz maakte ik me dingen van hem eigen, de dingen die hij me had geleerd. Zijn zelfvertrouwen werd het mijne.

Ik kon hem geen cadeautje meer geven wanneer ik terugkwam van een reis, maar hem wel de eer bewijzen om in zijn geest te leven.

Niet dat ik af en toe geen schuldgevoel had; dat zit me zo ingebakken. Ik zal altijd het stemmetje van mijn ouders in mijn hoofd horen. 'In Afrika komen mensen om van de honger!' Maar wanneer ik tegenwoordig naar het bontmanteltje kijk, zie ik Caz en zijn moeder en zus die me jubelend aanmoedigen. 'Waarom niet?' vragen ze me lachend.

CLAUDIA:

In de zomer was ik al begonnen John aan mijn familie en beste vrienden voor te stellen. We brachten zoveel tijd met elkaar door dat ik me schuldig begon te voelen tegenover de mensen die me door de afgelopen twee jaar hadden geholpen. Het was angstaanjagend, maar ik besloot het nieuws over mijn relatie bekend te maken bij een grotere kring vrienden en collega's. Ik wist dat ik niets verkeerds deed, dat John permanent deel van mijn leven ging uitmaken en dat mensen dat konden accepteren of niet. Maar ik moest hun de kans geven, hoe bang ik ook was voor hun oordeel.

Natuurlijk waren er een paar bij die niet makkelijk waren. Op een avond waren we uit eten, toen een van mijn vrienden tegen John opmerkte dat hij een 'grote plaats in te nemen' had.

'Ik probeer niemands plaats in te nemen,' antwoordde John. 'Ik ben gewoon mezelf.'

Maar het onderliggende gevoel was kwetsend en oordelend. John probeerde niet in Barts schoenen te staan. John was een onafhankelijke man met een gezonde dosis zelfvertrouwen en een paar grote schoenen van zichzelf.

En dan waren er de mensen die oprecht blij voor me waren. De club natuurlijk. Mijn eigen familie. Ik was extra gezegend omdat Barts familie John direct aanvaardde. Hij ontmoette Barts broer Mark en ze konden het meteen goed met elkaar vinden. We gingen uit eten met Kathleen en Larry. Barts moeder Pat leerde John dat najaar bij de doop van mijn neefje kennen.

Pat kwam in de kerk meteen op ons af.

'Hallo, ik ben Claudia's schoonmoeder,' zei ze. 'Erg leuk om je te leren kennen. Het overkomt je vast niet iedere dag dat je de schoonmoeder van je vriendin ontmoet, hè?'

De Ruggieres zagen me heel graag gelukkig. Ze wisten dat Bart dat ook zou willen, en hun steun maakte een wereld van verschil. Kathleen drukte het het best uit toen ze zei: 'Ik ben erg blij voor je. Als het andersom was geweest en jij was overleden, zou ik het ook voor Bart gewild hebben. Ik zou willen dat Bart gelukkig was, dat hij verliefd zou worden op iemand en dat hij weer plannen zou maken om een gezin te stichten.'

Nu moest ik het nog aan mijn collega's vertellen. Iedereen op mijn werk had me na de dood van Bart overweldigend veel steun gegeven. Het waren mensen die ik dagelijks zag, die hun best voor me hadden gedaan en me op ontelbare manieren hadden geholpen. Ze hadden de tijd genomen om alles over Bart te weten te komen en mijn rouw te delen. Ik was aangenaam verrast door de reacties van mijn collega's. Toen ik hun vertelde dat ik verliefd was, leken ze oprecht blij voor me.

Mijn therapeute Cheryl heeft me in die overgangsfase enorm geholpen. Ik praatte met haar over deze en andere thema's, maar inmiddels wist ik diep vanbinnen welke beslissingen goed of fout waren. Uiteindelijk zei Cheryl tegen me dat ze niet het gevoel had dat ik nog langer regelmatige sessies nodig had. Ze stelde voor er een punt achter te zetten. Als ik het weer moeilijk zou krijgen, kon ik haar altijd bellen. Het voelde goed om te stoppen met de therapie en te weten dat die altijd beschikbaar was als de behoefte zich zou voordoen.

20 ❖ De mantra

Caz bij de marathon

PATTIE:

Inmiddels wisten alle leden van de club hoe belangrijk de marathon van New York City voor me was. Het was een gebeurtenis waarop Caz en ik ons het hele jaar verheugden. Mijn man had ooit gezegd dat hij zich meer op de marathon verheugde dan op Kerstmis, en dat zegt wat voor iemand die meer dan alle mensen die ik ken gek is op cadeautjes en surprises.

De marathon was weer in aantocht, in het eerste weekeinde van november. Dat jaar stelde Julia, die het dichtst bij de route woont, voor dat we een feestje bij haar zouden houden, zodat de club de marathon samen kon bijwonen. Ik herinner me dat ik geroerd was omdat Julia dat voor mij wilde doen en natuurlijk nam ik het voorstel aan. Maar ik aarzelde ook. Op de dag van de marathon wilde ik mensen om me heen die Caz hadden gekend en begrepen wat die dag voor me betekende. Kia en onze vriend Billie O. konden niet. Misschien dat Sandy langs zou komen. Een andere goede vriendin van me, Kara, die altijd met ons naar de marathon ging, woonde in Londen.

Lang voordat ik Caz leerde kennen, woonde ik de marathon al bij. In 1989, het jaar nadat ik was afgestudeerd en naar de City verhuisde, deelden mijn studievriendinnen Kara, Kia, Sandy en Jackie een appartement in de Upper Eastside, dus gingen we op de hoek van hun straat en Seventy-first Street staan om de deelnemers langs te zien hollen. Het was een schitterende, heldere dag aan het eind van de herfst en toen de eerste deelnemers langskwamen, begon onze opwinding toe te nemen. De vastberaden gratie van die voorlopers was adembenemend; ze hadden er al vijfentwintig kilometer op zitten en liepen nog steeds hard; ze flitsten voorbij met een uitdrukking van kalme vastberadenheid. Je kon niet anders dan onder de indruk zijn van hun sterke toewijding. En dit waren alleen nog maar de koplopers.

Naarmate de uren verstreken, raakten we steeds meer bij de race betrokken, zeker toen de achterhoede langskwam. Die lopers waren groot, klein, dik, mager, oud, jong, man, vrouw, recht van lijf en leden en gehandicapt, blind, ziend, in een rolstoel of met een stok, of geholpen door een ligfiets. Ze waren afkomstig uit alle landen ter wereld en droegen hun naam en nationaliteit op hun shirt. Die mensen holden niet om te wedijveren; ze liepen om te bewijzen dat ze die tweeënveertig kilometer aankonden, ongeacht hoe lang ze erover deden. We schreeuwden en jubelden, meegesleept door de collectieve drang om de lopers aan te moedigen. Naarmate de tijd verstreek en het de lopers steeds meer moeite kostte, namen onze toejuichingen toe in hartstocht en volume. We wilden op alle mogelijke manieren bijdragen aan hun succes, dus gingen we naar de kruidenier om sinaasappels, snoep, vaseline, pijnstillers en water te kopen. We riepen de namen die de mensen op hun shirt hadden gedrukt, schreeuwden dat ze het niet op moesten geven, dat ze de laatste zestien kilometer naar de finish moesten halen. We werden schor van het schreeuwen: 'Je kúnt het! Goed zo!' Een aanmoediging die weldra legendarisch zou zijn...

De politie moest ons eraan herinneren om achter de afzetting te blijven. We moesten lachen toen we beseften hoezeer we ons lieten meeslepen en hoe de emoties opliepen bij de aanblik van zoveel mensen die zichzelf voorbij de grenzen van hun fysieke beperkingen dwongen.

Het was een ongelooflijk inspirerende middag.

Vervolgens werd er een andere mantra bij ons geboren. Iedereen die de wedloop gadeslaat, wordt erdoor bevangen: 'Volgend jaar doe ik zelf mee, ik zweer het je.'

Maar dan was er weer een jaar verstreken en vochten we nog steeds tegen het vet dat zich tijdens onze studie had opgehoopt. We waren in geen enkel opzicht voldoende gedisciplineerd om ons voor te bereiden op zo'n slopend evenement. In plaats daarvan gingen we weer met vrienden de straat op om de deelnemers aan te moedigen. Jaarlijks breidden onze marathonpicknicks zich uit.

In 1994 deed ik eindelijk zelf mee. Het was een fantastische ervaring. Ik moet bekennen dat ik geen correct trainingsschema had aangehouden, noch mijn maatschappelijke gewoonten had aangepast, maar aan de andere kant hoefde ik ook niet te winnen. Ik wilde alleen de deelnemerservaring. Op de hoek van Seventy-first Street en First Avenue stonden mijn supporters, dus ik stopte om me in al die aandacht te koesteren. Na de finish was ik zo trots op de aluminium deken die ze na de eindstreep om je heen wikkelen, dat ik me naar mijn vrienden spoedde om nog een paar biertjes te drinken zonder naar huis te gaan om me te verkleden. Ik hield die deken tot middernacht om me heen en toen besloot ik pas er een streep onder te zetten.

Sandy was de volgende die werd gegrepen door de mantra en besloot de race in 1996 te lopen.

Dat was het eerste jaar dat Caz zich bij ons voegde. Hij was nog nooit bij de marathon geweest en wist niet wat hem te wachten stond, hoewel ik hem al had voorspeld dat hij uit zijn dak zou gaan.

Ik weet nog dat hij die dag een pluizig, mosterdkleurig jack had aangetrokken dat bij zijn pas geverfde haar kleurde. Caz had kort daarvoor zijn hoofd min of meer kaal laten scheren om geld in te zamelen voor de behandeling van autisme: als enige van zijn kantoor had hij zich beschikbaar gesteld voor een gesponsorde scheerbeurt. Dat was echt iets voor Caz. Mijn man de komediant was gefascineerd door zijn eigen hoofd. Hij vond het heerlijk om er dingen op te zetten, als petten, lampenkappen en, hilarisch genoeg, een wc-ontstopper. Nadat zijn hoofd was kaalgeschoren, besloten Caz en een vriend dat het een geweldig idee zou zijn om wat er nog restte van zijn haar te bleken. Jammer genoeg ging het mengen van de chemicaliën mis. In plaats van peroxidewit kwam zijn haar er okerkleurig uit te zien.

Caz' bijdrage aan de marathon was een gigantische thermosfles met een mengsel van warme appelcider en rum. Hij liet zich direct meeslepen door de geest van de marathonmenigte en juichte de lopers geëmotioneerd toe. 'Je kunt het! Goed zo!'

Hij had een speciaal plekje in zijn hart voor de underdogs: de blinde lopers, de rolstoelrenners, de lopers met een prothese en de teams die liepen voor vrienden die aan kanker gestorven waren. Hij gaf ze een klopje op de rug, maakte hen aan het lachen en riep dat ze het konden. Hij blèrde hun naam zo hard dat ze het niet zouden durven om de finish niet te halen. Als een renner het moeilijk had, holde hij met hem op en stopte hij niet voordat die eindelijk een glimlach om de lippen kreeg – ook al moest hij er een paar blokken voor rennen.

Aan het eind van de dag herhaalde hij zelfs met een serieus gezicht onze mantra, zij het met een dikke tong van alle rumcider die hij op had: 'Volgend jaar doe ik mee, ik zweer het je. Wedden?'

Caz heeft nooit meegelopen, maar is wel altijd de luidruch-

tigste en kleurrijkste cheerleader van de groep geweest. In navolgende jaren was de marathon een favoriete datum op de kalender, een dag om je op te verheugen. Op een keer verscheen
er een band op onze straathoek en die kwam vervolgens ieder
jaar. De politieagenten die de bewuste hoek kregen toegewezen,
keerden ieder jaar terug en we leerden hen zo langzamerhand
kennen: ze vertelden dat er bij de politie om onze hoek werd
gevochten. Bij iedere marathon zagen we bekende gezichten.
We juichten iedereen toe en bleven tot de laatste lopers voorbij waren. We maakten zelfs borden om steun te betuigen aan
de straatvegers die na de wedloop aan de slag gingen. HUP,
STRAATVEGERS!

Het weekeinde van de marathon kozen we uit voor de herdenking van Caz, deels omdat het zo'n geknipte dag voor hem was,
maar ook omdat we er de marathon mee uit de weg konden
gaan, zodat we niet zonder hem hoefden te gaan. Ik vroeg me
af of de politieagenten, de band en de anderen die we ieder jaar
op de hoek van Seventy-first Street en First Avenue troffen, zich
hebben afgevraagd waarom we na 2001 niet meer kwamen. Zouden ze vermoeden dat er iets mis was? Kon iemand hebben geraden dat zo'n bruisend iemand als Caz was vermoord?

In het derde jaar kon ik het op zijn minst eens even proberen, hoewel ik niet wist of ik het aankon om zonder Caz naar
de marathon te gaan. Ik zou bij Julia en niet op onze geijkte
straathoek zijn, en ik zou niet van het begin tot het einde op de
barricaden staan.

Maar toen ik naar buiten ging en achter de afzetting stond,
werd ik overweldigd door dezelfde marathongeest. Ik begon te
schreeuwen. Ik hield niet op. Telkens wanneer ik een van de lopers toejuichte, besefte ik dat ik niet alleen voor hen juichte.

'Je kúnt het! Goed zo!'

Op een gegeven moment dook ik onder de afzetting door en
holde ik op straat mee met een loper die het zwaar had, en ik
riep: 'Je kúnt het! Goed zo!'

De club juichte net zo hard voor de deelnemers als ik. We waren allemaal vertrouwd met het concept volhardingsproef. Net als de marathon stelt het weduweschap het uiterste van je veerkracht op de proef. Wat telt is je vermogen om onder zenuwslopende en uitdagende omstandigheden toch sterk te blijven. En net als je denkt dat je geen stap meer kunt verzetten, duikt er iemand op aan de zijlijn die je de kracht geeft om er nog een kilometer en nog een en nog een tegenaan te gooien. Je bijt door, dankzij je eigen wil en vastbeslotenheid en dankzij de steun van anderen.

'Volgend jaar doe ik mee, ik zweer het,' zeiden de leden van de club. Ik keek hen glimlachend aan.

21 ❖ Het geschenk

Ward, Ann en de kinderen

De feestdagen waren in aantocht. Hoewel we allemaal het liefst van Thanksgiving tot en met Nieuwjaar zouden slapen – 'Maak me op 2 januari maar wakker' – beseften we dat dit niet kon. Dus deden we ons best om in elk geval een poging te doen nieuwe tradities in te voeren om de scherpe kantjes van het verdriet af te halen.

We probeerden de dingen te rationaliseren. De feestdagen waren wel zwaar, maar van vorige keren wisten we precies hoe zwaar, dus waren we tenminste voorbereid. De feestdagen konden we tenminste zien áánkomen. Soms hadden we het gevoel dat het veel moeilijker was om je op kleinigheden voor te bereiden. Een cadeautje in een winkel zien dat je voor hem zou willen kopen, langs een van zijn lievelingsrestaurants lopen, een telefoontje van een telemarketeer die naar hem vroeg. De dagelijkse sleur van het missen van je man.

Kerstmis is een tijd voor de familie en we probeerden er allemaal achter te komen waar onze verplichtingen lagen. We waren de status van echtgenote kwijt, dus was het net alsof we in onze respectieve families weer tot kind waren gedegradeerd. Julia vertrok naar Dallas waar haar familie de vakantie bij haar zus doorbracht. Niettemin wilde ze daar niet op kerstochtend zijn, dus besloot ze pas in de loop van de middag te vertrekken, zodat ze op de dag zelf niet met een geveinsde glimlach hoefde wakker te worden. Pattie zag ertegen op om in haar eentje naar haar ouders te rijden. Claudia bracht haar eerste kerst met John door. Op kerstavond zou ze bij zijn familie zijn, kerstdag bij haar familie en de week ervoor een speciale kerstviering met de Ruggieres bijwonen. Ann besloot Kerstmis thuis te vieren en bij vrienden in plaats van familie langs te gaan. Ze wilde een kans om nieuwe tradities voor haarzelf en de kinderen in te voeren.

Het hoeft geen verbazing te wekken dat de kerstviering van de club het hoogtepunt van het seizoen was. Geen verplichtingen, geen schuldgevoel, alleen maar plezier. We spraken af in The Grill aan ons tafeltje onder Barts wandplaquette. Iedereen zou een cadeau meebrengen en het uitkiezen van die cadeaus werd een van de onvervalste genoegens van dit anderszins hectische seizoen.

Claudia's cadeau aan ons was een cd met een potpourri van liedjes met een betekenis. Ze had een foto van de surfende club op de hoes gezet. De cd heette: 'Het zou verkeerd zijn om het niet te doen...'

Toen Ann Claudia's cd-doosjes met onze surffoto erop zag, wilde ze met alle geweld dat we meteen zouden overgaan op haar cadeau, omdat ze dezelfde foto had gebruikt om vier boekenleggers van rood leer mee te versieren. Die konden we gebruiken voor het boek dat we samen, als team, zouden schrijven, want dat hadden we al besloten.

Julia had zilveren halskettingen voor ons met het woord 'Moed' erop. Ze gaf ons allemaal ook een 'Mr. Wonderful-pop'. Je geeft hem een hand en hij zegt wat je graag wilt horen. 'Ja, schat, ik wil héél graag schoenen met je gaan kopen.' Of: 'O, je moeder blijft nóg een week. Geweldig!'

Van Pattie kregen we allemaal een olieverfschilderij van de Amerikaanse vlag, die ze haar vriendin Sandy had laten maken.

Ann had het beste voor het laatst bewaard, toen ze voor ieder een zwarte string tevoorschijn haalde met voorop de woorden 'Het zou verkeerd zijn om het niet te doen' en 'club' in rode letters op het nietige driehoekje stof aan de achterkant geborduurd. Wat kon je nu beter krijgen om de draak met onze groeiende eigenwaarde te steken? Het zou verkeerd zijn om niet om onszelf te lachen. Het zou verkeerd zijn om geen sexy string te dragen als je wist dat je drie vriendinnen er ook een droegen. Mal, leuk en hilarisch: het perfecte cadeau voor de club.

Natuurlijk draaiden er hoofden onze kant op door het gejoel en gelach aan ons tafeltje, maar de gezichten van de obers – drie mannen die de afgelopen paar jaar voor ons hadden gezorgd – waren onbetaalbaar. Ze wisten niet goed wat ze aan moesten met vier weduwen die met strings zwaaiden. Het feit dat zij eerst niet precies wisten wat ze ervan moesten denken en er later op de avond vreselijk om moesten lachen, vonden we nog leuker.

Die avond haalden we schaamteloos herinneringen op aan voorgaande Kerstmissen, die we met De Jongens hadden doorgebracht. We stelden onszelf allemaal dezelfde vraag: wat zouden we doen als hij er dit jaar ook bij was geweest?

Daags voor Kerstmis ging de club 's middags naar Ground Zero. We moesten ons een weg banen door een menigte mensen die zich met armenvol draagtassen langs haastten. Het was een surrealistisch gevoel, alsof onze tijd stilstond terwijl de rest van de wereld aan de feestdrukte ten prooi was gevallen.

We brachten een bezoek aan de herdenkingsruimte voor familieleden, een geïmproviseerd gebouwtje zoals een verplaatsbaar klaslokaal, van acht bij zes meter met ramen die uitzicht boden op de plaats des onheils. Toen we het betraden, kregen we het zoals gewoonlijk te kwaad. Elke vierkante centimeter wandruimte was in beslag genomen door foto's, brieven, aandenkens, bloemen, 'vermist'-biljetten, gebeden en bidprentjes. Duizenden gezichten, mensen van allerlei achtergronden en nationaliteiten, bijna allemaal jong en glimlachend op foto's die waren gemaakt op trouwerijen, plechtigheden, vakantie en familiebijeenkomsten. Geen van hen zag eruit alsof hij dood kon zijn, want niemand poseert nu eenmaal voor een foto met de bedoeling dat die ooit op een herdenkingswand wordt geprikt. Wat een gigantische verspilling.

Aan tafel zat een al wat oudere Indiase man kerstcadeaus in te pakken. Hij begon met ons te praten en liet ons de geschenken zien die hij voor zijn zoon had meegebracht. Hij liet ons ook een foto van hem zien. De jongen was tweeëntwintig geweest, net afgestudeerd en begonnen met zijn eerste baan. Het hele leven van die man had in het teken gestaan van de opvoeding van en zorg voor zijn enige kind. En wat nu? Hij was naar de City gekomen om zijn zoon kerstcadeaus te brengen. Hij had geen lijk kunnen begraven en dit was de enige plek waar hij het gevoel had dicht in de buurt van zijn zoon te zijn.

De rampspoed van de nieuwbakken nabestaande stond op zijn hele verschijning geschreven. Zijn ogen waren twee donkere holten in zijn gezicht. Deze man was de vleesgeworden radeloosheid.

Die herkenden we. De man zat op de bodem van de put en had iemand nodig om hem een touw toe te werpen. We probeerden met hem te praten en te troosten, maar hoe troost je in hemelsnaam een rouwende vader? We bewezen eer aan de slachtoffers, namen afscheid en vertrokken.

Julia wilde naar de begraafplaats voordat ze cadeaus naar Tommy's familie en vrienden ging brengen. Ann moest naar huis. Dat jaar had Pattie het extra moeilijk, dus ging Claudia met haar naar het hotel aan de overkant om iets te drinken.

Bij deze zeldzame gelegenheid hielpen de cocktail en het gezelschap van een medeweduwe niet echt. Het hotel en de mensen waren deprimerend. Aan de bar stonden groepjes zakenlui die duidelijk niet konden wachten om naar huis te gaan. Wie wilde er aan de vooravond van Kerstmis tenslotte in een hotel in Wall Street zitten?

Pattie had het moeilijk met de feestdagen, met haar relatie met Stanley, met op eigen houtje naar haar ouders gaan, en miste Caz. Het enige lichtpuntje was dat Claudia en Pattie allebei wisten dat het oké was dat de situatie hopeloos neerslachtig maakte. Trouwens, een depressie was waarschijnlijk de enige gezonde reactie op de hele toestand. Claudia zei niet wat de meeste mensen misschien zouden zeggen. Ze zei niet dat het weer goed zou komen, dat het wel over zou gaan, dat Pattie nog dingen had om zich op te verheugen. In plaats daarvan knikte ze dat het leven onrechtvaardig was, dat het moeilijker was dan je ooit had kunnen denken.

Pattie vertelde Claudia over de eerste keer dat Caz met haar meeging voor een kerstbezoek aan haar ouders. Ze was een beetje zenuwachtig, zoals alle dochters die een nieuw vriendje mee naar huis nemen tijdens de feestdagen. Hoe zou het gaan tussen de New England-achtige reserve van haar familie en de energieke uitgesprokenheid van Caz?

'Dat was die keer dat Caz meedeed aan de jaarlijkse kerstfootballwedstrijd,' herinnerde Pattie zich. 'Maar hij haalde de regels van rugby en Amerikaans football door elkaar.'

Het was echt iets voor Caz om een van de meest enthousiaste deelnemers aan de wedstrijd te zijn. Hij was piekfijn gekleed in een felgekleurd rugbyshirt met een hertengewei op zijn hoofd. Tussen de rondes holde hij bier drinkend over het veld. In de laatste ronde ving Patties vader een pass en holde hij langs de zijlijn naar het doel.

'Ik zag hoe Caz mijn vader op de korrel nam,' zei Pattie. 'Hij rende zijn kant op. Ik besefte dat er stront aan de knikker was. En ja hoor, daar vloog mijn vader een haag van rododendrons in. Papa wilde eerst niet toegeven dat hij gewond was, maar die tackle leverde die Kerstmis wel een gebroken rib en een gebroken neus op.'

Toen Patties familie op kerstochtend naar de kerk ging, was het zo'n ongewoon zachte decemberdag dat Caz besloot de stoelverwarming van zijn auto aan te zetten en het dak van de cabriolet te laten zakken. Het was zijn manier om het geweldige weer luister bij te zetten. Pattie was gewend aan de grootse gebaren van Caz, maar haar eerste reactie was dat ze zich zorgen maakte over wat haar ouders wel zouden denken, vooral na het footballfiasco. Haar tweede reactie was: wat kan het mij schelen als Caz mijn ouders niet direct voor zich inneemt? Ik ben verkocht.

Nu, jaren later, aan dit tafeltje met Claudia, was Patties hele wereld veranderd en kon ze niet geloven dat dit haar leven was.

'Eigenlijk zou ik liever hier in dit afschuwelijk deprimerende hotel blijven dan Kerstmis zonder hem onder ogen moeten zien...' zei ze tegen Claudia.

'Hoor je het hem al zeggen, Pattie?' vroeg Claudia voordat ze met haar beste Britse accent zei: 'Lieverd! Heb je enig idee hoe larmoyant dat klinkt?'

Iets aan dat gesprek met iemand die haar aan het lachen kon krijgen en begreep, maakte een en ander bijna draaglijk. Pattie had behoefte aan iemand die haar een touw toewierp, en Claudia was er.

ANN:

Op kerstochtend werd ik wakker in mijn eigen bed in mijn eigen huis. Voordat ik mijn ogen opendeed, was mijn eerste gedachte: 'Het is kerstochtend.' Mijn tweede gedachte was: 'En Ward is er niet.' Toch was ik vastbesloten er een mooie dag van te maken. Voordat ik de kans kreeg om Billy fatsoenlijk te wekken, klom die al bij me in bed om te vragen of hij zijn cadeautjes mocht openmaken. Ik zei dat hij op de anderen moest wachten. Daarna ging ik Elizabeth halen om haar bij haar broer in bed te leggen. Ik zette de tekenfilms voor hen aan en ging koffie zetten. TJ moest als een echte tiener worden gewekt. Ik zei tegen Billy dat hij dat moest doen en toen dat was gebeurd, mocht iedereen naar beneden om te kijken wat de Kerstman hun had gebracht.

Drie jaar daarvoor – onze laatste kerst met Ward – hadden we net een nieuwe traditie ingevoerd door het jaarlijkse familiefeest bij ons thuis te vieren. Daarvoor waren we altijd naar mijn ouders of zijn moeder gegaan. Dat jaar wilden wij de volwassenen zijn en onze gezamenlijke familie voor het feest bij ons uitnodigen.

Er kwamen vijfentwintig mensen. Op eerste kerstdag werden we tussen het openmaken van de cadeaus en de laatste hand leggen aan het huis, om maar niet te spreken van het klaarmaken van het avondeten, volledig overspoeld. Om drie uur 's middags, het tijdstip waarop de gasten werden verwacht, stond ik nog steeds in mijn pyjama in de keuken. Ward en ik keken elkaar aan en barstten in lachen uit.

'Wil je me er nog eens aan herinneren waarom ik met Kerstmis per se de gastvrouw wilde uithangen?' vroeg ik. Bij iemand anders te gast zijn zou zoveel gemakkelijker zijn geweest.

Ward zei dat we dit zelf hadden gewild. Dit was ons huis, en we waren er trots op om onze familie te ontvangen.

Voor het eten moest de tafel in de eetkamer zo ver worden uitgeschoven dat hij een eind in de huiskamer stak. We hadden veel te veel eten klaargemaakt, maar ik was alleen maar opgelucht dat alles zo goed was gelukt. Het was een vrolijke, ontspannen middag en iedereen at en dronk te veel, zodat alle gasten aan het eind van de dag geen pap meer konden zeggen. Ward en ik ploften die avond totaal uitgeput in bed, maar we waren blij dat alles zo geslaagd was.

Wanneer ik erop terugkijk, ben ik dankbaar dat we het initiatief hadden genomen om de feestdagen bij ons thuis te vieren. Het was weliswaar veel en hard werken geweest – we moesten lachen toen we allebei beseften dat we het zo druk hadden om het iedereen naar de zin te maken dat we nauwelijks tijd hadden om er zelf van te genieten – maar het was onze dag, iets wat we samen voor elkaar hadden gekregen.

De eerste kerst zonder Ward voelde ik me net een zombie. Ik deed wat me werd gevraagd. Er was geen spoortje kerstversiering in huis. Ik laadde de kinderen in de auto en ging de stad uit naar mijn ouders. Het tweede jaar was vrijwel hetzelfde. De feestdagen waren zo'n moeilijke, treurige tijd geworden.

Nu was dit de derde Kerstmis zonder Ward, maar onze eerste met alleen de kinderen en mij. De vooravond van Kerstmis brachten we door bij de familie van Ward en op eerste kerstdag zouden we 's avonds feestvieren bij vrienden, dus 's morgens en 's avonds waren voor mij en de kinderen: alleen TJ, Billy, Elizabeth en ik. Ik wilde in mijn eigen bed wakker worden en de kinderen bij ons thuis hun cadeaus laten uitpakken. Ik wilde dat ze nieuwe herinneringen aan Kerstmis zouden krijgen als het gezin dat we waren geworden.

Het was een goed besluit. Het huis was helemaal versierd; langs trapleuningen en op muren zaten honderden aaneengeregen kerstkaarten, en aan de voordeur hing een krans. Ik kocht een kerstboom en zeulde hem zelf naar huis. We tuigden hem op met witte lichtjes en versierselen die Ward en ik in vroeger jaren hadden gekocht, en ieder ornament werd besproken. We hingen een kous op voor Ward en herdachten de Kerstmissen die we met elkaar hadden gevierd. We stelden elkaar gerust dat we het over Ward konden hebben en dat we mochten lachen om onze herinneringen aan hem.

We waren nog altijd een gezin: een moeder, drie kinderen en twee honden.

Toen ik die avond opnieuw uitgeput in bed viel, bedankte ik mijn man voor geschenken als familie, feestelijkheid en een eigen huis. Ik bedankte hem voor zijn liefde en ik bedankte hem voor onze herinneringen.

22 ❖ Een ander licht

Van links naar rechts en van boven naar beneden: *Julia en Tommy,*
Claudia en Bart, Ward en Ann en Caz en Pattie

Mijn man Tommy was katholiek opgevoed, en hoewel je hem
niet vroom kon noemen, had hij sterke overtuigingen en zonder meer respect voor zijn roomse achtergrond. Hij genoot nog
altijd van de rituele kerkgang. Tommy zong graag psalmen. Ik
weet nog dat hij een keer in de kerk naast een man zat die luid-
keels zong. Tommy, van nature een streber, begon natuurlijk nog
harder te zingen. Ik probeerde er geen acht op te slaan dat alle
leden van de congregatie zich omdraaiden om naar mijn man te
kijken, die zo hard mogelijk psalmen blèrde. Aan het eind van
de mis was het duidelijk dat Tommy de wedstrijd had gewonnen, maar toen het tijd werd om vrede te sluiten, omhelsden
mijn man en zijn nieuwe makker elkaar alsof ze al heel oude
vrienden waren.

Ook zonder zangwedstrijden genoot ik van de kerk. Tijdens mijn studie begon ik de katholieke mis bij te wonen omdat ik me aangetrokken voelde door de sfeer en de rituelen. Hoewel ik doopsgezind was opgevoed, voelde ik me er op mijn gemak. In het decor van de eucharistie merkte ik dat ik rechtstreekser contact had met de boodschap van de priester.

Na ons huwelijk gingen Tommy en ik, wanneer we zondagavond thuis waren, regelmatig naar de mis in de kerk van St. Vincent Ferrer in Manhattan. De kerk was vlak bij ons appartement en eenmaal binnen was het stil en schemerig, een echte oase in het hart van de City. Telkens wanneer we gingen en ik op Tommy wachtte tot hij was teruggekeerd van de communie, dacht ik: ooit laat ik me het vormsel toedienen, dan kan ik ook naar voren gaan voor de hostie. Maar als pasgetrouwde vrouw met een drukke baan en een vol sociaal leven was het makkelijk om dingen uit te stellen, en katholiek worden stond niet bovenaan mijn lijstje.

Nu had ik twee goede redenen om me het vormsel te laten toedienen. Ten eerste was het iets wat ik al heel lang wilde en dat gaf me een doel, iets waarvan ik wist dat het goed voor me was. Ten tweede lag mijn man op een katholieke begraafplaats. Daar konden alleen katholieken worden begraven en ik wilde naast Tommy liggen. In het leven te worden gescheiden was al erg genoeg, zei ik tegen de club. Ik besloot me in te schrijven voor godsdienstonderricht in de kerk.

De eerste stap was een evaluatiegesprek met de priester. Ik was nogal nerveus, voornamelijk omdat ik wist dat ik diep teleurgesteld zou zijn als ik niet in de kerk werd aangenomen. Dit was op een tijdstip dat veel katholieken de Kerk de rug toekeerden, of er althans op elk niveau kritisch tegenover stonden. Ondertussen maakte ik me druk dat de Kerk me niet zou toelaten. Terugkijkend besef ik nu pas hoe ver mijn gevoel voor eigenwaarde was gedaald. Maar ik vond pastoor Kevin McGrath direct heel aardig. Hij was jonger dan ik had verwacht en had een vriendelijke en gastvrije manier van doen. Wanneer je je verbonden voelt met een godsdienstige gemeenschap, berust dat volgens mij voor een belangrijk deel op je relatie met de pastoor, de rabbi of wie ook. Ik vertelde dat ik lang en diep over het vormsel had nagedacht, dat het best mogelijk was dat ik het uiteindelijk niet zou halen, maar dat ik hoe dan ook meer over het katholieke geloof wilde weten. Ik was op zoek naar antwoorden.

'Waarom begint u niet met de godsdienstlessen om te zien hoe het gaat?' stelde hij voor.

Pastoor McGrath legde uit dat ik als onderdeel van mijn toetreding een cursus moest volgen om me voor te bereiden op het lidmaatschap van de katholieke Kerk. Hij benadrukte dat ik aan een ernstige reis begon. Hoe zouden mijn verwachtingen, normen en waarden het houden tegenover hetgeen ik wellicht tijdens de lessen zou leren? Ik kon het niet met zekerheid zeggen, maar ik was klaar voor de volgende stap.

In de maanden na Tommy's dood gebeurde het dikwijls dat ik op het punt stond mijn geloof te verzaken. Als iets iemands geloof in God op de proef stelt, is het wel de moord op duizenden onschuldige mensen uit naam van religie. Ik heb een vriend die zijn geloof na Tommy's dood heeft opgegeven. Die vriend had een paar jaar daarvoor plotseling zijn zus verloren en Tommy's dood was hem een sterfgeval te veel. Hij geloofde niet meer dat er een goddelijke kracht in de wereld werkzaam was. Er waren momenten dat ik zijn logica wel kon volgen.

Maar hoewel ik vraagtekens zette bij mijn geloof, liet ik het niet varen. Zelfs in mijn meest neerslachtige momenten had ik het te druk met kwaad zijn op God om hem ervan te beschuldigen dat hij niet bestond. Er waren te veel vragen die om antwoord schreeuwden, voordat ik hem zou opgeven. Waarom hebt U mij Tommy afgepakt? Hoe kon dit gebeuren? Waarom hij? Waarom zijn er zoveel mensen in naam van de godsdienst vermoord? Ik had geleerd dat iemand na zijn dood naar 'een betere plek' gaat, en hoewel ik wist dat de gedachte dat Tommy in de hemel was een troost voor me zou moeten zijn, wilde ik nu weten hoe het op die 'betere plek' was. Waar is de hemel? Wat gebeurt daar?

Er waren geen eenvoudige antwoorden en ik had het gevoel dat ik niets voor zoete koek kon aannemen. Maar ik moest keuzes maken. Ik kon het contact met het gevoel van gemeenschap en troost dat ik in de Kerk vond kwijtraken, of ik kon besluiten mijn geloof op de proef te stellen. Hoewel mijn besluit om katholiek te worden oorspronkelijk was ingegeven door het verlangen om naast mijn man te worden begraven, besloot ik nu dat het mijn doel was de godsdienst te bestuderen om die beter te begrijpen. De afgelopen jaren was mijn doel geweest 's morgens op te staan en het einde van de dag te halen. Zo'n gewichtig nieuw doel was een grote stap.

Mijn klas bestond uit zes 'kandidaten'. Iedere week namen we de schriftlezing van de voorgaande zondag door om te bespreken wat een en ander voor ons betekende. Tijdens die besprekingen merkte ik dat ik voor het eerst sinds lange tijd theologische onderwerpen besprak. Het ging er niet alleen om antwoorden op mijn vragen te vinden; ik had ook een omgeving gevonden waarin mensen ontspannen van gedachten konden wisselen over geloof, twijfel, betekenis en toewijding. Iedere keer was er een nieuwe les en iedere les leek mijn geest zich meer los te maken van wat ik kwijt was, om zich vervolgens te richten op wat ik wel had. Ik begreep dat het voordeel van godsdienstig onderricht in die fase van mijn leven – in plaats van het als kind opgedrongen te krijgen – was dat ik waardering voor het leerproces kon opbrengen. Ik begon me op de maandagavond te verheugen.

Ik had een heleboel vragen. Wat ons discussieonderwerp ook was, het leek wel alsof het me altijd lukte om het gesprek te brengen op wat mij het meest bezighield. Wat gebeurt er als iemand doodgaat? Wat gebeurt er met zijn lichaam? Wat gebeurt er wanneer hij zonder laatste sacramenten sterft? Waar is de hemel? Hoe is het daar? Zal ik mijn man weerzien? Zal ik hem herkennen? Zal hij weten wie ik ben?

Mijn leraar wees me op een passage in Openbaringen die me hielp mijn vrees dat Tommy leed te overwinnen: 'En God zal alle tranen van hun ogen afwissen; en de dood zal niet meer zijn; noch rouw, noch gekrijt, noch moeite zal meer zijn; want de eerste dingen zijn weggegaan.' Het bezorgde me een zekere rust dat Tommy niet hoefde te lijden, dat hij op een plek zonder verdriet was.

Wat ik er leerde was een aansporing om steeds minder 'waarom?' te vragen en in plaats daarvan te bidden om hoop, wijsheid en aanvaarding. De lessen hielpen me om mijn brandpunt te verleggen, om een punt te zetten achter mijn geobsedeerdheid met Tommy's dood en datgene te waarderen wat hij me tijdens zijn leven had gegeven. Ik wist dat Tommy op de dag van zijn dood vrede had met zichzelf, met zijn geloof, met zijn familie en met mij. Daar wilde ik heen: naar datzelfde gevoel van vrede. Het zou nog heel lang duren voordat ik erin slaagde dat wat ik leerde echt tot me te laten doordringen – dat proces is nog steeds gaande – maar de zaadjes waren geplant.

In het voorjaar van 2004 was ik na zeven maanden studie eindelijk klaar voor het heilig vormsel. Een aardig doopsgezind meisje dat op het punt staat het vormsel te ontvangen. Beter laat dan nooit, hield ik mezelf voor. De mis ter ere van mijn vormsel vond de zaterdagavond voor Pasen plaats, en de club wilde met alle geweld naderhand een feest geven. Matt zou er ook bij zijn. Ik kocht voor de gelegenheid een nieuwe jurk, een kleurrijke, turquoise feestjapon. Na zoveel jaar anderen ter communie te hebben zien gaan, liep ik trots naar de priester, nam de hostie, maar vergat de wijn. Het was duidelijk dat ik nog wat meer oefening nodig had. Toen mijn vrienden en vriendinnen ter communie kwamen, liepen ze langs de bank waar ik geknield zat. Ze glimlachten stuk voor stuk naar me en staken hun duim omhoog, en mijn hart zwol. Ik voelde me net Jimmy Stewart aan het eind van *It's a Wonderful Life*. In Korintiërs staat: 'En al ware het, dat ik al het geloof had, zodat ik bergen verzette, en de liefde niet had, zo ware ik niets.' Op de bewuste dag, omgeven door vrienden, had ik het gevoel dat ik geloof en liefde had. Ik voelde me echt een geluksvogel.

Het was geweldig dat Matt erbij was. De afgelopen maanden hadden we elkaar steeds vaker gezien. Hij verraste me met heimelijke afspraakjes: dan sprak hij ergens in de City met me af en had hij allerlei leuke dingen in petto. Hij bracht altijd bloemen voor me mee en grappige cadeautjes van zijn reizen. Hij was het soort man dat ik in mijn leven wilde. Hij bezorgde me nooit een schuldgevoel en voelde zich niet bedreigd door mijn verleden. Hij begreep mij en mijn situatie. Hij wist me te troosten als ik een slechte dag had. Op een keer stuurde hij me een e-mail met een citaat van Anne Bradstreet: 'Zonder winter zou de lente niet zo aangenaam zijn; als we niet zo af en toe de smaak van tegenslag proefden, zou voorspoed niet zo welkom zijn.' Ik vond zijn levensvisie heerlijk – zijn lijfspreuk was: 'Vanaf een hoog punt is het uitzicht altijd beter.' Hij was gul, zelfverzekerd en volwassen. Ik wist dat ik deze relatie met Matt met beide handen moest aangrijpen.

Toch vond ik het nog steeds moeilijk om me te laten gaan en me volledig aan de relatie over te geven. Een deel van me vond altijd dat de omgang met Matt verraad was aan mijn liefde voor Tommy. Ik kon mijn hart niet opsplitsen. Dikwijls voelde ik me verscheurd.

CLAUDIA:

Toen ik John leerde kennen, waren Kathleen en ik nog steeds bezig met de voorbereiding van de verbouwing van het appartement dat ik met Bart had gedeeld. Naarmate de relatie vorderde, naderde het moment dat er spijkers met koppen geslagen moesten worden. Kathleen stelde voor dat we het project zouden beperken.

'Je bent niet goed wijs om zoveel geld uit te geven aan een appartement waar je nooit gaat wonen, Claudia. Je hoeft dit niet als eerbetoon aan Bart te doen.'

Kathleen begreep hoe serieus het was tussen John en mij. Ik voelde me voldoende bij haar op mijn gemak om te kunnen praten over een huwelijk en eventueel een gezin met John in de toekomst. Ze had me altijd prettig en onvoorwaardelijk gesteund. Dus schrapten we de plannen voor grote ingrepen en deden we het met wat we hadden: we plaatsten nieuwe keukenkastjes, vervingen eindelijk mijn doorgezakte vloeren en kochten nieuw meubilair voor de woonkamer.

Toen we klaar waren om aan het werk te gaan, moest ik alles inpakken en in de slaapkamer opslaan. Dat was een kans om door mijn spullen te gaan en te besluiten wat ik zou houden en wat ik aan het Leger des Heils zou geven. Er waren nog heel veel dingen van Bart in het appartement en ik wist dat ik ze niet allemaal kon bewaren. Ik richtte me op de dingen die ik belangrijk vond. Ik moest bijvoorbeeld besluiten wat ik moest doen met die ene nog overgebleven Dove-reep in de diepvries.

Bart was een vreselijke zoetekauw en na het eten wilde hij altijd iets lekkers. Zijn lievelingstoetje was pure chocola met vanille-ijs. Mijn man was een purist. Er lag nog één Dove-reep in de doos, maar toen het werk aan de verbouwing begon, wist ik dat ik de diepvrieskast zou moeten ontdooien. Ik kreeg een meesterlijk idee. Ik besloot het ijsje weg te gooien, maar de doos te bewaren en weer terug te zetten in de diepvrieskast wanneer de keuken klaar was.

Op een dag had ik een vriendin op bezoek om me te helpen. Ik had haar niets verteld over de voor mij grote waarde van de lege Dove-doos, en toen ze hem zag staan, gooide ze hem natuurlijk weg.

De tweeënhalf jaar dat Bart er niet meer was, was die doos heel veel voor me gaan betekenen. In het begin maakte hij me aan het huilen omdat ik Bart erg miste. Later werd ik, wanneer ik de deur van de vrieskast opende, razend door het besef dat Bart nooit meer een ijsje zou eten. Maar heel onlangs was die doos een glimlach op mijn gezicht gaan brengen. Ik kon me Bart voorstellen met zijn Dove, genietend van zijn dessert. Ik herinnerde me dat hij me altijd plaagde omdat hij wist dat ik er ook een wilde, maar dom genoeg was om me niet te buiten te gaan. Nu bracht het verlies van de doos me in tranen. Toen de verbouwing van het appartement klaar was, ging ik nerveus naar de vrieskast en wilde ik gewoon dat die doos er zou staan. Maar naarmate de tijd verstreek, begreep ik dat ik die doos niet meer nodig had. Telkens wanneer ik de vrieskast opende, moest ik eraan denken en dan kreeg ik toch een glimlach op mijn gezicht. Mijn herinneringen aan Bart zaten niet in die doos. Die herinneringen waren van mij en zou ik altijd in mijn hart meedragen. Iets wat je je kunt herinneren, kan je met geen mogelijkheid worden afgepakt.

Door de voorbereidingen voor de verbouwing had ik minder bezittingen. Maar het besef dat Bart altijd in mijn herinnering zou zijn, maakte de weg vooruit mogelijk.

PATTIE:

Begin mei was ik in Italië. Mijn reis was begonnen als een kort zakenreisje naar Londen. Vervolgens zei ik aan tafel bij mijn oude vriendin Kara, die in Londen woont, dat ik erover dacht om de verjaardag van Caz het volgende weekeinde in Italië te vieren. Kara wilde direct weten waarom ik mijn verblijf niet verlengde en rechtstreeks van Londen naar Rome vloog. Tenslotte was de verjaardag van Caz al over een week.

'Nou, daar zeg je wat,' zei ik, 'maar ik kan niet.'

'Waarom niet?' vroeg Kara.

'Nou, er gebeurt gewoon een heleboel en het kan gewoon niet, en mijn collega James vertrekt over twee weken en er komt een nieuw iemand in ons team. Ik heb een nieuwe baas. Het gaat gewoon niet.'

'Je moet!'

De stem van Caz voegde zich vanbinnen bij het koor. 'Je moet...'

Maar opeens van koers veranderen is niet iets wat me makkelijk afgaat, en ik bleef maar excuses verzinnen totdat... nou ja, het idee aanlokkelijk begon te worden. Aan het eind van de maaltijd en na nog een paar glazen wijn zag ik in hoe verstandig Kara's idee was. Misschien was in Engeland blijven voordat ik naar Italië zou vliegen wel belángrijk voor me. Hoewel ik er eerlijk gezegd doodsbenauwd voor was om terug te keren naar een plek die ik zo sterk met Caz associeerde, leek het me een logisch plan.

De tweeënhalf jaar daarvoor had ik me bijna honderd procent aan mijn werk gewijd. Ik werkte over, ook in de weekeinden, en zette me altijd honderd procent in. Het werk was een anker. In een tijd dat ik me intens verloren voelde, hield ik me vast aan mijn vertrouwde werk.

Maar ik besefte wel dat ik me niet voorgoed in mijn werk wilde begraven.

Sinds de dood van Caz besefte ik hoe prachtig, broos en kort ons leven is. Ik was me er constant van bewust dat ik maar een beperkte tijd had op deze aarde, en dat ik daar het beste van moest maken.

De volgende morgen stuurde ik een e-mail naar de club om mijn reis aan te kondigen.

> Goed, dames, ik heb het geflikt! Ik ben trots op mezelf en ook een tikje bang. Ik zit sinds eind vorige week voor zaken in Londen en heb besloten te blijven. Zo meteen ga ik mijn baas e-mailen om te zeggen dat ik de komende twee dagen vanuit ons kantoor hier ga werken en vervolgens de rest van de week naar Italië ga. Of ik gek ben? Het spijt me dat ik er woensdag niet bij kan zijn, maar ik vind dat ik deze kans moet grijpen. Claudia, weet jij een goed hotel bij Rome of Florence? De temperatuur is maar rond de achttien graden, dus misschien is de kust niet wat ik zoek.
> Ik hou van jullie. Bid voor me!

Van: Gerbasi, Claudia

Oké, ik ben héééél blij voor je. We hebben in het leven altijd het meest spijt van kansen die we niet gegrepen hebben. Het lijkt me een fantastisch plan. Ik weet niet zoveel over hotels in Rome, maar als je buiten Florence wilt zitten, moet je Villa Medici nemen of ín de stad het Savoy. Pattie, ik ben heel trots op je en heel opgewonden; onze vrouw van de wereld!

luew

Van: Collins, Julia

Hé, vrouw van de wereld!!! Joehoe! Ik ben erg blij met je beslissing... DOEN! Volgens mij heb ik het verkeerde werk... Ik zit voor zaken in Wasau, Wisconsin, te bevriezen en jij gaat naar ROME! Er zit echt iets goed fout, ha ha! Je doet het goed en wij drieën zullen woe-av op je proosten! xoxxo loving you, echt waar!!!

Van: Haynes, Ann

Goed zo, meid! Zo doe je dat, Pattie!!! Wat er ook gebeurt, haal eruit wat erin zit; je hebt bewezen dat je het kunt. Hij zit je daarboven toe te juichen; geniet van de wijn, van het eten en van jezelf vinden. luew.

Inderdaad, hoorde ik mezelf zeggen. Het zou verkeerd zijn om géén profijt te trekken van het feit dat ik al in Europa zat. Waarom zou ik eerst terug naar New York vliegen?

De dag daarop e-mailde ik naar mijn werk om te vertellen over mijn plan om in Londen te werken. Het antwoord van mijn baas was:

Maak je deze week maar geen zorgen over New York. Volgens mij heb je James en mij inmiddels goed

ingewerkt en we redden ons best. Groetjes aan de
koningin en Tony Blair!

Dus boekte ik mijn reis naar Rome met eerst een paar dagen in een vakantieoord aan de Toscaanse kust. Drie dagen later, nadat ik via de e-mail vanuit Kara's kelder had gewerkt, stapte ik op het vliegtuig naar Rome.

Op de heenreis stelde ik me Italië voor zoals ik het de laatste keer had verlaten: blauwe lucht en zilverkleurige olijfgaarden, sappige groene heuvels met bovenop dorpjes die in de zon liggen te sudderen. Toen ik in Rome uit het vliegtuig stapte, regende het pijpenstelen. Het bleef regenen tijdens de treinreis naar het hotel. De volgende drie dagen bracht ik slapend en lezend door op mijn kamer of sloeg ik de stromende regen gade op de golven voor mijn raam. Ik vond het niet erg; de regen had zelfs iets rustgevends. Ik genoot van uitgebreide lunches met heerlijk eten en verrukkelijke wijn en probeerde de tijd te gebruiken om na te denken over mijn voortdurende worsteling met het eeuwige raadsel van zijn oorverdovende afwezigheid: dat iemand die hier ooit met mij was geweest er niet meer kon zijn.

Na een paar dagen nam ik de trein terug naar Rome. In die adembenemende stad wandelde ik van de ene bezienswaardigheid naar de andere – de Spaanse Trappen, het Colosseum, het Forum, het Pantheon, Trastevere en het Piazza Navona. Ik liep naar het St. Pietersplein – de Piazza San Pietro – en ging boven aan de trap staan met mijn rug naar de kolossale basiliek. Ik leunde met mijn rug tegen een van de reusachtige zuilen die de voorgevel ondersteunden en liet mijn hele gewicht ertegenaan rusten. De laatste keer dat ik hier had gestaan was met Caz. Of droomde ik? Was ik echt getrouwd geweest?

Hier had Caz me ten huwelijk gevraagd.

Dat was een verrassing die Caz met buitengewoon veel zorg had voorbereid. Hij was zelfs zo ver gegaan om met mijn baas onder een hoedje te spelen. Die zorgde ervoor dat ik de avond tevoren naar een vergadering in Chicago moest, zodat Caz mijn koffer kon pakken voor ons vertrek naar Italië.

Het was echt iets voor Caz om zo'n duivels ingewikkelde verrassing te organiseren. Na mijn nacht in Chicago – waar mijn vergadering op mysterieuze wijze niet doorging – stapte ik op de reeds geboekte vlucht naar La Guardia in New York. Toen ik uitstapte, werd ik door Caz met een brede glimlach op zijn gezicht opgewacht.

'Ik dacht, ik ga je een keertje afhalen,' grijnsde hij.

'Waarom?' vroeg ik. 'Dat heb je nog nooit gedaan.' Het was duidelijk dat hij iets in zijn schild voerde.

Caz gaf me een cadeau, dat verpakt was in papier met panterprint. Hij sprong op en neer van opwinding. Terwijl ik het openmaakte, keek ik hem enigszins argwanend aan.

Tjonge, een Gucci-tas. Geweldig, want Caz was het weekeinde daarvoor net uit Londen teruggekeerd en had niets voor me uit de *duty-free* meegenomen. Het was een interessante manier om mij mijn cadeautje te geven, maar Caz was nu eenmaal altijd op zoek naar mogelijkheden om me te verrassen.

'Maak de rits open!' beval Caz, en hij wapperde met zijn armen van opwinding.

In de tas zat een boek dat was verpakt in hetzelfde papier. Het was een reisgids van Rome. Caz wist dat Rome mijn favoriete stad was en ik nam aan dat de keuze van het boek iets met de Italiaanse ontwerper Gucci te maken had.

'Wat? Wat is er aan de hand?' vroeg ik.

'Maak het boek maar open!' zei hij.

In het boek zat een dun cadeau in hetzelfde papier. Daar zaten vliegtickets naar Rome in.

'Te gek! We zijn echt aan vakantie toe.' Ik sloeg mijn armen om hem heen en bedankte hem omdat hij zo attent was.

'Nee!' riep Caz. 'Kijk eens naar de tickets!'

Ik keek nog eens. Inderdaad, naar Rome. Wacht eens even, wat was het vandaag?

We gingen vandáág naar Rome. Over twéé uur.

We stapten in een taxi en Caz gaf de chauffeur opdracht om ons naar het vliegveld JFK te brengen. Ondertussen legde ik aan Caz uit dat ik niet over twee uur naar Italië kon, omdat ik nog moest pakken.

'Al gedaan,' zei Caz. 'Je koffer zit achterin.'

'Ik moet het tegen Fran zeggen, en tegen mijn ouders.'

'Heb ik al gedaan.'

'Ik moet het tegen mijn baas zeggen.'

'Heb ik al gedaan.'

Ik kon niet weten dat de hele wereld van dit reisje wist behalve ik.

Toen we tien uur later in ons hotel in Rome arriveerden, wachtten er bloemen en champagne in de kamer, met een kaartje waarop stond: DE HEER EN MEVROUW CARRINGTON. Interessant, dacht ik.

Ondertussen had Caz een plan en een plattegrond. De bedoeling was om een lange wandeling in de richting van Vaticaanstad te maken en onderweg ergens te lunchen. Dat leek me een prima idee. Ik vind niets zo heerlijk als flaneren door een Europese stad, vooral door Rome. Caz en ik pauzeerden voor een glas wijn, keken af en toe rond in een winkel, poseerden voor een foto en lazen in de gids. We kochten hoorntjes gelato, natuurlijk met ieder twee bolletjes zodat we vier smaken konden proberen.

Toen we bij de Trevi-fontein kwamen, ging de zon onder en werd het fris. Caz hing zijn sportjack om mijn schouders. Maar toen ik mijn hand in het jack stak op zoek naar een muntje om in de fontein te gooien, sprong hij op me af om me een munt uit zijn zak te geven. Waarom deed mijn vriend zo raar? Waarom mocht ik mijn hand niet in de zak van zijn jack steken? Waarom moesten we spoorslags naar Vaticaanstad?

Zij aan zij wierpen we een muntje over onze linkerschouder en deden een wens. De mijne was dat we maar gezond en gelukkig mochten blijven. Ik weet niet wat Caz wenste.

We liepen over de lange, brede boulevard naar Vaticaanstad. Bij de ingang van de Sixtijnse kapel kreeg Caz tot zijn ongenoegen te horen dat die al dicht was. In de heerlijk koele, heldere, Italiaanse avondlucht liepen we naar het St. Pietersplein. Voor de trap stonden rijen stoelen opgesteld ter voorbereiding van de paasviering in de loop van die week. Midden op de verder verlaten piazza, ging Caz door de knieën.

'Lieve schat, ik wil de rest van mijn leven aan jouw zijde doorbrengen. Ik wil jou als partner, want ik hou van je en ik wil voor je zorgen.'

Ik giechelde. Caz was een grappenmaker. Als we bij elkaar waren, moest ik heel vaak lachen.

Maar Caz leek niet meer te glimlachen. Hij meende het.

'Jij maakt een beter mens van me,' zei hij.

Dat vond ik ook. Dat gevoel was wederzijds.

'Maar waarom zit je geknield?' vroeg ik, nog steeds giechelend.

'Pattie, wil je voor eeuwig de mijne zijn? Wil je deze ring aannemen als teken dat we verloofd zijn?'

De tranen biggelden me over de wangen toen ik in zijn armen sprong.

'Ben je niet blij?' vroeg hij.

Ik lachte en huilde tegelijk. Ik kon niets uitbrengen. Natuurlijk wist hij al dat het antwoord ja was.

Die avond aten we bij Il Convivio, een restaurant aan de Piazza Navona. We waren in de wolken. Ik weet nog dat ik naar Caz keek en dacht: dit gebeurt écht. Dit is de man met wie ik een gezin wil hebben en oud wil worden. Dit ís hem. Dit zijn wíj. En tegelijkertijd voelde de relatie als nieuw, alsof het een eerste afspraakje was. Er was een nieuw soort opwinding dat zijn uitwerking op ons tweeën niet miste.

De volgende dag besloot Caz dat we genoeg gelopen hadden en een Vespa moesten huren om rond te rijden. Dat was onze manier om zo volledig mogelijk deel te nemen aan het leven in de stad waarin iedereen zich op een scooter voortbeweegt.

's Lands wijs... Ik hield me vast alsof mijn leven ervan afhing en we spotten op iedere kruising met de dood.

Vier jaar later stoof ik niet meer door Rome, maar volgde ik langzaam en bedroefd ons voetspoor en probeerde ik de ervaringen met Caz te laten herleven. Dit reisje was het gevolg van een avontuurlijke impuls, maar nu voelde het bijna dwaas. Ik probeerde een onmogelijk verlangen te stillen. Ik kon de tijd niet terugdraaien. Met hier zijn kreeg ik Caz niet terug. Ik wilde niet alleen een gelato eten. Het was niet hetzelfde. Ik kon niet volledig opgaan in deze ervaring. Ik stond erbij en keek ernaar.

Van de Piazza San Pietro wandelde ik naar het Colosseum. Waar ik ook ging, zag ik stelletjes op Vespa's op weg naar weet ik wat, en het geluid van hun motoren klonk als een zwerm muggen. Afgemat van een dag lopen ging ik op een bankje zitten. Voor me lag het Colosseum; ruïnes alom. Ik keek naar de auto's en scooters die om het monument uit de oudheid cirkelden.

Ik hield mezelf voor dat ik opnieuw in de flow moest zien te komen. Het leven spoedde zich zonder mij voort. Ik stond aan de zijlijn.

De dingen veranderen, zei ik tegen mezelf. Zo is het leven nu eenmaal. Het overkomt jou en uiteindelijk overkomt het iedereen. Maar je mag het leven niet door je vingers laten glippen. Je moet in beweging blijven, net als die Vespa's.

Stel je voor dat Caz die reis naar Italië niet had georganiseerd. (Hij had me in de Sixtijnse Kapel ten huwelijk willen vragen en was bereid ervoor naar het hoofdkantoor te gaan). Stel je voor dat we hier nooit waren geweest. Stel je voor dat we geen scooter hadden gehuurd. Stel je voor dat we geen gelato hadden gegeten en niet bij zonsondergang bij de Trevi-fontein hadden gestaan. Dankzij mijn tijd met Caz was mijn leven rijker geworden. Het was armer zonder hem. Maar ik wilde niet dat mijn herinneringen bij hem ophielden.

Die avond ging ik van mijn hotel naar Il Convivio om te eten.

Bij aankomst merkte ik dat het restaurant vol was. Het was niet bij me opgekomen om maar voor één persoon te reserveren. Toen ik weer op de Piazza Navona stond, strekten zich lange, donkerblauwe schaduwen uit over het hele plein. Ik zigzagde tussen de groepjes toeristen en autochtonen, teleurgesteld omdat ik was vergeten te reserveren.

Maar ineens realiseerde ik me dat het misschien niet de bedoeling was dat ik in Il Convivio at. Misschien moest ik iets nieuws proberen. Misschien moest ik een nieuwe herinnering voor mezelf creëren. Die avond at ik in mijn eentje in een nieuw restaurant en zoog ik de bezienswaardigheden, geuren en klanken van mijn laatste avond in Italië op.

Bijna direct na terugkeer verbrak ik de relatie met Stanley. Ik legde uit dat ik besefte dat we samen geen toekomst hadden en dat ik voelde dat ik niet met hem door kon. Stanley had me heel veel gegeven. Hij had me duidelijk gemaakt dat ik weer samen met een partner kon zijn en dat ik iemand kon liefhebben. Maar er was gewoon nog geen plek voor hem in mijn hart, noch voor iemand anders. Ik vertrouwde erop dat ik ooit wel zover zou zijn, alleen was ik dat op dat moment nog niet.

ANN:

Dat voorjaar onderging het bedrijf waarvoor ik werkte een kolossale reorganisatie. Er zouden veel mensen worden ontslagen of overgeplaatst. Bijna iedereen in het kantoor in New York kreeg ermee te maken. Ik wist dat overplaatsing naar een andere stad geen optie zou zijn. Ik kon mijn kinderen niet ontwortelen en bovendien was hier mijn sociale vangnet.

Er lag ook een heel fraaie afvloeiingsregeling op tafel. Misschien was ik wel klaar voor deze verandering. Bovendien had ik een geweldig idee over wat ik kon gaan doen. Ik wilde mijn vaardigheden benutten en tegelijkertijd meer tijd met mijn gezin doorbrengen. Ik wilde financiële counseling gaan geven aan vrouwen die weduwe waren geworden of gescheiden waren, om hun betere informatie over en meer zelfvertrouwen over hun financiën te verschaffen. In de loop der jaren had ik in mijn werk talrijke vrouwen leren kennen die bang waren om geldzaken aan te pakken. Velen waren opgevoed in de overtuiging dat er altijd wel redding zou komen als het op financiële kwesties aankwam. Veel vrouwen waren domweg zo bang om met geld om te gaan dat ze liever hun kop in het zand staken. Ik wist hoe moeilijk dat kon zijn. Wanneer een vrouw om wat voor reden ook alleen komt te staan omdat ze weduwe wordt of gaat scheiden, moet ze afgezien van het verdriet van haar verlies ook nog de touwtjes van haar financiën in handen nemen, een taak die ze daarvoor misschien met haar man deed of helemaal aan hem overliet. Ze moet in haar eentje heel belangrijke beslissingen nemen. Voor míj was het al een hele opgave geweest om na Wards dood de gezinszaken op orde te krijgen, en ik had twintig jaar ervaring in financiële dienstverlening!

Als ik mijn idee in praktijk wilde brengen, betekende dat toch dat ik de zekerheid van mijn baan moest inruilen voor een enigszins onzekere toekomst. Vlak na Wards dood had ik de vastigheid van mijn werk hard nodig om mezelf overeind te houden. Naar een vertrouwd kantoor gaan waar ik verantwoordelijk was voor mijn cliënten, gaf me de kans mijn eigen problemen te ontvluchten. Maar nu waren we tweeënhalf jaar verder en waren mijn prioriteiten verschoven; ik was klaar om aan die problemen te wérken. Niettemin was het vooruitzicht om niet meer te werken voor het bedrijf dat ik twintig jaar had gediend behoorlijk angstaanjagend.

Instinctief zag ik Ward al instemmend knikken. Ik hield Wards optimistische instelling hoog. Toen we erachter kwamen dat ik zwanger was van de tweeling, gaf Ward zijn werk als fotoredacteur van een groot sporttijdschrift eraan om een baan in de financiën te nemen. Dat was het soort werk waar meer kans was om hogerop te komen en meer te verdienen. Ward was niet voor de financiële wereld opgeleid. Toen hij begon, wist hij weinig van de termijnhandel en niets over de tussenhandel. Hij kreeg niet alleen zijn vak onder de knie, maar hij leerde het ook goed. Zijn cliënten werden zijn bondgenoten. Ward beschikte over een vriendelijk en ontspannen soort zelfvertrouwen dat mensen aantrok en waardoor ze graag zaken met hem deden. Zijn natuurlijke aanleg werd de sleutel van zijn succes. Voor hem kwam de stimulans om van baan te veranderen door de twee-ling, maar hij ontdekte vaardigheden waarvan hij het bestaan anders misschien niet had geweten en belandde in het soort werk dat hij heel erg leuk vond.

Wanneer ik vroeger met een beslissing worstelde, herinner-de Ward me aan een gekoesterde uitspraak van zijn grootvader: 'Het leven is geen generale repetitie.' Zo leefde Ward. Al bij on-ze kennismaking voelde ik zijn vermogen om het breed te laten hangen en bij de dag te leven, en dat bewonderde ik in hem. Ward zag altijd de zonzijde van het leven; hij had een heel po-sitieve instelling. Nu begon ík me die hoedanigheden eigen te maken. Nu was ik degene die geen enkele kans wilde missen om zo veel mogelijk uit het leven te halen.

Ik zag in hoe fortuinlijk ik was om die keuzen te kunnen ma-ken over mijn werk en me daardoor sterker te voelen. Ik wist dat we ons huis niet hoefden op te geven als ik mijn baan op-zegde; dat ik Elizabeths verzorging kon betalen en dat TJ en Billy konden gaan studeren. Mijn afvloeiingsregeling zou me helpen de overgang naar mijn nieuwe levensfase mogelijk te ma-ken.

En wat was nu eigenlijk het ergste wat kon gebeuren? Ik had de afgelopen tweeënhalf jaar heel veel geleerd en was er sterker door geworden. Stel dat ik het niet leuk vond om alleen te wer-ken, of dat mijn eigen onderneming flopte? Zelfs bij het zwart-ste scenario wist ik dat ik gaandeweg al heel veel zou hebben geleerd, voorál van een eventuele mislukking. Als ik het niet pro-beerde, zou ik moeten leven met spijt dat ik nooit zou weten wat ik misschien voor elkaar gebokst zou hebben, of hoe het mij zou hebben veranderd.

Ik verheugde me erop om mijn tijd en kennis in dienst van anderen te stellen. Misschien wás ik wel de geknipte persoon om te helpen het proces voor anderen wat makkelijker te maken. Opeens voelde mijn leven ongelooflijk rijk en vol van kansen en mogelijkheden tot ontplooiing, en ik wilde mijn tijd niet verdoen aan dingen die niet aan dat gevoel bijdroegen.

Ik had ook het gevoel dat Ward op de een of andere manier voor mij en de kinderen zou blijven zorgen. Vanaf de kennismaking stond hij altijd op het standpunt van 'het komt wel goed'. Ik liet me leiden door zijn innerlijke overtuiging. Ik voelde hoe hij in de hemel over ons waakte en dat gaf me rust. Ik móést geloven dat het wel goed zou komen, omdat hij een oogje in het zeil hield.

Op een avond vroeg ik de club in de taxi op weg naar een etentje: 'Wat moet ik doen? Die afvloeiingsregeling kiezen? Ik heb het gevoel dat dit een geweldige kans voor me is, of ben ik helemaal gek geworden?'

Als uit één mond riepen ze: 'Doen!' Zonder aarzeling, zonder twijfel: volledige steun.

23 ❖ Stel dat

Tommy en Julia

JULIA:

In mei was mijn verjaardag weer in aantocht en ik besloot dat ik dit jaar een rustige avond met de club wilde. De locatie was ook mijn voorstel: Felidia, een Italiaans restaurant in de Upper Eastside.

De eerste reactie van de club was: 'Weet je dat wel zeker, Julia?' Niet omdat ze liever naar een ander restaurant wilden, maar omdat ze de betekenis van Felidia kenden.

Dit was het restaurant waar ik met Tommy en zijn goede vriend Tim Byrne op dinsdagavond 11 september 2001 zou gaan eten.

In die tijd dacht ik nog dat met je man en zijn vriend kunnen gaan eten met een levenslange garantie gepaard ging. De twee mannen met wie ik zou gaan eten hebben de terreuraanval geen van beiden overleefd. Tweeënhalf jaar later kon ik maar net de moed bijeen rapen om naar Felidia te gaan.

Op de avond van mijn verjaardag had ik vroeg met de club afgesproken en ik besloot om te voet naar het restaurant te gaan omdat ik tijd nodig had om na te denken. Voor het restaurant haalde ik diep adem en ik ging naar binnen. Claudia en Ann zaten al aan de bar en begroetten me met de woorden: 'Hartelijk gefeliciteerd...'

Toen we iets bestelden, keek ik om me heen. Wat had ik hier verwacht?

Ik was er nog nooit geweest, maar ik had me er zoveel van voorgesteld dat ik, toen ik naar binnen ging, bijna had verwacht dat de hemel open zou splijten en Tommy en Tim verkleed als engelen halleluja zouden zingen...

Felidia was gewoon een restaurant, een heel mooi, chic restaurant, maar toch niet meer dan dat. Lichtgele wanden, onberispelijk witte tafelkleden op elk tafeltje en vazen met zonnebloemen. Het was het soort restaurant dat je misschien voor een speciale gelegenheid zou kiezen, zoals de verjaardag van je vrouw. Het was echt iets voor Tommy om gewoon op dinsdagavond in een restaurant als Felidia af te spreken.

Kort daarna kwam Pattie en gingen we naar boven naar ons hoektafeltje met uitzicht op de parterre. Inmiddels komen we er regelmatig. Claudia vroeg om de wijnkaart en bestudeerde de keus.

Het gesprek ging over en weer, over het werk en het weekeinde. Iedereen wilde Julia vragen hoe ze zich voelde, maar we wachtten af, omdat we beseften dat ze het antwoord op de vraag misschien nog schuldig moest blijven.

Voordat het eten werd opgediend, brachten we het onderwerp ter sprake.

'Hoe is het nu, Julia?'

'Zit je goed hier, of zullen we ergens anders heen gaan?'

'Nee,' antwoordde Julia. 'Het gaat prima. Ik ben bij jullie. Dat betekent heel veel voor me.'

We hieven het glas op Tommy, Tim Byrne en de andere Jongens.

We wisten dat we geen vervangers waren voor wat het had kúnnen zijn, maar we waren vastbesloten er het beste van te maken.

Julia had een nieuwtje.

'Vandaag heb ik met een collega gepraat,' zei ze. 'Een vriendin van haar heeft onlangs haar derde kind uit China geadopteerd. Ze heeft die vriendin de naam en het nummer van het adoptieagentschap gevraagd en mij haar e-mailadres gegeven, zodat ik de gang van zaken met haar kan bespreken.'

'Julia! Wat fantastisch...'

'Hoor eens, ik weet niet of ik er al dan niet klaar voor ben. In dit stadium weet ik niet eens of ik ervoor in aanmerking kom. Ik weet alleen dat ik me erg op een gesprek met die vrouw verheug.'

'Je zou een te gekke moeder zijn...'

'Nou, wie weet wat er allemaal gaat gebeuren,' zei Julia. 'Maar als ik besluit een kind te adopteren, zal het de drie beste peetmoeders krijgen die er zijn...'

Pattie zei er niets over tegen de rest, maar de reden dat ze aan de late kant was voor het eten, was dat John haar had gebeld toen ze op het punt stond haar kantoor te verlaten. Hij wilde haar advies voor een verlovingsring voor Claudia. Moest het een enkele steen worden, of drie op een rijtje? Pattie en John lieten zich zo meeslepen door de opwinding over die ring dat ze verloving, bruiloft en huwelijksreis praktisch al in kannen en kruiken hadden voor het eind van het tien minuten durende gesprek.

Toen Pattie in het restaurant arriveerde, was ze zo opgewonden van het goede nieuws, dat ze niet wist hoe ze haar permanente glimlach voor de rest moest verbergen.

'En hoe is het met jou?' vroeg Pattie met haar beste uitge-strekenen gezicht aan Claudia.

'Nou, het is leuk dat je het vraagt,' antwoordde Claudia, 'om-dat ik me heel lekker voel. Volgens mij gaat John me eerdaags ten huwelijk vragen.'

Pattie onderdrukte een gilletje.

'Wat?' Wacht eens even, dacht Pattie, hoe kan zij dat weten?

'O, mijn god! Dat is geweldig nieuws,' vond iedereen.

Vervolgens vroeg Pattie: 'Maar hoe kom je daar zo bij?'

'Nou,' antwoordde Claudia, die zich afvroeg waarom Pattie zo geschrokken keek. 'Het is bijna een jaar geleden dat we el-kaar op mijn verjaardag leerden kennen. En je moet weten dat we een tijdje geleden hebben besproken dat het ons wel zo cor-rect leek om uit respect een jaar met de verloving te wachten. En hij doet de laatste tijd zo raar, alsof hij ergens opgewonden over is en het voor me probeert te verbergen.'

'Nou, reken maar nergens op,' zei Pattie in een poging om Claudia van de wijs te brengen. 'Misschien is het gewoon een surpriseparty...'

Toen Ann die bewuste avond in Felidia om zich heen keek, had ze het gevoel dat ze het enige lid van de club was dat proble-men met mannen had. Claudia stond op het punt zich met John te verloven. Pattie had er bewust voor gekozen om een punt achter haar relatie met Stanley te zetten, en Julia had iets met Matt. Wanneer Ann haar eigen situatie in ogenschouw nam, voelde ze zich verre van optimistisch. Ze had niemand en bo-vendien was ze het afgelopen jaar alleen maar van de wijs ge-bracht door haar relaties met leden van het andere geslacht.

Van ons vieren was Ann de enige die stappen had gezet om mannen te ontmoeten. Misschien was het omdat ze in een klei-ne plaats woonde waar zoveel mensen om haar gaven, maar Ann vond het makkelijk om contact met mannen te leggen. Met ie-dere man ging ze echter maar een of twee maanden om voor-dat ze besefte dat ze hem niet meer wilde. Er mankeerde altijd iets aan. Het was ofwel de verkeerde man, of, om wat voor reden ook, het verkeerde moment. Goddank was Ann intelligent en sterk genoeg om niet bij iemand te blijven die niet de ware voor haar was.

De afgelopen maand had Ann weer een vriend gehad. Van meet af aan had ze het gevoel dat de relatie waarschijnlijk geen toekomst had, maar het was een aardige man en ze dacht: misschien zit er toch iets in als ik het een kans geef. Uiteindelijk werd duidelijk dat ze hem op den duur alleen maar zou kwetsen als ze met hem doorging, dus had ze het uitgemaakt.

De meest recente mislukking had Ann van haar stuk gebracht. Stel dat die laatste geflopte relatie een slecht voorteken was? Ze besloot de anderen in vertrouwen te nemen. 'Ik blijf de man of het moment maar de schuld geven, maar misschien is dat het niet. Misschien ligt het wel aan mij,' zei ze.

We stelden haar gerust. Die angst kenden we allemaal. We maakten ons alle vier zorgen over de schade die was toegebracht aan ons vermogen om lief te hebben. Het was zo gevaarlijk om je hart weer voor iemand te openen. Liefde bracht direct het risico van verlies en pijn met zich mee.

'Maar ik word die cyclus van iemand leren kennen om het weer af te breken voordat het serieus wordt zo beu,' zei Ann. 'Ik geloof niet dat het me goed doet. Volgens mij moet ik gewoon een poosje alleen zijn. Maar ik blijf maar aan mijn leven met Ward denken en dat was gewoon zo veel vervullender...'

Ze barstte in tranen uit. Onze vriendin Ann was een van de sterkste mensen die we kenden. Voor de anderen was het altijd erg makkelijk geweest om op haar te steunen. Zij is iemand die overal de positieve kant van ziet en die ons het vertrouwen gaf dat de toekomst rooskleuriger zou zijn. Maar nu luisterden we naar haar en vertelde ze dat ze tot de slotsom was gekomen dat de ware Jacob misschien nooit meer zou komen.

De anderen wisten dat het ondenkbaar was dat iemand als Ann nooit meer verliefd zou worden. Maar we hadden altijd eerbied voor wat een andere weduwe voelde. De club zei nooit:

'Natuurlijk kom je wel weer iemand tegen.' We hebben geleerd niet vanzelfsprekend iets van het leven te verwachten. We hebben ook geleerd dat het leven niet altijd makkelijk, voorspelbaar, of eerlijk is.

Dus in plaats daarvan hadden we het erover wat een bofferds we waren dat we De Jongens hadden gekend. In zekere zin waren we vrijgesteld van de constante zoektocht naar romantische vervulling omdat we die al hadden gekend in ons leven. Misschien was het wel ondankbaar om te bidden voor meer dan de enorme hoeveelheid die ons al was gegeven. Intussen was het belangrijk om open te blijven staan voor een nieuwe liefde.

'Misschien hou ik wel helemaal op met mannen,' zei Ann met een dappere glimlach.

'Niet doen hoor,' grijnsde Julia. 'Een meisje moet tenslotte eten.'

24 ❖ Godsgeschenk

Ann en haar kinderen

ANN:

Wanneer ik met iemand ging stappen, was ik tot nu toe altijd hoopvol geweest. Ik ben van nature optimistisch. Ik geloofde echt dat het mogelijk was om weer tegen de ware liefde aan te lopen. Bij iedere nieuwe afspraak dacht ik: misschien ben ik er nu wel aan toe om weer iemand in mijn leven toe te laten.

Ik bleef uitnodigingen accepteren omdat ik naar een relatie hunkerde. Als iemand op me viel, me bijzondere aandacht schonk en mij tot prioriteit in zijn leven verhief, gaf me dat een goed gevoel. Dat was goed voor mijn ego; het bevestigde dat ik nog steeds begeerlijk was. Verstoken van Wards liefdevolle steun en na zo'n traumatische periode wilde ik best toegeven dat mijn gevoel voor eigenwaarde af en toe wel een injectie kon gebruiken.

Dat voorjaar besefte ik dat ik een poosje op eigen benen wilde staan. Ik wilde mezelf ervan overtuigen dat ik ook zonder partner een vervuld en gelukkig leven kon leiden. Belangrijker nog was dat ik wilde ontdekken dat ik het nog steeds zou redden, ook al zou ik een nieuwe liefde vinden en weer verliezen. Volgens mij is iedere weduwe, gescheiden vrouw, of vrouw wier hart is gebroken en die aarzelt om weer aan een nieuwe romance te beginnen, bang om gekwetst te worden en de persoon van wie ze houdt weer te verliezen. Als je weduwe wordt – misschien vooral als gevolg van een plotselinge dood – is de inzet extra hoog. Ook al zouden we allemaal zo'n fantastische man als John ontmoeten, een man met wie we eeuwig samen wilden blijven, hoe lang zou dat 'eeuwig' dan duren? En stel je het zwartste scenario eens voor: zou je zoiets twee keer in je leven kunnen verdragen? Voor een weduwe is de angst om je weer aan die mate van pijn bloot te stellen heel reëel. Je sluit je er instinctief voor af, als een natuurlijk en noodzakelijk verdedigingsmechanisme.

Na Julia's verjaardag maakte ik een periode door waarin ik opzettelijk met niemand uitging. Dat was goed. Ik voelde me onafhankelijk en veel tevredener met het alleen-zijn. Ik ging denken aan de eigenschappen die ik in een partner zocht, in plaats van alleen maar te hopen en te bidden dat iemand mij, een weduwe en moeder van drie kinderen, ooit nog zou willen. Ik wist dat ik iemand naast me wilde die een positieve instelling had, die van het leven genoot en die ik volledig kon vertrouwen. Als ik die kwaliteiten niet kon vinden, bleef ik liever alleen. Ik kwam tot rust, en die wetenschap gaf me een sterk gevoel.

Hoe sterker ik werd, vooral door die tijd alleen, des te meer ik ervan overtuigd was dat ik altijd mijn best zou doen om een vervuld leven te leiden. Ik wist dat ik sterk zou zijn, wat er ook op mijn pad zou komen, omdat ik al zoveel had overleefd.

Vervolgens ging ik aan het begin van de zomer tegen beter weten in toch weer met iemand uit. Toen die persoon me mee uit vroeg, legde ik meteen uit dat ik niet klaar was voor een relatie.

Maar zijn volharding bezorgde me een 'goed gevoel' over mezelf, dus nam ik de uitnodiging om ergens te gaan eten aan. Ik
hield mezelf voor dat ik open kaart had gespeeld; ik wilde geen
relatie. Julia's woorden 'een meisje moet tenslotte eten' weergalmden nog in mijn hoofd.

Het was een heel aangename avond. We moesten een paar
keer lachen en het eten was lekker, maar ik wist dat het daarbij
zou blijven.

Na het eten nam de avond plotseling een andere wending.
Toen we het restaurant uit gingen, controleerde ik toevallig mijn
mobiele telefoon. Acht boodschappen. Acht! Gelukkig bleken
ze allemaal van dezelfde persoon, mijn vriendin Karen, die klonk
alsof ze iets te veel had gedronken en dringend mijn aanwezigheid in een restaurant in de buurt verlangde. Ik verontschul-
digde me tegenover de man die me mee uit had genomen en
ging erheen.

Karen wachtte me op aan de bar. Ik vroeg hoe lang ze daar
al zat. 'Te lang en zonder voldoende te eten.' Ja, dat zag ik ook
wel. Karen zei dat ze me aan iemand wilde voorstellen.

En voor ik het wist, sleepte ze een man naar me toe.

'Kevin, dit is Ann. Zijn vrouw is net overleden,' zei ze. 'Ze is
vandaag begraven.'

Later kwam ik erachter dat Karen eerder op de avond aan de
bar naast een groepje onbekende mensen had gezeten. Ze wil
iedereen in Rye graag kennen, dus was ze nieuwsgierig naar deze mensen en wat ze daar deden. Ze stelde zichzelf voor aan de
vrouw op de kruk naast haar. Karen kreeg te horen dat het groepje net de begrafenis had bijgewoond van een vriendin die aan
taaislijmziekte was overleden. Ze werd voorgesteld aan Kevin,
de echtgenoot van de overleden vrouw. Toen Karen zag hoe hij
eraan toe was, besloot ze mij te bellen om te zien of ik kon komen om hem te troosten. Ze wilde de man helpen iemand te
vinden met wie hij kon praten, iemand die ook een partner had
verloren.

Toen Karen ons had voorgesteld, bood ik hem mijn condo-

leances aan en zei ik dat ik enig idee had van de pijn die hij doormaakte. De aanblik van Kevin – fysiek en emotioneel volkomen
uitgeput – bracht natuurlijk herinneringen naar boven aan de
avond van de herdenkingsdienst voor Ward. Ik herinnerde me
precies hoe dat voelde. Het verdriet tekende zich af in alle spieren van Kevins gezicht. Ik besefte dat het café waarschijnlijk de
beste plek voor hem was, hoezeer hij daar die avond ook níét
met zijn familie en vrienden wilde zijn. Hij leek me vooral behoefte te hebben aan zijn vrouw om hem vast te houden en erdoorheen te slepen. Maar de persoon die hij het liefste om zich
heen had, was er niet meer.

Kevin en ik praatten een paar minuten met elkaar voordat zijn
vrienden op ons af kwamen om hem te redden.

'Zorg alsjeblieft goed voor jezelf,' zei ik. 'Je vrouw zou dat
willen, en je zult haar nagedachtenis ermee eren.'

Ik had nooit gedacht dat ik Kevin nog een keer zou zien. Maar
toen ik vertrok, besefte ik nog eens hoe zwaar en onrechtvaardig het is om je partner te verliezen.

Een week of wat later was ik met een paar vriendinnen, onder
wie Karen, op een sponsorgala voor autistische kinderen. Daar
kwam een man op ons af, die zei: 'Hé, ik ken jou ergens van...'
Ik dacht dat hij het tegen Liz had, een andere vriendin van me,
want ik kon hem niet plaatsen. Liz knoopte een praatje met hem
aan. Karen en ik hervatten ons gesprek.

Pas toen Liz vertelde dat de man met wie ze net had gesproken zijn vrouw aan taaislijmziekte had verloren, besefte ik wie
hij was: Kevin, de man aan wie ik een week daarvoor was voorgesteld. Ik voelde me schuldig dat ik hem niet had herkend en
besloot een praatje met hem te gaan maken. Ik wilde hem gewoon laten weten dat hij me kon bellen als hij ooit hulp of een
luisterend oor nodig had.

Toen ik Kevin weer aan de andere kant van de kamer ontdekte, ging ik op hem af en we raakten aan de praat. Maar het
was het einde van de avond; om ons heen begon het horeca-

personeel al op te ruimen. Er waren ongeveer tien mensen onder Kevins vrienden en mijn vriendinnen die er nog geen punt achter wilden zetten, dus spraken we af om naar een café in de buurt te gaan om de avond voort te zetten.

Kevin kwam naast mij aan de bar zitten en we vervolgden ons gesprek. De groep was nogal in een feeststemming. Kevins vriend Dennis besloot – tot schaamte van zijn vrouw – de hele groep te vermaken door een stropdas van wc-papier aan te trekken en zijn broek tot zijn borst op te hijsen. Er werd veel gelachen en er werden veel margarita's gehesen. Ondertussen waren Kevin en ik diep in gesprek. We praatten over onze partners, wisselden verhalen uit en verzuchtten hoe graag we zouden willen dat ze er nu bij konden zijn.

Kevin vertelde me over zijn vrouw Lucia. Toen hij haar leerde kennen, wist hij dat ze misschien ziek zou worden en dat hun leven samen misschien niet lang zou duren. Maar ze hadden altijd gehoopt dat de kracht van hun liefde de weegschaal in hun voordeel zou laten doorslaan. Ondanks alles waren ze dankbaar voor de liefde die ze hadden gedeeld. Ik vertelde Kevin over Ward en hoe moeilijk ik het vond om zonder hem te leven, maar dat ik ondanks het verdriet onze tijd samen nooit zou verloochenen. Die had me namelijk gemaakt tot de persoon die ik was.

Kevin en ik zaten vlak bij elkaar. Ik weet nog dat ik een haltertopje droeg – het was een warme zomeravond – en opeens voelde ik Kevins hand op mijn blote rug. Ik schrok. Besefte hij wel wat voor gevoel dat me gaf? Lag zijn hand daar expres of per ongeluk? Had hij op die manier belangstelling voor me? Hoe was het mogelijk? Kevin praatte door en zonder het met zoveel woorden te zeggen, liet hij me weten dat het in orde was.

Even later keken we om ons heen en beseften we dat de anderen in de groep aanstalten maakten om naar huis te gaan. Alleen Kevin en ik wilden blijven. En Karen. Het was de hoogste tijd. Gedrieën stapten we in Karens auto en toen we beseften dat de meeste gelegenheden in Rye op maandagavond na middernacht dicht zijn, besloten we naar mijn huis te gaan om nog wat te drinken.

Ik trok een fles wijn open, haalde wat bier tevoorschijn en zette muziek op. We gingen aan de keukentafel zitten. Even later kondigde Karen aan dat ze naar huis wilde.

Toen waren we nog maar met z'n tweeën. We hervatten ons gesprek. Die nacht praatten Kevin en ik door tot het weer licht werd. We konden niet stoppen. Onze behoefte om met elkaar te praten won het van de slaap of wat dan ook.

We praatten natuurlijk over Ward en Lucia. We vertelden wat voor mensen ze waren, hoeveel we van hen hadden gehouden en over de leegte die ze in ons leven hadden achtergelaten. Hoewel Ward en Lucia onder heel verschillende omstandigheden waren doodgegaan, stond het als een paal boven water dat Kevin en ik elkaar konden en zouden helpen. Voordat hij wegging, gaf ik hem mijn kaartje en mijn mobiele nummer. Toen ik een paar uur later op mijn werk zat, kreeg ik de eerste van talrijke dagelijkse e-mails van hem. Van meet af aan voelde ik dat deze uitwisseling bijzonder was, dus heb ik zelfs die eerste e-mail bewaard.

In de dagen daarna e-mailden Kevin en ik elkaar diverse malen per dag. We belden elkaar. Binnen de kortste keren hadden we een belangrijke band gesmeed, een band alsof we elkaar al jaren kenden.

Een week later was ik met een paar vriendinnen uit eten, en na de maaltijd gingen we naar een café in de buurt. Daar zag ik hem door de achterdeur naar binnen komen.

Mijn hart sloeg over. Ik durfde niet eens naar hem kijken, zo zenuwachtig was ik. Gelukkig zei mijn vriendin Liz tegen hem dat hij erbij moest komen. Kevin en ik hadden elkaar een paar keer per dag gemaild maar het niet over onze plannen voor die avond gehad. En toch waren we hier; we waren elkaar weer bij toeval tegen het lijf gelopen. Ik bleef zo nerveus dat ik nog steeds amper naar hem durfde te kijken. Ik moest letterlijk opstaan en rondlopen om een en ander op een rijtje te krijgen. Waarom maakt een toevallige ontmoeting me zo gespannen? Waarom brengt die me zo uit mijn doen?

Weldra werd het tijd voor de groep om op te stappen, want we hadden in een ander café met onze vriendin Karen afgesproken. Zenuwachtig nodigde ik Kevin uit: 'Je kunt wel mee als je wilt...' Het hoeft geen verbazing te wekken dat Kevin nee zei. Maar hij liep wel met ons mee. De andere vrouwen haastten zich vooruit, waardoor wij tweeën naast elkaar konden lopen om te praten. Nu we alleen waren, verdween mijn nervositeit en voelde ik me weer op mijn gemak. We kwamen veel te snel bij het café aan, bleven buiten staan en wilden geen afscheid nemen. Mijn vriendin Karen zag ons, kwam naar buiten en holde naar de overkant, waar wij stonden. Karen is niet subtiel; ze pakte Kevin bij de arm en sleepte hem mee naar binnen.

Een paar uur later eindigden Kevin en ik weer bij mij thuis. We praatten en praatten. Kevin en ik zaten op dezelfde golflengte en dachten over heel veel dingen precies hetzelfde. We voelden ons allebei gezegend dat we zo'n sterk en liefdevol huwelijk hadden gehad en dat we onze zielsverwant op aarde hadden gevonden. We beseften hoe vluchtig het leven kan zijn en wilden allebei verder met ons leven in de geest die dat inzicht met zich meebracht.

We vroegen ons af hoe dit zo snel na Lucia's dood kon gebeuren. Kevin vertelde dat Lucia de minst egoïstische en jaloerse persoon was die hij ooit had gekend. Zelfs toen ze op het laatst heel ziek was, maakte ze zich nog zorgen over hem. We hadden het over de sterke band die we voelden, hoewel we elkaar pas een paar weken kenden. We lachten over onze toevallige ontmoetingen: we hadden elkaar nog nooit gezien en nu hadden we elkaar al drie keer bij toeval ontmoet. Kevin zei dat hij zich kon voorstellen hoe Lucia en Ward elkaar in de hemel waren tegengekomen om onze ontmoetingen te regisseren, tot we er eindelijk zelf iets aan zouden doen. Ik zei tegen Kevin dat dit zonder meer klonk als iets waarin Ward de hand zou willen hebben.

En weer praatten we tot de zon opkwam.

Ongeveer een week daarna trof ik de club in The Grill om te vertellen wat er aan de hand was. Ik vond het ongelooflijk dat ik ongeveer een maand daarvoor in Felidia had zitten huilen omdat ik ervan overtuigd was dat ik nooit meer iemand zou tegenkomen, en nu was deze fantastische man op mijn pad gekomen. Maar tegelijkertijd had ik het gevoel dat de relatie met Kevin misschien niet bestand zou zijn tegen de tand des tijds.

'Het is zo kort na de dood van zijn vrouw,' zei ik tegen de club. 'Ik denk steeds dat hij op een gegeven moment zal beseffen dat hij nog geen relatie met iemand kan hebben. Volgens mij ben ik zijn tussenmeisje...'

Maar al was ik alleen maar Kevins tussenmeisje, ik zou de afwijzing toch riskeren, zei ik tegen mijn vriendinnen. Ik steunde hem en hij mij. Ik wilde hiermee doorgaan, al wilde dat zeggen dat ik mezelf op den duur aan pijn zou blootstellen.

Die avond vroeg Claudia hoe het voelde nu de rollen waren omgedraaid. Na zoveel maanden waarin ik als weduwe was gaan stappen, was ík nu degene die met iemand uitging wiens partner was overleden.

'Dus hoe voelt dat eigenlijk?' wilde Claudia weten.

'Zal ik je eens wat zeggen?' antwoordde ik. 'Het lijkt in heel veel opzichten op uitgaan met jullie...'

25 ❖ Lady Liberty

John en Claudia

De club voelde dat er iets broeide toen John ons op een dag in juni belde om voor die avond om zeven uur af te spreken in restaurant Apizz, vlak voor Claudia's zesendertigste verjaardag.

John haalde Claudia om 18.00 uur met een limousine op van haar werk. Wacht eens even, dacht ze, wat is hier aan de hand? Maar ze maande zichzelf om rustig te zijn en niet op de dingen vooruit te lopen. Ze stapte in, gaf John een dikke kus en hij liet een champagnekurk knallen. Mmm. Champagne? De auto bracht hen naar de oostkant van Manhattan, maar telkens wanneer Claudia vroeg waar ze heen gingen, zei John iets ontwijkends over het verkeer. Vervolgens stopte de auto bij de helihaven aan Thirty-fourth Street. John pakte Claudia's hand en zei: 'Kom mee.'

Het paar klom in de helikopter, die opsteeg om hen in zuidelijke richting over de Hudson te dragen. Het schijnsel van de City was net zichtbaar onder een vroege zomernevel. John was zo rustig dat Claudia zich afvroeg of het soms een grap was. Het was typisch iets voor hem om zomaar iets volslagen overdrevens te doen, en haar de week daarop op de brandtrap ten huwelijk te vragen. Claudia deed een poging om haar kalmte te bewaren.

De helikopter zweefde naar het Vrijheidsbeeld. Hoewel het tweetal al sinds hun eerste afspraakje van plan was geweest om ooit een bezoek aan Lady Liberty te brengen, was het er tot dan toe nog nooit van gekomen. John prutste aan zijn gordel. Toen het hem was gelukt zich los te maken, zakte hij op één knie op de vloer van de helikopter met een doosje met een ring in zijn hand.

Hij moest schreeuwen om zich boven het lawaai van de propellors uit verstaanbaar te maken. 'Jij hebt me een van de gelukkigste mannen van de wereld gemaakt, Claudia! Nu wil ik dat je me de allergelukkigste maakt! Wil je met me trouwen?'

Claudia omhelsde hem en in tranen zei ze: 'Ja, ja, ik hou van je, ik hou van je.'

Na een korte bezichtiging vanuit de lucht van het Yankee-stadion landden ze weer. Claudia had nog steeds het gevoel alsof ze kilometers boven de grond zweefde. Ze stapten weer in de limo en reden naar het centrum, waar de chauffeur voor Apizz stopte, het restaurant waar ze elkaar een jaar daarvoor hadden leren kennen.

John hield de deur voor Claudia open zodat ze als eerste naar binnen kon. Op dat moment zag Claudia beider naaste familieleden en vrienden die lachend: 'Verrassing!' 'Hartelijk gefeliciteerd!' en 'Gelukgewenst!' riepen. Het mooiste was dat iedereen op verzoek van John een groene zonneklep van het Vrijheidsbeeld op had gezet.

Claudia wist niet wat haar het meest had verrast: dat ze al die mensen zag, of dat John het meest volmaakte, romantische en creatieve huwelijksaanzoek ooit had bedacht.

Wat volgde was een avond van uitbundige blijdschap. Iedereen dronk champagne, er werd getoast, er werd gekust, geknuffeld en gepraat. We bestelden allemaal hetzelfde en aten overheerlijke antipasta, pizza uit de steenoven, pasta met gehaktsaus en een dessert. John was zijn belofte van het jaar daarvoor om een komisch cadeau voor Claudia's verjaardag te bedenken niet vergeten en legde bergen bonen voor haar op tafel neer.

Halverwege de avond glipte de club naar buiten om een sigaret te roken.

'Ongelooflijk, hè, hoe krankzinnig mijn leven is?' vroeg Claudia.

Nog maar een jaar geleden, op die regenachtige avond van haar vijfendertigste verjaardag, was ze te neerslachtig geweest om hem te vieren en had ze niet kunnen dromen dat ze op het punt stond haar levenspartner te vinden, iemand die ze met haar hele hart kon beminnen. En toch was het nu zover. John was in haar leven gekomen. Ze kon niet voorkomen dat ze zich af en toe schuldig voelde dat ze zo honderd procent verliefd op hem was. En tegelijkertijd hadden haar liefde voor Bart en de kwelling van het leven zonder hem de weg voor deze nieuwe liefde geëffend. Die hadden haar vermogen tot liefhebben en genegenheid voelen groter gemaakt, omdat ze begreep hoe wezenlijk en kostbaar het is.

Deel drie

❖

September 2003 tot
mei 2004

Vaak en veel lachen;
het respect van intelligente personen en de aanhankelijkheid van
kinderen winnen;
de waardering van eerlijke critici verdienen en het verraad van
onbetrouwbare vrienden verdragen;
schoonheid waarderen; het beste in anderen zien;
de wereld een stukje beter achterlaten, of het nu is door een gezond
kind, een tuintje of een nagekomen sociale verplichting;
weten dat slechts één leven gemakkelijker is geweest door het jouwe.
Dat is geslaagd zijn in het leven.

OPGEDRAGEN AAN RALPH WALDO EMERSON

26 ❖ De derde herdenking

Bart, Ward, Caz en Tommy

Op zondag 4 september 2004 vouwden we de ochtendkrant open. Voorop stond een foto van een kind dat gewond en bloedend op de grond lag. De terreuraanval op een school in het Russische Beslan. Honderden moeders en vaders hadden hun kinderen die ochtend naar school gebracht en er geen moment bij stilgestaan dat iemand hun zoontjes en dochtertjes zou willen terroriseren. Niets was meer vanzelfsprekend: 's morgens naar je werk gaan niet, naar school gaan niet, veilig thuiskomen niet. Zoveel levens, een halve wereld verderop, van het ene op het andere moment verwoest.

Vroeger konden we bij een ramp weliswaar mededogen voor de slachtoffers opbrengen, maar ook de krant weer dichtslaan en de dag tegemoet treden. Maar nu waren we kwetsbaar geworden voor afschuwelijke gebeurtenissen. We belden elkaar en hoefden niet uit te leggen waarvoor.

Het werd er niet makkelijker op. Dit jaar lazen de óúders van de slachtoffers de namen voor. Niemand hoort zijn kind te overleven. Het was een aanslag op de natuurlijke cyclus.

We stonden te luisteren. Opnieuw daalden we af in de bouwput. Toen we de overledenen eer bewezen en onze bloemen neerlegden, keken we op en zagen we een trein aankomen vanaf het westelijke punt van de plek. De laatste hand werd gelegd aan het nieuwe station en het spoor liep om Ground Zero heen. Toen de trein langskwam, zagen we de gezichten van de reizigers op ons neerkijken. We waren natuurlijk niet zo onnozel om ervan uit te gaan dat er nooit iets zou veranderen. Toch was geen van ons die bewuste ochtend voorbereid op de aanblik van die mensen, de alledaagse aankomst van een trein op een station.

Na de plechtigheid gingen we naar The Grill om op De Jongens te proosten en onze tranen te verdrinken. In de loop van de middag ging Anns telefoon. Het was Kevin. Ze ging naar buiten om hem beter te kunnen horen dan in het lawaaiige restaurant.

Kevin was voor zaken in Atlanta, maar toch had Ann die dag al een paar keer met hem gesproken. Telkens wanneer zij hem belde of andersom, ervoer ze dezelfde geruststellende troost van zijn stem die ze zo goed kende. Ann wist dat hij aan het eind van de dag niet thuis op haar zou wachten; Kevin had een vergadering en moest die avond uit eten met cliënten, dus ze moest genoegen nemen met zijn stem. Ze bleef zichzelf maar voorhouden: dit zijn zaken, dit is zijn carrière, je kunt niet van hem verlangen dat hij voor jou in New York blijft.

'Alles goed met jou?' vroeg Kevin.

'Jawel hoor,' mompelde Ann.

'Ben je in The Grill? Wat zijn je plannen?'

Ann zei dat ze nog even zou blijven en dan naar huis zou gaan.

'Mag ik je komen halen?'

'Hoezo komen halen? Je zit toch in Atlanta...'

'Ik ben op La Guardia. Ik heb het etentje uitgesteld. Ik wil er zijn voor je. Ik wil je steunen.'

Ann kon niets uitbrengen, want ze moest heel hard huilen. Kevin had haar verdriet begrepen. Hij had behoefte haar te steunen en besefte dat zijn aanwezigheid zou helpen.

Er waren talrijke redenen waarom Ann van Kevin hield. Ze bewonderde zijn verlangen om het beste van zijn leven te maken, zijn positieve instelling, zijn gevoel voor humor, zijn innerlijke kracht en zijn moed. Ze vond het heerlijk om met hem te praten. Ze kon alles aan Kevin kwijt – elk gevoel, elke kwetsuur, elk geluksgevoel – zonder bang te hoeven zijn om veroordeeld of verkeerd begrepen te worden. Voor zowel Kevin als Ann stond het als een paal boven water dat ze zielsveel van hun partner hielden. Dat besef schiep geen greintje jaloezie, integendeel zelfs. Ze wilden elkaars wederhelft leren kennen, over hen praten en alles te weten komen wat er over hen te weten viel. Ward en Lucia maakten deel uit van hun leven en zouden dat altijd blijven doen. Van meet af aan schiep de liefde voor hun partner een band tussen Ann en Kevin. Hun verlies had hen in de ware zin van het woord bij elkaar gebracht.

27 ❖ De lijst

Ann, Pattie, Claudia en Julia met een Italiaanse sommelier

Op 13 september stapten we, versuft van de derde gedenkdag, van de nachtelijke vlucht en van de jetlag uit het vliegtuig
op Sardinië. We hadden deze reis maanden van tevoren gepland,
zodat we in de ware traditie van de club na de herdenking iets
hadden om ons op te verheugen. Deze keer waagden we ons
verder van huis dan op voorgaande reizen, geïnspireerd door
Patties bezoek aan Italië eerder dat jaar.

Wachtend aan de bagageband zagen we de laatste koffers alsmaar ronddraaien en beseften we dat Patties bagage ontbrak.
Het luchthavenpersoneel zei dat we ons geen zorgen hoefden
te maken en dat de bagage de volgende avond bij het hotel zou
worden afgeleverd.

'Niet echt een probleem, hoor...' zei Pattie, terwijl ze haar handbagage om haar schouder sloeg.

Nee, het verlies van je bagage was een betrekkelijke kleinigheid.

'O, mijn god, vroeger zou ik een beroerte hebben gekregen als ik mijn bagage kwijt was! Maar dat is voorbij...' zei Claudia.

'Nu kan ik jullie kleren tenminste lenen,' zei Pattie.

JULIA:

De afgelopen maanden had ik de datum 12 september in het vizier gehouden. Dat was de dag waarop het leven een gunstige wending voor me kon nemen. We gingen naar Italië. We verheugden ons allemaal op de reis: een paar zonnige dagen in een vakantieoord in Sardinië, vervolgens een dag of wat de toerist uithangen en eten in Milaan; de perfecte manier om te herstellen van de slopende herdenking. Maar nu die twaalfde september was gekomen, maakte dat nieuwe begin niets uit. De ochtend van de vlucht was ik belabberder dan ooit wakker geworden, alsof er een kei van vijfhonderd kilo op mijn borstkas drukte.

Begin september had ik eindelijk het zware proces van een regeling van het Victims Compensation Fund achter de rug. Alle papierwerk, advocaten en discussies had ik heel deprimerend gevonden. Het fonds had veel vragen zonder eenvoudige antwoorden opgeworpen. Moeten gezinnen van goedbetaalde overledenen meer geld krijgen dan gezinnen van laagbetaalden, en zo ja, hoeveel meer? Moeten gezinnen van slachtoffers van 11 september anders worden behandeld dan gezinnen van slachtoffers die bij andere terreuraanvallen zijn omgekomen, zoals bij de bomexplosie in Oklahoma City? Als er weer een soortgelijke terreuraanval plaatsvindt, moet het Congres dan een soortgelijk fonds in het leven roepen? Het was buitengewoon moeilijk om tijdens het rouwproces de complexiteit en juridische aspecten van het fonds te moeten doorgronden.

Ik was ervan uitgegaan dat de afronding van de regeling ook een gevóél van afronding zou brengen, maar in plaats daarvan voelde ik me juist leeggezogen. Het bracht me geen stap dichter bij de opluchting dat ergens een streep onder gezet was. De ellende werd er alleen maar erger door, in plaats van te verdwijnen. De simpele waarheid was dat ik Tommy er niet mee terug had. Het was een bevestiging te meer dat hij weg was. En vervolgens kwam, als klap op de vuurpijl, die herdenking weer.

In de bus die ons naar het hotel bracht, registreerde ik amper het onbekende landschap waar we doorheen reden. Ik luisterde naar de anderen, die erg enthousiast waren dat ze op Sardinië waren. Pattie vertelde hoe dol ze was op reizen. Claudia haalde herinneringen op aan vorige reizen naar Europa. Ann deed mee: zij en Ward hadden voor het afgelopen voorjaar een reis naar Italië op het programma gehad, ter ere van haar veertigste verjaardag. Ik had het gevoel dat ik niets bij te dragen had. Het drong zich aan me op dat iedereen in de groep veel wereldwijzer was dan ik.

We arriveerden in het hotel. De hemel was grijs en er hing regen in de lucht. Onze kamers zagen uit op de haven en de bergen in de verte. Ik probeerde er niet aan te denken hoe graag Tommy alle boten in de jachthaven had willen bekijken, maar wat kon ik anders? Ik hield mezelf voor dat ik bevoorrecht was om hier te zijn. Het was aan mij om de schoonheid in mijn omgeving te zien en deze nieuwe ervaring aan te grijpen. Lach je tranen weg. Wees de ziel van het gezelschap. Waardeer wat je hebt en verlang niet meer dan dat. Voel je niet schuldig omdat je leeft, of omdat je hier bent. Tommy zou willen dat je gelukkig was.

Die avond maakte ik aan tafel zo nu en dan een grapje, vertelde een paar verhalen en probeerde 'mezelf' te zijn. We sloten vriendschap met de obers en stelden ons voor aan de sommelier, een knappe Italiaan genaamd Franco, die een paar eersteklas wijnen aanbeval. Na de eerste twee flessen zeiden we tegen hem dat we het verschil niet meer konden proeven...

Toen ik de volgende morgen wakker werd, was ik nog steeds op de rand van de tranen en drukte de kei zwaarder dan ooit op mijn borstkas. Het was nog vroeg: zes uur in Italië, middernacht in New York. Ik liet de anderen slapen en ging alleen ontbijten.

Ik ging zitten kijken naar de boten in de jachthaven en dacht aan Tommy en hoe gelukkig hij altijd was geweest op het water. Het zou nooit meer zo zijn en ik vond het heel moeilijk om dat te accepteren. Als ik sterker was, zou ik misschien gelukkiger zijn, zei ik tegen mezelf. Het was aan mij om een punt achter dit gevoel te zetten, om greep op mijn ellende te krijgen en van deze vakantie te genieten. Misschien zou ik nooit meer de kans krijgen hier te zijn.

Die ochtend besefte ik dat ik niet van de vakantie op Sardinië zou kunnen genieten. Ik vond het zelfs vreselijk om ergens zonder Tommy te zijn. In plaats van het leven te koesteren, wilde ik alleen maar dat er een eind aan dit verdriet zou komen. Misschien kon ik wel gewoon in Italië blijven en nooit meer naar New York terugkeren. Verdwijnen. Ervandoor gaan. Van de rand van de wereld vallen. Maakt niet uit wat, als ik dit maar niet meer onder ogen hoefde te zien.

Toen de anderen opstonden, besloten we de rest van de dag te ontspannen om bij te komen. De wolken waren verdwenen en de zon kwam door. We gingen bij het zoutwaterbad zitten, trokken af en toe een rondje en lagen in de zon. Later op die dag oefenden we in de fitnessruimte. We speelden tennis en wisselden van partner. Ik besloot een tennisles te nemen. Ik kon op zijn minst dóén alsof het lekker ging. *Good to go!* G2G! In de hoop dat ik het vanzelf zou gaan geloven als ik maar bleef doen alsof.

Ik bleef maar naar de anderen kijken en me afvragen waarom ik niet meer kon zijn zoals zij. Voor hen was de herdenking ook ongelooflijk slopend geweest, maar ze maakten er nu toch het beste van. Hoorde ik wel in deze groep? Ik was bang dat de club voor mij toch niet de veilige oase was die ik me had verbeeld, als ik na drie jaar nog altijd niet de positieve kant van mijn situatie had gevonden. Wie wil er tenslotte in de buurt zijn van iemand die de hele tijd depressief, verdrietig en gespannen is?

Ik hoopte dat ze niets in de gaten hadden. Ik wilde de reis

niet voor de anderen bederven. Dus bleef ik maar doen alsof ik me amuseerde, al kon ik de hele tijd wel janken.

We voelden allemaal dat er iets mis was met Julia. Ze was gespannen. Nu eens deed ze mee aan het gesprek, dan weer niet. Ze was stiller dan anders. Dat was niets voor haar.

Onder het eten vroeg Claudia: 'Is er iets, Julia?'

Het restaurant zat bomvol met andere gasten. Het laatste wat Julia wilde was een scène midden in een druk restaurant. 'Ik wil niet over mezelf praten,' zei ze smekend. 'Niet nu.'

We lieten haar met rust, want we hadden het gevoel dat het niet goed zou zijn om aan te dringen. We respecteerden Julia's beslissing om niet te praten als dit niet het geschikte moment of de juiste plek ervoor was.

Toen Ann en Julia weer op hun kamer waren, wachtte Ann tot Julia in bed was gekropen en het licht had uitgedaan. Toen vroeg ze het weer. 'Is er iets, Julia?'

Ann en Julia sliepen in tweepersoonsbedden die tegen elkaar aan waren geschoven. Ann hoorde dat Julia begon te huilen.

'Ik kan niet verder, ik kan dit niet meer. Het spijt me.'

Julia bleef maar huilen en zich verontschuldigen. 'Het spijt me, ik voel me zo ellendig. Ik had hier niet moeten zijn. Zeg het alsjeblieft niet tegen Pattie of Claudia.'

Ann zei dat de rest wel wist dat ze het moeilijk had. Het sprak vanzelf dat ze Tommy miste. Tenslotte was de herdenking net geweest. De regeling van het compensatiefonds was een emotioneel slopende ervaring. We hadden allemaal last van de gevolgen. 'Natuurlijk voel je je zo,' zei Ann.

Julia bleef maar huilen: 'Ik ben niet goed genoeg. Ik had hier niet moeten zijn. Wat moeten jullie met mij? Ik hoor er niet bij.'

'Waar héb je het over, Julia?'

Ann besefte dat Julia niet alleen ongelukkig was over haar omstandigheden, maar vooral ook ongelukkig over zichzelf. 'Je bent een fantastisch mens. Dit is een zware tijd.'

Julia kon niet stoppen met huilen en zich verontschuldigen.

Ann bleef maar herhalen: 'Julia, we komen hier samen doorheen. We zijn met zijn vieren, we zitten in hetzelfde schuitje.'

Maar niets leek vat op Julia te krijgen.

Ondertussen waren Pattie en Claudia klaarwakker en probeerden ze te bedenken hoe ze Julia konden helpen.

Toen Ann de volgende morgen wakker werd, zag ze dat Julia weer vroeg was gaan ontbijten. Dat gaf Ann de gelegenheid om met Pattie en Claudia te praten. Ann maakte zich zorgen. Niets van wat ze tegen Julia had gezegd leek te helpen.

Die dag hielden we allemaal een oogje op Julia om te zien of we tekenen van vooruitgang bespeurden, maar ze had zich afgesloten. Na de lunch verdween ze weer naar haar kamer en de rest trof haar daar.

Toen we binnenkwamen, lag ze in foetushouding op bed te huilen.

'Julia, zeg alsjeblieft wat we kunnen doen om je te helpen...'

'Niets,' snikte Julia. 'Ik had niet mee moeten gaan. Ik hoor niet meer bij jullie.'

'Hoezo?' protesteerden we. 'Wij zullen altijd bij elkaar zijn.'

Maar Julia hield vol dat we weg moesten blijven. 'Jullie zijn allemaal zo geweldig en intelligent. Ik verpest het alleen maar voor iedereen...'

Julia had zichzelf wijsgemaakt dat wij drieën vooruitgingen en dat zij een blok aan ons been was.

'Julia! Zo gemakkelijk kom je niet van ons af. We zullen er altijd voor je zijn. Dat is de afspraak.'

'Je mag voelen wat je wilt, maar nooit van je leven denken dat je er alleen voor staat. We staan altijd voor je klaar.'

'Laat ons je alsjeblieft helpen...'

We maakten Julia duidelijk dat we een oplossing zouden vinden en dat ze alle hulp zou krijgen die ze nodig had.

'Het spijt me zo, het spijt me zo,' bleef ze maar herhalen.

'Hou op met excuses maken!' zeiden we.

Julia zat heel diep in de put; ze dacht zelfs dat we haar veroordeelden. Ze miste zelfs het vertrouwen om ons over haar moeilijkheden te vertellen, uit angst dat we haar zouden afwijzen.

De volgende dag zouden we naar Milaan vliegen voordat we naar New York zouden terugkeren. Na Julia's ontboezeming hadden we het gevoel dat ze weer bezig was zich van ons af te sluiten, en we wilden van het moment gebruik maken nu we allemaal nog bij elkaar waren. Midden in de vertrekhal zaten we bij de balie met elkaar op de grond en greep de club therapeutisch in.

'We zullen er altijd voor je zijn, Julia. We houden onvoorwaardelijk van je.'

'Je moet ophouden je druk te maken over wat alle andere mensen van je denken, zelfs over wat wíj denken... Je moet over jezelf gaan nadenken en over wat jíj nodig hebt.'

'Wat jij doormaakt is vreselijk zwaar en heel persoonlijk voor jóú. Voor ieder van ons is het weer totaal anders. We hebben stuk voor stuk een ander tempo...'

De club zei tegen Julia dat we haar gingen helpen met een plan. We voorspelden dat veranderingen aanbrengen zwaar en emotioneel slopend zou zijn, maar dat het wel de moeite waard was.

We haalden een stuk papier en een balpen tevoorschijn en lieten Julia een prioriteitenlijst voor het komende jaar opstellen.

Julia's prioriteitenlijst, september 2004

1. De touwtjes van mijn leven in handen nemen.
2. Zodra ik terug ben Claudia's therapeute bellen.
3. Herbezinnen op werkprioriteiten.
4. Ophouden met het anderen naar de zin te willen maken; me drukker maken om te doen wat goed is voor mezelf.
5. Niet vergeten wat Tommy heeft gezegd: 'Er zijn

energiegevers en energievreters. Zorg ervoor dat je
je omringt met gevers in plaats van vreters.'
6. Me niet schuldig voelen dat ik leef.
7. Beginnen mezelf meer te verwennen: met
massages, gezichtsbehandelingen en andere kleine
dingen waarvan ik opknap.
8. Vooral minder streng zijn voor mezelf.

Het ging er niet om Julia iets voor te schrijven. Het ging erom
dat ze lang genoeg naar zichzelf zou luisteren om haar eigen
conclusies te trekken. Haar doelen zwart-op-wit zien, hielp Julia uit haar schulp te kruipen. Niet dat het daarna makkelijker
voor haar werd. De harde werkelijkheid van Julia's leven was
niet veranderd. Maar ze voelde wel een hernieuwde vastberadenheid om een ander plaatje van dezelfde puzzelstukjes te maken.

28 ❖ Het nieuwe jaar

Julia en Claudia

JULIA:

Na mijn terugkeer uit Italië ging ik aan het werk met mijn 'te-doen'-lijstje.

Allereerst maakte ik een afspraak met Claudia's therapeute Che-ryl.

Ik wist dat ik professionele hulp nodig had. In Italië had de club me geholpen om in te zien dat ik niet langer op eigen houtje verder kon, zelfs niet met hun steun. Hoe hard ik ook probeer-de de draad van mijn leven weer op te pakken, iets stond me in de weg.

Niet dat ik al niet eerder therapie had geprobeerd. Gedurende de eerste maanden na Tommy's dood bleef iedereen maar zeg-gen dat ik professionele hulp moest zoeken, en destijds was ik bereid alles te proberen. Via kantoor kreeg ik het nummer van een therapeute. Ze zat in een stoel tegenover me, maakte aantekeningen en luisterde koeltjes terwijl ik praatte. Haar techniek was om mij te laten praten en me vriendelijk van het ene onderwerp naar het andere te loodsen. Ze gaf nooit advies, ze beantwoordde nooit een vraag, noch deed ze ooit een suggestie. Het enige wat ze leek te zeggen was: 'Hm.'

Op een dag heb ik haar met dit gedrag geconfronteerd. Ik wilde weten waarom ze nooit vroeg hoe het met me ging en nooit zei wat ze van mijn situatie dacht.

'Julia,' zei ze, 'ik ben geen vriendin, ik ben je therapeut.'

Ik was nog nooit in therapie geweest, dus ik had geen vergelijkingsmateriaal. Ik wist alleen dat ik één uur per week met een vreemde praatte, terwijl mijn man de enige persoon was die ik wílde spreken. Ik ging naar die sessies alsof ik naar een cursus ging, of college liep om beter met mijn verdriet te leren omgaan. Maar ik schoot er niets mee op. Na een paar maanden besloot ik er een punt achter te zetten. Ik wist wel waarom ik verdrietig was – ik miste Tommy en ik wilde hem terug – en ik begreep niet wat ik wijzer werd van praten, praten en nog eens praten.

Mijn eerste ervaring met therapie was dus niet zo positief, maar eerlijk gezegd betwijfel ik of ik veel aan die sessies zou hebben gehad, ook al was die vrouw de beste therapeut van de wereld geweest.

Mijn eerste afspraak met Cheryl was in oktober nadat we uit Italië waren teruggekeerd. In de wachtkamer kwam een jongere vrouw glimlachend op me af. 'Jij moet Julia zijn,' zei ze.

We betraden haar kleine praktijkruimte en ze gebaarde naar een comfortabele loveseat tegenover haar. Aan de wand hingen zeegezichten, er stond een brandende kaars op een bijzettafeltje en er scheen zacht lamplicht.

'Laat me je eerst eens leren kennen,' zei Cheryl.

Ik vertelde haar over mijn worsteling sinds Tommy's dood. Ik vertelde haar alles wat ik op mijn hart had, over mijn schuldgevoel over het feit dat ik nog leefde en Tommy dood was, en hoe graag ik hem terug wilde.

Als ik iets zei, reageerde Cheryl met: 'Echt waar?'

'Tjonge!'

'Dat meen je niet.'

Er was interactie. Elke reactie nodigde uit om meer te vertellen.

Ze informeerde naar Tommy. Wat voor iemand was hij? Wat deed hij? Wat deden we samen? Wat voor huwelijk hadden we? Cheryl begreep de centrale plaats die Tommy in mijn leven had ingenomen. Ze begreep me.

Ze vroeg naar mijn levensstijl. Ze wilde weten wat ik deed om te ontspannen, of ik ademhalingsoefeningen deed. Ze vroeg of ik wel eens aan yoga had gedacht. Ze had het over voldoende water drinken overdag en herinnerde me eraan dat alcohol een kalmerend middel is, maar dat ik moest oppassen drank niet als hulpmiddel te gebruiken.

Toen we aan het eind van de sessie afscheid namen, wendde Cheryl zich tot me en zei: 'Het komt weer goed. Jij redt het wel.'

Zodra ik thuis was, belde ik Claudia: 'Ze is te gek!'

In de weken die volgden bespraken Cheryl en ik dat mijn ervaringen met het weduwschap niet dezelfde waren als die van Claudia, Ann of Pattie, of wie dan ook trouwens. Ik had mezelf heel veel met de andere drie vergeleken, in de waan dat ik moest voldoen aan een bepaalde maatstaf van weduwschap. Maar mijn ervaring als weduwe was iets wat honderd procent persoonlijk was. Ik moest mezelf de tijd en de ruimte gunnen om te veranderen, om te heroriënteren, om me aan te passen aan een werkelijkheid die ik onverteerbaar vond. De club hield van me en zou me nooit veroordelen; die zou me de ruimte geven die ik hiervoor nodig had.

'Julia,' zei Cheryl, 'een van de dingen waar we aan moeten werken, is jou helpen accepteren dat Tommy er niet meer is.'

'Hoezo?' vroeg ik. 'Ik weet heus wel dat hij er niet meer is. Dat is de moeilijkheid juist.'

'Dat weet ik,' antwoordde Cheryl, 'maar je leidt nog steeds een leven alsof hij een poosje weg is en weer terugkomt, en je je dán beter zult voelen.'

Op een rationeel niveau was het natuurlijk niet zo. Ik wist dat Tommy dood was. Maar diep vanbinnen geloofde ik nog steeds dat ik alleen gelukkig kon worden als ik mijn oude leventje terugkreeg. Ik had iedere andere versie van mijn leven opgegeven, ik wilde alleen het oude terug. Ik was bang om de draad van mijn leven op te vatten, of een volgende stap te doen, omdat ik Tommy dan achter zou laten. Ik zou me verschrikkelijk schuldig voelen wanneer ik me vermaakte, omdat zijn leven zo was beknot. Als ik mijn weg zou vervolgen, was ik bang dat dit betekende dat ik niet meer van hem hield.

'Dit zal niet makkelijk worden, Julia,' waarschuwde Cheryl. 'Wanneer je echt aanvaardt dat Tommy weg is, zul je ook echt rouwen om dat verlies.'

Ik sprak met Cheryl over mijn relatie met Matt. Aan de ene kant wist ik dat het een geweldige man was en dat ik hem om me heen wilde hebben. Aan de andere kant kon ik nog altijd niet rijmen dat ik met een andere man kon zijn terwijl ik nog steeds van Tommy hield. Cheryl stelde vragen die me echt goed naar mezelf lieten kijken, zodat ik erachter kon komen wat zowel mijzelf als de relatie goed zou doen.

Uiteindelijk kwam ik tot de slotsom dat het wel zo eerlijk was om ofwel een verbintenis met Matt aan te gaan, of de relatie te beëindigen. Matt had me heel goed geholpen en veel geduld opgebracht. Maar ik was afhankelijk van zijn aanwezigheid om me van de harde werkelijkheid af te leiden. Ik begon te beseffen dat ik alleen moest zijn. Ik moest dit rouwproces werkelijk aangaan, en dat ging niet met Matt aan mijn zijde.

Matt en ik werden het eens dat ik een stap terug moest doen om aan mezelf te werken voor ik verder kon met onze relatie, of welke relatie ook trouwens. We vonden allebei dat dit het beste was.

CLAUDIA:

Toen we voor het eerst bespraken wat voor bruiloft we wilden, zei John: 'Als je er met me vandoor wilt gaan om in het geheim te trouwen, vind ik dat ook best.' Hij begreep dat ik al eens een grote bruiloft had gehad en me misschien niet op mijn gemak zou voelen bij een herhaling.

Ik dacht erover na en besefte dat ik er niet vandoor wilde. John komt uit een groot gezin en was de laatste van acht broers en zussen die ging trouwen. Hij heeft een grote vriendenkring van wie er velen inmiddels ook mijn vrienden waren. Iedereen was heel blij voor hem dat hij eindelijk 'de ware' had gevonden. Ik gunde hem de euforie om die dag te delen met de mensen die het belangrijkst voor ons waren. Dus besloten we tot een vakantiebruiloft, een bruiloft waarbij je meer dan één dag met je gasten doorbrengt. We wilden dat het een uniek feest zou worden dat paste bij onze persoonlijkheden. De Bahama's zijn maar drie uur vliegen van New York, makkelijk te bereiken, en op die manier zou het voor iedereen een minivakantie zijn. We zouden eind april trouwen.

Niettemin had ik weinig tijd voor de voorbereidingen, voornamelijk omdat het niet anders kon. Ik had het waanzinnig druk. In december van dat jaar werd ik gepromoveerd. John en ik waren op zoek naar een huis. Ik werkte aan dit boek. Een extra voordeel van trouwen op een afstand van vijftienhonderd kilometer was dat ik alles online kon doen. John en ik vonden allebei dat het enige wat er uiteindelijk toe deed, was dat we de huwelijksplechtigheid zouden delen met onze familie en beste vrienden. De rest was onbelangrijk.

Ik vroeg de club niet eens om mijn bruidsmeisjes te zijn. Dat sprak vanzelf.

Op een avond in de taxi naar The Grill vroeg Pattie: 'En, zijn wij ook van de partij?'

Ik antwoordde: 'Wacht eens even... Had ik jullie nog niet gevraagd?'

Marcella zou mijn bruidsdame zijn en de club mijn bruidsmeisjes. Ik kon me niet voorstellen dat ik met iemand anders voor het altaar zou staan.

'Wacht, zijn wij niet te oud voor de rol van bruidsmeisje?'

'We kunnen ook barmeisje zijn,' voegde Julia eraan toe.

En aldus besloot de club dat ze mijn 'bruidsmeisjes' zouden zijn. Ik stelde hen op twee fronten gerust: het kon me niet schelen wat ze aantrokken en, wat nog belangrijker was, ze hoefden niet door het middenpad van de kerk te lopen. Als het gezelschap van de bruidegom aan het begin van de dienst voor in de kerk kon verschijnen, waarom zij dan niet? Ik wist wat het voor een weduwe betekende om door het middenpad te lopen. Toen ik samen met mijn moeder achter mijn vaders doodskist aan liep, wendde ze zich tot mij en zei: 'De laatste keer dat ik door het middenpad heb gelopen was ik de bruid.' Zoveel jaar later herinnerde ik me nog altijd hoe verdrietig me dat stemde.

Die winter had ik op weg naar een bijeenkomst van de club mijn moeder aan de telefoon.

'Wat ga je doen?' vroeg ze.

'Ik ga naar de weduwen,' zei ik.

'Clòòòdia,' zei mijn moeder. 'Als je getrouwd bent, hoor je niet meer bij de weduwen.'

'Wedden van wel?' antwoordde ik. Maar mijn moeder zette me wel aan het denken. Kon ik me na mijn huwelijk nog wel weduwe noemen?

Drie jaar lang had ik er een hekel aan gehad om een weduwe te zijn en wilde ik een echtgenote worden. Nu stond ik op het punt een echtgenote te wórden en wilde ik een weduwe blijven.

Weduwe zijn was deel van mijn identiteit geworden. Ik was eindelijk zover dat ik tevreden was met wie ik was, en het weduwschap was daar onderdeel van.

Toen ik mijn dilemma aan de club voorlegde, moesten ze lachen.

'Natuurlijk ben je een weduwe!' zei Pattie.

'Je wordt alleen een getrouwde weduwe...' zei Ann.

Het was geregeld. Als me werd gevraagd wie de bruid zou-

den bijstaan, antwoordde ik: 'Mijn zus en de weduwen.' Het behoeft geen betoog dat dit antwoord een paar verbaasde blikken
opleverde...

29 ❖ Zwarte schapen

Julia, Pattie, Ann en Claudia

JULIA:

Cheryl had gelijk. Mijn hele leven doorspreken met al die inzichten was uitermate moeilijk en pijnlijk. Na een paar maanden therapie sliep ik nog altijd slecht. En viel ik wel in slaap, dan werd ik in het holst van de nacht wakker met een paniekaanval. Ik kon mijn gedachten niet stilzetten. Overdag kreeg ik problemen met slikken en ademen. Eerst dacht ik dat het iets met de aandoening van mijn stembanden te maken had. Ik ging naar de dokter, die me onderzocht maar niets kon vinden. Hij vroeg zich af of ik misschien allergisch was voor iets.

In de loop van die winter besloot ik deel te nemen aan de 'Tower to Tunnel Race', een hardloopwedstrijd van vijf kilometer door de Brooklyn-Battery-tunnel, ter nagedachtenis van een van

de vele brandweerlieden die waren omgekomen bij de terreuraanval op het World Trade Center. Halverwege de tunnel kreeg
ik problemen met ademhalen en slikken. Ze moesten me on-
dersteunen naar de finish. Dit was niets voor mij. Ik heb een
goede conditie; ik had heel vaak probleemloos vijf kilometer
hardgelopen. Het medisch personeel controleerde mijn func-
ties; er mankeerde me niets.

Ik vertelde Cheryl wat er tijdens de race was gebeurd.

'Dat klinkt me in de oren als angstaanvallen, Julia,' zei ze.

Toen suggereerde Cheryl dat het misschien goed zou zijn om
medicijnen te slikken. 'Ik ben niet iemand die haar cliënten snel
medicijnen zal aanraden,' legde ze uit, 'maar in jouw geval heb
ik het gevoel dat je er veel baat bij zult hebben.'

Dit klonk niet goed. Ik protesteerde. Ik zou zeker geen medicijnen gaan slikken. Dat was gewoon niets voor mij. Ik wilde
dit op eigen kracht doen. We praatten het door en ik legde Cheryl uit dat medicijnen me het gevoel gaven dat ik door de knieën
ging. Ik ben altijd faliekant tegen medicijnen geweest. Het was
beschamend om te denken dat ik niet op natuurlijke wijze, met
behulp van Cheryl en de club, beter kon worden.

Maar Cheryl legde het me uit met de vriendelijkheid die haar
eigen was. Zij vond dat ik dat extra ruggensteuntje nodig had.
'Soms gebeurt het dat als iemand iets heel traumatisch overkomt, die persoon zijn vroegere niveau van functioneren niet
meer terugkrijgt, hoe hard hij of zij het ook probeert,' legde
Cheryl uit. 'Toen Tommy stierf, was de schok zo intens dat je
biochemie uit balans is geraakt. Ik denk dat je hulp nodig hebt
om dat evenwicht te herstellen.'

Cheryl zei dat ik me geen zorgen hoefde te maken; een deskundige zou een oogje in het zeil houden; ze zouden me uiterst
nauwkeurig onderzoeken om de juiste medicatie te vinden.

'Het middel zal de scherpe randjes van je angst en verdriet af
halen en het mogelijk maken een beetje beter te functioneren
terwijl je dit proces doormaakt,' hield Cheryl vol.

Was er sprake van biochemische labiliteit of maakte ik gewoon een zwaar rouwproces door? Ik was ervan overtuigd geweest dat antidepressiva niets voor mij waren – en ze zijn ook niet voor iedereen – maar in dit stadium was ik bereid alles te doen wat nodig was om me beter te voelen. Inmiddels had ik een absoluut vertrouwen in Cheryl, dus besloot ik haar suggestie in ieder geval een kans te geven. Wat het gevolg van medicijnen ook zou zijn, het was waarschijnlijk te verkiezen boven wat ik momenteel doormaakte, en als het middel me geen goed deed of de zaak juist erger maakte, kon ik er altijd nog mee stoppen.

Ik maakte een afspraak met een arts in de stad.

Dr. Mahelsky onderzocht me een paar uur lang en bepaalde de juiste dosis antidepressiva. Ik zou ze in het nieuwe jaar gaan slikken. Misschien zou het middel helpen, misschien ook niet. Maar ik was bereid het risico te nemen en hoopte dat ik een nieuwe levensfase zou ingaan.

Ik begon met een halve dosis om mijn lichaam voor te bereiden op de verandering in mijn systeem. De eerste maand voelde ik me belabberd. Ik ben tenger van postuur en slik zelden iets van medicijnen, dus kreeg ik alle geboekstaafde bijverschijnselen: droge mond, misselijkheid, diarree, gewichtsverlies en nachtelijke zweetaanvallen.

Ik belde dr. Mahelsky en Cheryl om hun te zeggen dat ik de medicijnen niet kon blijven slikken omdat ik me hondsberoerd voelde. Zowel de arts als Cheryl verzekerde me dat er niets abnormaals aan de hand was, dat er niets mis was met mij en dat ik moest blijven slikken. Ik wist dat ik op hen moest vertrouwen en dat ik vol moest houden.

Onder supervisie van dr. Mahelsky en geholpen door Cheryl vonden we de juiste dosering, en de bijverschijnselen namen af. Ik begreep waarom het zo belangrijk is dat je voortdurend in de gaten wordt gehouden door een deskundige arts wanneer je een dergelijke behandeling ondergaat: de dosering moet nauwlettend worden gevolgd en de arts moet je regelmatig onderzoeken. Een goede therapeut bij wie je je op je gemak voelt en die je tijdens het proces kunt spreken is van doorslaggevend belang.

Ik begon me zelfs beter te voelen.

Cheryl had uitgelegd dat de medicijnen niet de pijn zouden wegnemen, maar wel de scherpe randjes van mijn neerslachtigheid, zodat ik iets makkelijker kon functioneren. Dat klopte. Ik rouwde nog steeds om Tommy, maar de angstaanvallen bleven uit. Ik was bedroefd, maar de treurigheid overspoelde me niet meer. Ik was er niet bang meer voor en kon het aan.

Intussen spoorde Cheryl me aan om openhartiger te zijn over mijn gevoelens. Ze hielp me inzien hoeveel ik had weggestopt achter mijn glimlach en persoonlijkheid. Ik ben van nature een praatgraag, optimistisch iemand. Ik hou ervan om grapjes te maken en het middelpunt van de groep te zijn. Ik vond het eenvoudiger om een dapper gezicht te trekken en vrolijk te doen dan anderen uit te leggen hoe ik me werkelijk voelde. Ik had altijd maar het gevoel dat ik mijn verdriet moest overcompenseren; ik wilde nooit de stemming bederven. En tegelijkertijd had ik het gevoel alsof ik Tommy en zijn nagedachtenis verried met mijn glimlach en met te doen alsof ik me prima vermaakte. Ik was extravert zonder het nodige zelfvertrouwen. Ik vierde feest terwijl ik leed. Ik leek gelukkig terwijl ik me schuldig voelde dat ik leefde.

Een belangrijk onderwerp van gesprek was dat ik vreesde Tommy los te laten als ik mijn verdriet om hem losliet.

Cheryl bleef me geruststellen.

'Julia,' zei ze. 'Je moet Tommy een plek geven, een bijzondere plek, waar je niet bang hoeft te zijn dat je hem zult verliezen...'

Cheryl hielp me inzien dat Tommy altijd bij me zou zijn, wat er ook gebeurde. Zijn nalatenschap, zijn kwinkslagen, zijn gevoel voor humor, zijn ruimhartigheid en levenslust: alles zou in mij voortleven. Aanvankelijk sprák ik er alleen maar over met Cheryl. Maar langzaam maar zeker begon ik het ook te geloven. Ze had gelijk. Niemand kon mij Tommy afpakken wanneer ik ervoor koos hem in mijn hart mee te dragen.

Ik besteedde steeds minder tijd aan fantasieën waarin ik me

afvroeg hoe mijn leven zou zijn als Tommy er nog was. Ik wist dat ik mijn aandacht moest richten op wat er vandaag op mijn bord lag, niet op dagdromen over een of ander parallel universum waar Tommy en ik bij elkaar konden zijn. Ik moest een manier zien te vinden om mijn toekomst opnieuw voor mij op te eisen. Ik dacht na over de mogelijkheden om moeder te worden. Ik wilde mijn eigen gezin stichten. Misschien zat dat er op de traditionele manier niet in, maar aan de andere kant was niets nog langer 'traditioneel' voor mij.

Ik moest denken aan mijn 'te-doen'-lijstje van september.

Ophouden met het anderen naar de zin te willen maken; me drukker maken om te doen wat goed is voor mezelf.

Van een vriendin op het werk kreeg ik het nummer van een adoptiebemiddelaar en die belde ik. Ik kreeg te horen dat het wel even zou duren voordat ik een afspraak kon maken, maar ze zouden me bellen.

CLAUDIA:

Na een paar maanden speuren vonden John en ik het ideale appartement, een bovenverdieping in het centrum. We vonden het een heerlijke buurt en de woning was groot genoeg voor als het tijd werd om aan een gezin te beginnen. In de week tussen Kerstmis en oud en nieuw trokken we erin. We hadden het gevoel dat het jaar met veel opwinding begon.

Ik ging vooruit, maar verbrandde niet mijn schepen achter me. Ik had al besloten mijn piepkleine appartement aan Fiftyfourth Street aan te houden en telde mijn zegeningen, omdat ik in staat was de beslissing te nemen op grond van wat het beste voor mij was, zonder door financiële beperkingen te worden gehinderd. Ik wilde dat het een familieappartement zou worden, een plek waar mensen konden logeren wanneer ze in de stad waren, waar neven en nichten konden wonen wanneer ze na hun studie een tijd in New York wilden doorbrengen. Maar het zou niet alleen een heiligdom worden. Het moest een plek zijn die warm, comfortabel en bewoond voelde. Het was al een soort clubhuis van de weduwen geworden, ergens waar we elkaar wekelijks troffen om dit boek te schrijven.

Ik hoefde weinig in te pakken, want ik liet mijn meubilair staan. Ik hoefde alleen maar door al mijn spullen te gaan en te besluiten wat ik mee wilde nemen. Op een dag, toen ik door mijn kasten ging, stuitte ik op dozen vol kerstversiering die Bart en ik samen hadden uitgekozen. Aan elk onderdeel kleefde een herinnering aan waar we waren geweest en wanneer we het hadden gekocht.

Glimlachend herinnerde ik me het jaar waarin Bart een kerstboom had besteld bij LL Bean. 'Je bent niet goed wijs!' zei ik. 'Wie laat er nou een kerstboom bezorgen?' Bart bestelde toch een 'grote' boom. Hij werd gebracht. De boom was te klein. Weer gebeld. Niet gelukkig met de boom. Of ze de volgende dag alsjeblieft een extra grote wilden bezorgen. Dat jaar hadden we twee bomen. Een kolossale in ons appartement van tweehonderd vierkante meter en een kleinere op het terras. Bart was gek op de feestdagen. In december hadden we bijna ieder weekeinde eters en dan kookte mijn man alsof zijn leven ervan afhing. Er werd niet beknibbeld. We reden naar Brooklyn om voorraden in te slaan, naar de bakker voor vers brood, naar de slager voor vers vlees, naar de Italiaanse markt voor zelfgemaakte pasta en verse mozarella. Er ging een kist champagne in de koelkast.

Terwijl ik de versierselen een voor een bekeek, besloot ik de stukken te bewaren die het meest voor me betekenden, en iedereen in de familie als onderdeel van hun kerstgeschenk een 'Bart-ornament' te geven. Ik wilde dat onze acht nichten en neven een speciaal ornament kregen dat ze elk jaar konden ophangen, zodat ze aan oom Bart zouden denken. Ook onze broers en zussen – die wisten hoe Bart uit zijn bol ging wanneer Kerstmis voor de deur stond – zouden allemaal een tastbaar stukje van dat enthousiasme krijgen.

Ik vond een oude zilverkleurige doos van Bergdorf Goodman die vol zat met versierselen die Bart had gemaakt toen hij klein was. Gedroogde, aan elkaar gelijmde pastakrullen, een rood geverfd garenklosje. IJslolliestokjes in de vorm van een kruis. Ik besloot die met Barts ouders te delen. Ik wist dat het hartverscheurend voor hen zou zijn om die schatten weer te zien, maar ook dat ze heel veel voor hen zouden betekenen.

Ik heb altijd geprobeerd om wat ik van Bart had met zijn familie te delen. In het begin wilde ik alles zelf houden, alsof dat zou betekenen dat ik Bart kon vasthouden. Maar al snel besefte ik dat niets ter wereld hem terug zou brengen. Ik wist dat ik door die dingen met zijn familie te delen respect betoonde voor hun verdriet, en hun hopelijk iets van troost gaf. Ik gaf neef Steven een rood vest dat Bart elk jaar tijdens de feestdagen droeg. Ik gaf zijn oudere broer Frank zijn middelbareschoolring. Ik gaf iedereen in de familie een van zijn creditcards die op Ground Zero waren gevonden.

Nu was mijn kans gekomen om de versierselen te gaan brengen op 19 december, wanneer we kerst met de Ruggieres vierden in het appartement van Barts broer. Mark en zijn vriendin Krysten waren gastheer en -vrouw. De gasten waren Kathleen en Larry en hun dochters, Pat en haar partner Eddie. John was ook uitgenodigd. Ik wist hoe moeilijk het voor hen moest zijn om ons bij elkaar te zien, maar dat weerhield hen er niet van al die gevoelens opzij te zetten en ervoor te zorgen dat mijn verloofde in onze familiebijeenkomst werd betrokken.

Het was onze vierde Kerstmis zonder Bart. Voorheen gingen we naar Pat of Kathleen die in een buitenwijk woonden, en nu waren we in Marks kleine appartement in Manhattan. Alles voelde vreemd en anders. Op een gegeven moment viel er een stilte in de conversatie. Ik keek naar Kathleen en zag hoezeer ze Bart miste. Hij had de gave om de eenvoudigste bijeenkomst in een knalfeest te veranderen. Hij zou verhalen vertellen en iedereen aan het eten en drinken en lachen houden. Voor een toevallige voorbijganger zou dit een heel prettig feestje lijken en dat was het ook. Maar Kathleen wist wel beter.

John was te gek. Hij praatte ontspannen met iedereen en

speelde met de meisjes. Op een gegeven ogenblik keek ik naar Pat, die naar John zat te kijken. Hij hielp haar kleindochter Francisca haar nieuwe babiepop aankleden. Ik wist inmiddels dat ze echt blij was dat ik met John de liefde weer had ontdekt. Maar toch: hoeveel moeders kunnen er naar de verloofde van hun schoondochter kijken zonder te denken: waarom niet mijn zoon? Waarom is hij er niet?

Toen het tijd werd om cadeautjes uit te wisselen, gaf ik de meisjes eerst die van hen. Ik legde hun uit dat oom Bart dol op Kerstmis was en dat dit iets bijzonders voor hen van mij en hem samen was. Ze vonden de kerstversierselen prachtig – zij het niet zo mooi als de Gameboys die ze ook van me kregen – maar hopelijk zullen ze het geschenk op waarde schatten wanneer ze ouder zijn. Toen ik Pat haar doos gaf met het vrolijke kerstpapier eromheen en de grote rode strik, opperde ik dat ze zich misschien prettiger zou voelen als ze haar cadeau zou openmaken wanneer ze alleen was. Ik vertelde haar wat erin zat. Ik kreeg een blik die boekdelen sprak over haar dankbaarheid en verdriet.

Toen we thuiskwamen, zei John dat hij een paar ornamenten van Bart in onze boom wilde hangen. Eerder hadden we het daar ook wel over gehad, en toen had John voorgesteld dat een frisse start misschien wel een goed idee zou zijn, dat we kerstversiering zouden gebruiken die we samen hadden gekocht. Maar toen hij de betekenis voor Barts familie en de mijne had begrepen, besefte John dat het een prachtig eerbetoon zou zijn.

ANN:

Op kerstochtend was ik vroeg op. De vorige dag had ik twee kalkoenen gebraden om aan de kerstviering van de kerk te geven. Het was een ijskoude winterdag, dus pakte ik Billy in zijn warmste kleren in en zette hem achter in de auto.

'Waarom moet ik ook mee, mam?'

'Dat weet je best. Omdat wij maar boffen dat we te eten hebben, en omdat het goed is om andere mensen te helpen.'

Onderweg in de auto om de kalkoenen weg te brengen, vertelde ik dat de club een gezin via de kerk van Julia had 'ge-adopteerd': een weduwe met twee zoons die het niet makkelijk had. Ik vertelde Billy dat de cadeaus die ik voor dat gezin had gekocht een van de belangrijkste dingen waren die ik voor de-ze Kerstmis had gekocht.

'Het is aan ons om andere families te helpen die een beetje steun nodig hebben,' zei ik tegen mijn zoon.

Toen we het eten hadden bezorgd, gingen Billy en ik naar de City. We gingen naar Ground Zero waar we de club zouden treffen.

Billy was vier toen zijn vader stierf. Nu was hij zeven en ik maakte me zorgen dat de herinneringen aan zijn vader zouden verbleken naarmate hij ouder zou worden. Ik wilde hem laten inzien wat er was gebeurd, om ervoor te zorgen dat hij het niet zou vergeten, vooral niet tijdens de feestdagen. Het was be-langrijk dat hij altijd ongehinderd over Ward en de gebeurte-nissen rond zijn dood kon praten. Toen de moeder van een van Billy's klasgenootjes onlangs overleed, nam ik Billy mee naar de wake. Ik praatte met hem over het feit dat zoiets ook met an-dere ouders gebeurde, en dat de dood bij het leven hoorde.

Ik stond heel vaak versteld van Billy's veerkracht en nuchter-heid als het ging om wat er met ons gezin was gebeurd. Als je vader op je vierde sterft, lijkt het wel alsof je meer kans hebt om je aan je situatie aan te passen.

Voor het eind van het schoolsemester had ik mijn zoon bij-voorbeeld overhoord op spelling. Op het lijstje stond het woord 'weduwe'.

'Wat betekent dat, Billy?' vroeg ik.

'Dat is een oude mevrouw,' antwoordde hij.

'O, ja?' vroeg ik uitdagend.

Hij verdedigde zijn definitie met verve.

Glimlachend vertelde ik dat een weduwe een vrouw is wier man is overleden, en dat ik daarom ook een weduwe was, om-dat papa dood was. Ik raapte mijn moed bijeen en vroeg hem vervolgens of ik een 'oude mevrouw' was, omdat hij graag tegen Jan en alleman mag zeggen hoe oud ik precies ben. Tot mijn vreugde moest hij bekennen dat ik geen oude mevrouw was.

Het feit dat mijn zoon – die dagelijks de naakte waarheid ondervindt dat zijn moeder weduwe is – de stereotiepe definitie van het woord koos, is bijna op een prachtige manier logisch. Alles wat ons omgeeft – sprookjes, boeken, tekenfilms, tv, film – beeldt weduwen af als rimpelige oude vrouwtjes die eenzaam hun tijd uitzitten, wachtend tot ze zich bij hun man aan gene zijde kunnen scharen. Goddank hoor ik voor hem niet in die categorie. Goddank kan hij me als een gewone mama zien. Goddank beschouwt hij zijn eigen leven ondanks alles als 'normaal'.

Die kerstochtend had Billy gevraagd of hij zijn rollerskates aan mocht en dat vond ik best, ook al pasten ze niet helemaal bij de ernst van ons bezoek. Toen we in de richting van de ingang liepen waar we met de club hadden afgesproken, rolde Billy letterlijk over de stoep op hen af. Meestal waren we gespannen wanneer we de poort van de bezichtigingsplek voor familieleden naderden – het wordt nooit makkelijker om de enormiteit van de locatie tot je door te laten dringen – maar nu volgden onze ogen Billy, die op zijn skates voor ons uit gleed. Met dat kind dat ons voorging, was het onmogelijk om ons net zo zwaar op de hand te voelen als anders.

Ik zag de meisjes met Billy keuvelen. Ze vroegen hem naar school, lieten hem over zijn vriendjes praten en over wat de Kerstman hem dat jaar ging brengen. Niemand wilde zichtbaar verdrietig zijn zodat Billy zich op deze plek slecht op zijn gemak zou voelen en minder makkelijk over Ward zou praten.

In de familieruimte begon ik tussen de duizenden foto's aan de muur de gezichten van mensen die ik kende te herkennen. Ik was hier vaak genoeg geweest om het gevoel te krijgen dat ik een aantal van die mensen kende, ook al had ik hen nog nooit gesproken. Ik wees hen aan voor Billy. Dat was belangrijk. Ik wilde niet alleen dat hij zich de gebeurtenis zou herinneren – mijn moederinstinct wilde hem er zelfs altijd tegen beschermen – maar ook de mensen.

'Mam, kijk...!' Billy had een foto van Ward gevonden die ik er het voorgaande jaar had opgehangen. Het was Wards bidprentje.

Even later hoorden we Claudia zeggen: 'O, mijn god, het briefje dat ik Bart twee jaar geleden heb geschreven hangt er nog steeds.'

Het was alsof we twee spelden in een hooiberg hadden gevonden. We waren dolblij om die aandenkens te vinden. We bleven nog een poosje om verschillende namen en gezichten eruit te halen en aan Billy te laten zien.

Dat jongetje op zijn skates hielp ons meer dan hij besefte. We voelden het die ochtend in die zaal allemaal: Billy's aanwezigheid had onze gang naar Ground Zero dit jaar iets minder triest gemaakt.

De rest van de dag besteedde ik aan de kerstvoorbereidingen. Ik kookte, dekte de tafel in de eetkamer en pakte cadeautjes in.

Vaak wordt aangenomen dat de feestdagen een tijd van onversneden feestvreugde zijn, maar voor gezinnen in de rouw kunnen november en december de zwaarste maanden van het jaar zijn.

Ik was me er terdege van bewust dat dit Kevins eerste Kerstmis zonder zijn vrouw was. Ik wist uit ervaring hoe zwaar de feestdagen voor hem zouden zijn, hoezeer hij Lucia zou missen. De kerstdagen hadden voor een weduwnaar – en voor zijn vriendin – heel veel om het lijf. Met wiens familie bracht je de dag door? Met je eigen familie? Met je schoonfamilie? Met elkaars familie? Met elkaars schoonfamilie? Kevin en ik wilden niemands pijn verergeren door geen rekening te houden met de gevoelens van onze familie en door alleen maar onze eigen zelfzuchtige behoeften na te jagen. Dus besloten we Thanksgiving bij onze respectieve familie en schoonfamilie door te brengen en de kerstdagen bij elkaar. Ik heb altijd deel van Wards familie willen uitmaken. Kevin begreep dat helemaal; hij had hetzelfde gevoel ten opzichte van Lucia's ouders en broers en zussen.

Op eerste kerstdag hadden we vrienden bij ons uitgenodigd. Julia had besloten niet naar haar ouders te gaan. Ze bracht haar pasgetrouwde vrienden Peter en Michelle mee. Kevin had zijn vriend Chris met zijn nieuwe vriendinnetje gevraagd.

We gingen die bijeenkomsten de 'zwarteschapenkerst' noemen: een groep mensen die om wat voor reden ook bewust had besloten Kerstmis bij vrienden te vieren.

Aan tafel brachten we eerst een dronk uit op Kerstmis en op degenen die vandaag niet bij ons konden zijn. We hieven het glas op Ward en Lucia en we brachten een dronk uit op Tommy. We dronken op Michelles vorige verloofde, die jaren geleden bij een ongeluk tijdens het wildwatervaren was omgekomen. We hieven het glas op Caz en op Bart en op andere familieleden die niet meer onder ons waren. Vervolgens stelde ik de regel in dat iedereen een paar woorden moest zeggen over datgene waarvoor ze dankbaar waren, en wat hun voornemens voor het komende jaar waren. Dit was een groep mensen die elkaar niet echt goed kende en het was een mooie manier om het ijs te breken. Iedereen aan tafel bleek een of ander verlies te hebben geleden, of maakte een overgangsperiode door. De avond begon levendig te worden. Iedereen lachte en proostte en nam de tijd om na te denken over hun bestaande zegeningen en hoop voor het komende jaar.

Ik was zo veranderd. Hier speelde ik gastvrouw voor een kamer vol mensen die elkaar niet goed kenden, maar toch een geweldige tijd hadden. Ik had deze gebeurtenis geschapen, iets wat ik vroeger aan Ward zou hebben overgelaten. In de jaren na zijn dood was mijn persoonlijkheid veranderd, tot bloei gekomen en meer op de zijne gaan lijken. Hij was zo'n magnetische persoonlijkheid. Vergeleken met hem was ik in gezelschap altijd de stilste geweest. Ik was nooit als eerste een kamer door gelopen om een nieuwe vriendschap te sluiten, of een gesprek aan te knopen met iemand die ik niet kende. Nu draaide ik mijn hand er niet voor om een gemengd gezelschap uit te nodigen. Die Kerstmis voelde ik het meer dan ooit: net zoals Ward voortleeft in onze kinderen – in hun geestigheid, hun charme, hun warmte en in de twinkeling in Billy's ogen – zo leefde zijn geest ook voort in mij.

PATTIE:

Mijn jaar eindigde met een nieuw optimisme. Hoewel ik in december mijn pols had gebroken bij het snowboarden, mocht dat mijn hervonden levenskracht niet drukken. Ook al moest ik de vlieglessen die ik van tevoren had geboekt afzeggen, ik liet me niet van de wijs brengen. Ik was begonnen met Spaanse les; ik maakte me op om meer te gaan reizen. Hoewel mijn ongeluk me eraan had herinnerd dat ik de koers van mijn leven niet altijd in de hand had – niet dat ik daaraan herinnerd hoefde te worden – had ik wel het gevoel alsof ik een keerpunt in mijn leven had bereikt. Het was aan mij om de weg vooruit te bepalen.

Op een winterse zaterdag zat ik in mijn appartement met mijn broer Fran te praten. We hadden zojuist het nieuws gehoord dat een uitgever het boek over de Weduwenclub ging uitbrengen. Het werk aan de hoofdstukken was begonnen en Fran wilde weten hoe het ermee stond.

'Geweldig,' zei ik. 'Hoe vind je dat? Je zus wordt schrijfster...'

Ik vertelde Fran dat ik ergens mee zat. Hoe moest ik weer terug naar mijn alledaagse werk bij de bank na de voltooiing van zoiets zinvols als een boek?

'Kan ik echt gewoon weer aan mijn bureau gaan zitten wanneer ik terugkom van de promotietoer?' wilde ik weten.

We moesten lachen om het idee dat ik plotseling was getransformeerd van werknemer van een bank tot iemand die lezingen geeft. Dat zou Caz fantastisch hebben gevonden...

Hoe meer we erover praatten, des te meer ik het gevoel kreeg dat mijn tijd bij de bank op zijn einde liep. De afgelopen drie jaar was de verwerking van de dood van Caz alle verandering geweest die ik aankon. Maar nu begon ik het gevoel te krijgen dat ik dit werk niet voor de rest van mijn leven wilde doen.

'Ik blijf me maar afvragen wat ik hierna ga doen,' zei ik tegen

Fran. 'Moet ik me niet voorbereiden op een ommezwaai wanneer het boek in 2006 uitkomt? Moet ik gaan reizen? Emigreren?'

'Nee, niet weglopen,' vond Fran beslist. 'Er gebeuren momenteel een heleboel positieve dingen. En trouwens, je kunt Lola niet in je rugzak stoppen...'

'Wat dacht je dan van een opleiding?' vroeg ik aan Fran. 'Zal ik weer gaan studeren?'

Mijn broer wist dat ik altijd een verlangen had gekoesterd naar postdoctoraal werk om te kunnen lesgeven.

'Misschien is het nu zover dat het ervan kan komen...' stelde ik voor.

Fran antwoordde: 'Dr. Patricia Carrington PhD, schrijfster. Klinkt goed...'

We bespraken het plan. Teruggaan naar de universiteit zou betekenen mijn baan opzeggen, iets wat me een enorm risico leek, vooral voor iemand als ik. Ik ben altijd betrouwbaar en evenwichtig geweest als het op mijn loopbaan aankwam, en met één promotie tegelijk beklom ik langzaam maar zeker de maatschappelijke ladder. Bovendien kom ik uit een familie waar je een goede baan niet zomaar de rug toekeert. Ik wist hoe mijn ouders zouden reageren als ik dit met hen zou bespreken. Ze zouden zich zorgen maken. Ze zouden proberen me op andere gedachten te brengen.

Maar ik was nieuwsgierig; ik zocht iets anders.

Bovendien kon ik me dit risico veroorloven. Mijn baan opzeggen om te gaan studeren zou vroeger om talrijke redenen geen optie zijn geweest: Caz en ik hadden ons op de toekomst voorbereid, op een gezin. Maar nu stond ik op eigen benen. Ik had de sterke overtuiging dat de financiële schadeloosstelling die ik na de dood van Caz had ontvangen een geschenk van mijn man was, en dat ik uitermate voorzichtig met dat geld moest omspringen. Dat geld was mijn verantwoordelijkheid, en ik moest het voor mezelf gebruiken. Ik moest er iets zinvols mee doen, wat me in staat zou stellen in de toekomst iets terug te geven.

Die avond speurde ik op internet en uiteindelijk vond ik een interdisciplinaire masterstudie kunstgeschiedenis aan de universiteit van New York. Ik scrolde langs de diverse onderdelen van de studie. Ik kon de geschiedenis van de kunst – die altijd al mijn vurige belangstelling had gehad – bestuderen: hoe ze ons leven beïnvloedt en hoe ze de loop van de geschiedenis, de politiek, de godsdienst en de cultuur heeft bepaald.

Ik leunde achterover en overdacht de toekomst. De nabije toekomst was een groot, blanco scherm. Ik zat niet meer op het spoor van huwelijk, kinderen en een gezin. Er waren geen garanties. Nu eens leek dat scherm angstaanjagend omdat ik nog niet wist wat het beeld zou worden. Maar dan weer voelde het scherm bevrijdend, creatief en onbegrensd. Ik bedacht dat sommige mensen misschien afgunstig op mijn situatie zouden zijn, dus ik moest er maar gebruik van maken. Veel mensen zitten gevangen in hun werk, huwelijk of andere omstandigheden. Ik stond wagenwijd open voor ontelbare mogelijkheden en kansen.

Maar stel dat ik niet werd toegelaten? Stel dat ik wel werd toegelaten maar niet zou slagen? Ik was al in geen vijftien jaar student geweest, en eerlijk is eerlijk, tijdens mijn studie hoorde ik niet bij de bollebozen. Maar ik was een harde werker, dat wist ik wel. En ik had veerkracht. Als ik echt wilde, zou dit doel me niet kunnen ontglippen.

'Als we dit te boven komen en goed te boven komen, kunnen we alles aan...' weergalmden Claudia's woorden vanbinnen.

Ik downloadde de inschrijfformulieren.

30 ❖ De werkelijkheid

Bart, Caz en Lola, Tommy en Ward

CLAUDIA:

In februari meldden John en ik ons aan voor een 'Pre-Cana'–
genoemd naar de bruiloft in Kana, waar Jezus water in wijn zou
hebben veranderd – van één dag: een huwelijkscounseling die
elk paar voor een huwelijksvoltrekking in de katholieke Kerk
wordt geacht te volgen. Hoewel ik misschien aanstoot neem aan
een aantal stellingnamen van de Kerk – over homoseksualiteit,
echtscheiding en geboortebeperking – besefte ik dat ik steun
bleef vinden in mijn geloof, wanneer ik die nodig had. John was
net als ik katholiek opgevoed en we hadden besloten dat we een
spirituele inzegening wilden.

Niet dat ik zat te wachten op een tweede Pre-Cana, maar ik
wilde de ervaring graag met John delen. Ik weet nog hoe ver-

rast ik was geweest toen ik vijf jaar daarvoor zoveel opstak van onze Pre-Cana-cursus. John en ik zouden op zaterdag 12 februari een eendagscursus krijgen, en die avond zouden onze vrienden David en Ann een valentijnsetentje ter ere van onze verloving geven.

Op de vrijdag daarvoor stond ik op om naar een klant in New Jersey te gaan en daarna haastte ik me terug naar de City om mijn haar te laten verven. Ik zette de auto in de parkeergarage onder mijn vroegere appartement en holde naar boven om naar de wc te gaan. Omdat ik er toch was, ging ik naar de slaapkamer om de boodschappen op mijn antwoordapparaat af te luisteren. Hoewel ik er niet meer woon, krijg ik er nog steeds af en toe een boodschap, hoewel die meestal van advocaten is, of van vrienden die Barts stem nog een keer willen horen.

Het lichtje op het antwoordapparaat knipperde en ik drukte op play, en terwijl ik een grote stapel post doornam hoorde ik een mannenstem aarzelend zeggen: 'Eh... Dit is een boodschap voor Claudia Ruggiere. Wilt u alstublieft Henry bellen, van het New York Medical Examiner's Office, op het volgende nummer? Eh... dank u wel.'

Ik verstijfde. De enige keer dat ik iets van het Medical Examiner's Office had gehoord, was toen ze Bart hadden geïdentificeerd. Wat moesten ze nu? Er moest sprake zijn van een naamsverwisseling. Het was vast een vergissing.

Ik speelde de boodschap een aantal malen af. Eerst om tot me door te laten dringen dat dit echt was, maar ook om het nummer op te schrijven. Ik pakte de hoorn van de haak en ging aan de keukentafel zitten om een catalogus van Pottery Barn door te nemen. Er kon niets abnormaals aan de hand zijn, want ik keek tenslotte in een catalogus van Pottery Barn.

'Hallo, met het Medical Examiner's Office.'

'Mag ik Henry spreken, alstublieft.'

'Het spijt me, maar die is er op het ogenblik niet.'

'Ik moest terugbellen...' Deze woorden vielen me nooit makkelijker: 'Mijn man Bart is omgekomen in het World Trade Center.'

De opgewekte stem viel even stil.

'O.' Stilte. 'Hoe heette uw man voluit?'

'Bart J. Ruggiere.'

'Kunt u dat spellen, alstublieft?'

Ik gehoorzaamde. Weer een stilte.

'Wilt u even aan de lijn blijven, alstublieft?'

Na een poosje kwam ze weer aan de telefoon om te zeggen dat het Medical Examiner's Office aan het eind was gekomen van zijn DNA-identificatieproces, en dat ze me wilden inlichten dat er nog meer stoffelijke resten van mijn man waren geïdentificeerd.

Ik staarde naar de bladzijde van Pottery Barn.

In het besef dat ik het antwoord niet zou kunnen verdragen, stelde ik de vraag toch.

'Wat is er gevonden?' vroeg ik, alsof ik informeerde naar de kleuren van de handdoeken op bladzijde 132. Ik had nooit gedacht dat ze het me zou vertellen. Ik dacht dat ik persoonlijk naar het kantoor zou moeten om erachter te komen. Ik was niet voorbereid op het antwoord.

Ze vertelde het me.

Ik kon niets uitbrengen.

'Het spijt me,' zei ik, en ik hing op.

Ik belde John. Door mijn snikken besefte hij dat er iets heel erg mis was. Ik kreeg de woorden er met moeite uit. John wilde zijn werk neerleggen om naar me toe te komen, maar ik had plannen voor een bijeenkomst met de club in de namiddag om aan ons boek te werken. Ik wist dat de aanwezigheid van die vrouwen geruststellend zou werken en John begreep het. Ik beloofde hem dat ik vroeg thuis zou komen. Vervolgens belde ik Marcella en Pattie; Marcella zou mijn familie bellen. Pattie belde de club.

Ik maakte een fles whisky open en schonk met trillende handen een glas in. Binnen enkele minuten was Pattie bij me.

'Wat is er in godsnaam aan de hand?' Patties gezicht was een en al bezorgdheid. 'Hoe is het mogelijk dat ze hem opnieuw hebben geïdentificeerd?'

Ik begon er net achter te komen wat er gebeurd moest zijn. Ik herinnerde me vaag dat ik een formulier had gekregen om in te vullen nadat Bart voor het eerst was geïdentificeerd. Er waren drie vakjes. Een daarvan moest ik aankruisen.

Als er meer stoffelijke resten werden aangetroffen, wilde ik dan:

1. Iedere keer dat Bart werd geïdentificeerd in kennis worden gesteld?
2. Een laatste kennisgeving krijgen na voltooiing van het identificatieproces?
3. Niet in kennis worden gesteld, waarna de stoffelijke resten zouden worden bijgezet in een monument in het centrum?

De laatste optie wás geen optie; dat zou van te weinig respect voor Bart getuigen. En ik wist dat ik de schrijnende pijn en emotionele achtbaanrit van de eerste niet zou kunnen verdragen. Ik moest de tweede optie hebben aangekruist. Ik had verzocht alleen aan het einde van het proces in kennis te worden gesteld.

Het Medical Examiner's Office moest het eind van het proces hebben bereikt.

Pattie had niets gehoord. En hoe zat het met Ann? Zou een van hen nog iets te horen krijgen? Of zouden zij het altijd zonder stoffelijk overschot moeten doen? Zou het beter zijn als ze iets hoorden, of juist niet? Bestond er wel zoiets als 'beter'?

Bart was twee keer geïdentificeerd. Caz en Ward helemaal niet. Met of zonder resten, het was allemaal niet te bevatten.

'Hoe komt het dat ik weer helemaal opnieuw in deze situatie zit?' vroeg ik Pattie. 'Is er dan niets gebeurd in die drieënhalf jaar?'

Ik was totaal aan ongeloof ten prooi gevallen. Hoe was het mogelijk dat dit na drieënhalf jaar gebeurde?

'Dit is niet te geloven...'

Nu moest ik de moed bijeenrapen om Barts familie te bellen.

Ik dronk mijn glas leeg om mijn zenuwen in bedwang te houden.

Eerst belde ik Barts vader. Wat ik ging zeggen had ik niet gerepeteerd; de informatie wilde maar niet tot me doordringen, laat staan dat ik me kon voorstellen een en ander hardop tegen Frank senior te zeggen. Dat zijn geliefde zoon drieënhalf jaar later dankzij de wonderen van de huidige wetenschap opníéuw was geïdentificeerd.

Toen Frank opnam, voelde ik me verdoofd. Ik vond het onvoorstelbaar dat ik hem dit nieuws moest vertellen. Ik wilde Frank troosten, maar binnen de kortste keren moest ik zo hard huilen dat híj míj op het laatst moest troosten. Hij sprak vriendelijk en oprecht bezorgd in de telefoon.

'Hier zit jij niet op te wachten,' zei Frank. 'Je gaat eerdaags trouwen...'

We spraken zolang als we konden.

Ik wilde Barts moeder niet op haar werk bellen, dus vervolgens belde ik Kathleen. Ze nam direct op en zei dat ze in de auto zat om haar dochter van school te halen. Ik wist dat ik op het punt stond de schijn van gewoonheid die ze in drieënhalf jaar had opgebouwd aan diggelen te slaan. Kathleen barstte direct in tranen uit en moest ophangen. De enige zinnige reactie. Toen ik Barts moeder en broers had bereikt, had Kathleen hen inmiddels al gesproken. Mark had alles laten vallen waar hij mee bezig was en was al onderweg naar mijn appartement. Zijn eerste impuls was om mij te gaan troosten.

Mark, Julia en Ann arriveerden vlak na elkaar.

'Hoe is dit mogelijk?' wilde iedereen weten.

Ik vertelde dat het voelde alsof Bart op drie verschillende dagen was gestorven. Op de dag van zijn dood en op de dagen van zijn twee identificaties.

We bleven vragen stellen. Zonder antwoorden konden we niet anders.

'Wat is er met hem gebeurd? Hoe is dit hem overkomen? Wat is er aan de hand?'

Mijn eerste reactie was dat ik de volgende dag niet naar Pre-Cana kon. Ik wist niet eens of ik de volgende dag wel wakker zou kunnen worden. Ik was momenteel niet in de stemming voor wat voor spiritueel onderricht ook. Als God bestond, hoe kon hij Bart dit dan aandoen?

Maar de volgende morgen werd ik wel wakker. John en ik gingen wel naar Pre-Cana. John begreep hoe moeilijk dit alles voor me was, en zijn mededogen bevestigde mijn vastbeslotenheid om toch te gaan. En ik zag wel in hoe moeilijk het voor hem was om zijn toekomstige bruid zo ontredderd te zien op een dag die zo opwindend had moeten zijn. Onze Pre-Cana werd een tijd voor bespiegeling. De sessie liet ons onze zegeningen tellen en gaf me een platform om John, mijn familie, de club en alles wat we wel hadden te waarderen. Ik kwam thuis en ging naar het verlovingsfeestje. Ik sprak al mijn reserves aan. Ik wilde het voor John doen. Ik wilde het voor ons doen.

Zondag stortte ik in. Ik kwam de hele dag mijn bed niet uit.

In de daaropvolgende week was ik niet mezelf op mijn werk. Toen ik een keer een onderhoud met mijn baas had, merkte hij op dat ik een beetje uit mijn doen leek. Ik nam hem in vertrouwen. Ik vertelde over de identificatie, dat ik Barts familie had gebeld en over de emotionele tol die een en ander had gekost.

Mijn baas wilde weten waarom ik Barts familie had ingelicht. Zou het niet vriendelijker zijn geweest om hun het nieuws te besparen? Ik kon alleen maar zeggen dat het nooit bij me was opgekomen om het niet te doen. We hadden de afgelopen drie jaar samen, als familie, overleefd. De situatie waarin we waren gedwongen was volkomen tegennatuurlijk, maar tegelijkertijd waren we een familie met heel tastbare banden, die poogde Barts geest van liefdevolle ruimhartigheid in ere te houden, zelfs onder de meest ten hemel schreiende omstandigheden.

ANN:

Drieënhalf jaar na de dood van mijn man was ik eindelijk zover dat ik een grafsteen had voor Wards plek. De aankondiging dat de lijkschouwer het identificatieproces voor onbepaalde tijd had opgeschort, confronteerde me met het feit dat we waarschijnlijk nooit een stoffelijk overschot zouden hebben om te kunnen begraven. Hoewel ik mijn gevoelens wel had kunnen voorspellen, bracht het nieuws dat het identificatieproces achter de rug was een gevoel van opluchting. Ik hoefde niet meer te leven met de angst voor dat telefoontje of mensen aan de deur.

Ik had altijd over een stoffelijk overschot willen beschikken. Ik wist van mijn weduwevriendinnen dat het niets uitmaakte. Ik had de schrijnende pijn aanschouwd die twee identificaties bij Claudia teweeg hadden gebracht. Dankzij Julia wist ik dat het feit dat ze een overschot kon begraven geen gevoel van aanvaarding met zich meegebracht had. Pattie had evenals ik niets van haar man; ook zij was opgelucht dat het identificatieproces voorbij was. Zij was altijd beducht geweest voor die mensen aan de deur.

Twee jaar lang had ik een lege plek op de begraafplaats gehad, waar ik heen ging wanneer ik behoefte had om Ward eer te bewijzen en gedag te zeggen. Op mijn ochtendrondje joggen kwam ik dikwijls langs het kerkhof en dan klokte ik om te zien of ik harder of trager had gelopen. Dan zei ik: 'Dag schat!' en jogde ik verder. De plek was gewoon een leeg stukje van de begraafplaats. Naast zijn plekje waren nog drie zerken van II-septemberweduwen, echtgenoten van vrouwen in Rye die ik kende, plus een zoon van wederzijdse vrienden van Ward en mij. Ik had altijd een permanent en prachtig gedenkteken met Wards naam erop willen hebben, maar wat ik niet had beseft, was gewoon hoe lang en lastig het proces om het te krijgen zou zijn. De zerk moest perfect zijn. Maandenlang bestudeerde ik de diverse zerken in verschillende uitvoeringen en maten. Ik bekeek iedere graveerstijl en alle soorten graniet. Ik zwierf over begraafplaatsen om foto's te maken van zerken die ik mooi vond. Ik vroeg me af wat de nabestaande wel van me moest denken, wanneer die me met mijn camera tussen de graven zag.

Vervolgens was er het dilemma van de juiste plek voor de zerk.

De oppervlakte was groot genoeg voor drie doodskisten. Als de lijken zouden worden gecremeerd, was er voldoende ruimte voor negen urnen. Ik wist dat Elizabeth er waarschijnlijk zou worden begraven. Billy en TJ zouden misschien besluiten dat ze samen met hun vrouw en gezin begraven wilden worden. En ik? Ik wist niet meer zo zeker of ik ooit naast Ward begraven wilde worden.

Na heel wat uitstel en gepieker over de beslissing, wist ik uiteindelijk precies wat ik wilde en in de zomer van 2003 bestelde ik de zerk. Het was een eenvoudige zwarte steen met Wards naam, geboorte- en sterfdatum erop en voldoende ruimte eronder voor ten minste nog vier namen. De maanden verstreken. Er waren moeilijkheden met de steengroeve en met de transporteur. Telkens wanneer ik belde, waren er andere excuses voor het uitstel.

Uiteindelijk was de zerk in maart 2005 gereed. Ik ging naar de showroom om het resultaat te zien en werd meegenomen naar het achtererf. Er lag een donker zeil over de zerk. Toen de verkoper het wegtrok, werd ik letterlijk niet goed. Ze hadden het verkeerde geboortejaar in de steen gehouwen. Er stond 1952 en Ward was van 1965. In tranen ging ik naar de directeur van de steenhouwerij.

'Dit móét perfect zijn,' zei ik. 'Dat moet. Dit is het laatste wat ik voor mijn man kan doen...'

Toen de grafzerk eindelijk klaar was en de data juist waren, ben ik gaan kijken toen hij werd geplaatst. Daar was hij dan: een simpele, zwarte steen met eenvoudige letters, precies zoals ik had gewild. Toch was het zien van de steen een zware teleurstelling. Wat had ik dan verwacht? Het was gewoon een stuk graniet. Het veranderde niets. In de loop van al die maanden van voorbereiding was het beeld van die zerk voor mijn geestesoog steeds grootser geworden, en nu kon het eindresultaat er niet aan tippen. Meer dan in graniet gehouwen letters was het niet.

In het loslaten van Ward was weer een taak volbracht, maar

dat gaf me niet het gevoel dat ergens een streep onder stond. Mijn verlies was een litteken op mijn hart; ik hoopte dat het zou blijven vervagen, maar ik wist dat het nooit helemaal weg zou gaan.

PATTIE:

Na vele maanden wikken en wegen begon in het nieuwe jaar de verbouwing van mijn appartement in Brooklyn.

Het huis was sinds 1989, zeven jaar voordat wij elkaar leerden kennen, de woning van Caz geweest. Het appartement had zonder meer de elegante sfeer van een Engelse vrijgezel. Het meubilair was heel mannelijk: prachtige ladekasten en dressoirs van donker hout, lange gordijnen van witte wol. Alles weerspiegelde de smaak van een jonge Brit die net in de grote City was gekomen en geld begon te verdienen. Al die jaren later lagen de verzamelde eigendommen van Caz nog overal op volle planken en in kasten: honderden oude videobanden, een enorme tv waar ik nooit naar keek, afstandsbedieningen, videospelletjes en diverse dingen waarvan ik de functie niet wist.

Toegeven dat het appartement een opfrisbeurt nodig had, was op zich al een grote stap. Van het begin af aan had ik gezworen dat ik er nooit iets aan zou veranderen. Ik wilde de kleinste bijzonderheden zo houden, van de plaats van zijn meubilair tot de tientallen stropdassen aan een rekje in zijn kast. De tandenborstel in zijn houder, de boeken op zijn nachtkastje, de stoel in de hoek: Caz had ze daar gezet en gelegd, en ik was niet van plan er ook maar iets aan te veranderen. Wee degene die probeerde iets ook maar een centimeter te verplaatsen. In de slaapkamer had ik zelfs de wektijd op de wekker op zes uur gehouden, net als op 11 september. Eigenlijk wilde ik niet alleen de wekker stil zetten, maar de tijd.

Maar met hoeveel overgave ik ook probeerde alles uit het verleden te fixeren, het was onbegonnen werk. Onvermijdelijk veranderden er bepaalde dingen. Ik veranderde. Ik kocht spullen. Een vaas hier, een boek daar. Sommige dingen moest ik eruit gooien. Kia had me overgehaald om het medicijnflesje van Caz op zijn nachtkastje weg te gooien: 'Pattie, als hij terugkomt, zal hij niet ziek zijn!' De tijd had zijn werk gedaan. De vloeren van het appartement waren vaal, de muren moesten een verfje hebben, de gordijnranden waren grijs geworden. Alles in huis was drie jaar ouder. Ikzelf ook. Ik was een vrouw van in de dertig die de smaak van de twintiger Caz was ontgroeid.

Het werd tijd er iets aan te doen. Ik dacht er niet alleen aan om de wektijd op de wekker aan te passen, ik overwoog zelfs een andere te kopen.

Alle veranderingen die ik wilde aanbrengen zouden een combinatie van oud en nieuw worden. Ik wilde alle dingen die me aan Caz zouden herinneren inlijven in mijn eigen stijl. Ik wilde er iets meer cachet aan geven – bepaalde stoelen opnieuw bekleden, wat extra meubelstukken kopen, de vloeren een beurt geven – maar de spullen waarvan ik geen afscheid wilde nemen moest ik houden. In de slaapkamer bleven bed en ladekast staan, maar er kwamen nieuwe gordijnen voor de ramen. Alle hoeken van de woning stonden vol met spullen van Caz: die ging ik gedeeltelijk wegdoen en de rest zou een eigen plank in één hoek krijgen. Ik wilde het appartement niet meer laten stilstaan in de tijd. Ik wilde het heden erin tegenkomen.

De eerste stap was een hoeveelheid voorwerpen doornemen die in een decennium was vergaard. Met de tanden op elkaar begon ik aan de badkamer. Weg met zijn gezichtsreiniger van havervlokken en elektrische tandenborstel, scheermes en medicijnen. Ik liet zijn luchtje en bodylotion staan. Na een vlaag van paniek, toen ik besefte dat ik de gezichtsreiniger en tandenborstel toch wilde houden, belde ik Sandy om me te komen helpen en morele steun te geven. In de keuken bekende ik mijn nederlaag en deed de laatste doos eieren die Caz voor zijn dood had gekocht in de vuilnisbak; ze waren hol, de inhoud was allang verdampt. Vervolgens vielen we aan op zijn kleerkast. Tientallen t-shirts, boxershorts en sokken moesten weg. Ik behield gewoon een symbolisch paar van elk en legde ze bij mijn onder-

goed. Ik hield al zijn dassen en manchetknopen. Het allermoei-
lijkst vond ik het om iets weg te gooien wat zijn handschrift
droeg, dus zijn hele vroegere archief moest blijven.

Toch stonden er uiteindelijk elf enorme plastic vuilniszakken
buiten op de stoep.

De eigendommen die bleven, moesten opgeborgen worden
zodat de vloeren geschuurd en opnieuw gebeitst konden worden. Er waren een paar hartverscheurende momenten. Toen de
werklui het nachtkastje aan Caz' kant van het bed wegzetten,
legden ze zijn stapel boeken op de grond.

Drie boeken die hij aan het lezen was geweest: *The New New
Thing, Kitchen Confidential* en *A Walk in the Woods*. Ze waren in
drieënhalf jaar tijd niet aangeraakt.

De flap van het omslag van *The New New Thing* zat tussen de
pagina's gestoken om aan te geven tot waar hij had gelezen. In
Kitchen Confidential zat zijn visitekaartje als boekenlegger. *A Walk
in the Woods* lag open. Ik ging naar de bladzijde in *The New New
Thing* tot waar hij was gekomen. Het is een boek over de Sili-
con Valley-magnaat Jim Clark. Tot nu toe was Caz de laatste
geweest die het boek had aangeraakt. Daar in de kantlijn hadden zijn duimen gezeten. Zijn ogen hadden gelezen wat ik nu
las. Hoe kon het boek er nog wel, maar Caz er niet meer zijn?

Met moeite haalde ik mezelf terug van de rand van de af-
grond. Doorgaan, hield ik mezelf voor, niet stoppen.

Drie weken later waren de vloeren gedaan. Ik kwam net op tijd
binnen om te zien hoe het nieuwe springveren matras werd bezorgd. Het huis was ontdaan van meubilair en andere eigendommen. De vloeren glommen, muren en houtwerk hadden een
vers laagje verf. Maar toen ik de bezorgers het matras de slaapkamer in zag zeulen, werd ik neerslachtig. Dit moest een nieuw
begin voorstellen, maar in plaats daarvan ervoer ik de veranderingen als een verpletterende klap. Hoewel ik geen moment het
belang van deze actie uit het oog verloor, deed het meer verdriet om het allemaal zonder Caz te doen dan ik had verwacht.

Toen de bezorgers weg waren, barstte ik in tranen uit.

In de dagen daarna moest ik dozen uitpakken en alles weer op zijn plaats zetten. Toen ik de boeken op de plank terugzette, stuitte ik op onze reisgidsen met recepten, toegangsbiljetten en kaarten tussen de bladzijden geperst: aandenkens aan alle reizen die we samen hadden gemaakt. Ik vond het kaartje van het restaurant waar mijn moeder met Caz had kennisgemaakt. Ik had er al tien jaar niet naar gekeken. De herinneringen overspoelden me. Ik bladerde door boeken die een van ons had gelezen, of wij allebei. In sommige stonden aantekeningen in de kantlijn. Ik vond het laatste boek dat Caz had uitgelezen, *The Color of Water*, een schitterende memoire van een zoon over zijn onverwoestbare moeder. Toen hij het uit had, zwoer hij een boek over zijn Nanna te zullen schrijven. Hij vond *The Color of Water* zo'n fantastisch boek, dat hij een exemplaar per koerier naar zijn moeder in Engeland had gestuurd. Kate ontving het na zijn dood.

Ik herinnerde me hoe we naast elkaar in bed zaten te lezen. Caz en ik lazen altijd voor het slapengaan, met Lola op de divan aan de andere kant van de kamer. Mijn man draaide zich altijd naar me toe om te vertellen wat hij las, ook al probeerde ik zelf te lezen.

Hij had alle biografieën van Winston Churchill gelezen.

'Lieverd, wist jij dat Winston Churchill heel slecht in wiskunde was en zijn wiskunde-examen drie keer over moest doen? Net als ik!'

Soms las hij zinnen hardop alsof hij me een verhaaltje voor het slapengaan voorlas.

'Ik heb dat boek aan jou gegeven, schat,' zei ik dan. 'Ik ken het al.'

Maar Caz wilde samen zijn en alles met elkaar delen. Hij was geen eiland; hij omhelsde altijd zijn hele omgeving.

JULIA:

Dat voorjaar kreeg ik een telefoontje van de adoptiebemiddelaar dat ik op gesprek kon komen. Ik wist dat ik graag naar een volgende levensfase wilde waarin mijn eigen situatie niet langer centraal stond, waarin er een ander menselijk wezen in mijn leven was dat mij nodig had, en andersom. Maar hoewel de behandeling de goede kant op ging en ik me beter voelde dan in jaren het geval was geweest, vroeg ik me natuurlijk af of dit niet te vroeg was. Misschien was ik nog niet klaar voor zo'n grote stap.

Cheryl en de club vonden dat ik op zijn minst moest gaan om meer te weten te komen, omdat het ongetwijfeld een langdurig proces zou worden.

Op de ochtend van de afspraak belde de club: 'Succes; je zult het geweldig doen. We denken aan je!'

Ik trof een maatschappelijk werkster die me een overzicht van de hele adoptieprocedure gaf. We bespraken de verschillende keuzemogelijkheden. Ik zei dat ik graag een kind uit China wilde adopteren. Ik had een heel goede vriendin van Chinese afkomst, die me kon steunen bij de aanpassing van het kind en me kon helpen een band met het land van oorsprong te krijgen. We bespraken hoe ik aan de nodige documenten van de staat, de federale overheid en de Chinese autoriteiten moest komen. We hadden het over het geslacht van het kind. Er zijn zowel jongens als meisjes voor adoptie beschikbaar, maar in China zou het gemakkelijker zijn een meisje te adopteren, omdat daar elk jaar duizenden babymeisjes in de steek worden gelaten. De maatschappelijk werkster liet me foto's zien van een aantal kinderen die kort daarvoor waren geadopteerd. Toen ik naar hen keek, ging mijn hart sneller kloppen, maar ik beheerste me. Ik moest niet al te opgewonden worden voordat ik zeker wist of ik een kans maakte.

'Is het voor een alleenstaande ouder veel moeilijker om een kind te adopteren?' vroeg ik.

De maatschappelijk werkster vertelde dat, op grond van een Chinese maatregel die voor alle adoptiebureaus in Amerika gold, maar acht procent van het totaal aantal voltooide adoptieaanvragen per jaar van alleenstaande ouders mocht komen, en dat het quotum voor het lopende jaar al was bereikt. Maar dat betekende niet dat ik niet voor adoptie in aanmerking kwam, alleen zou de procedure een beetje langer dan anders kunnen duren. Ik moest de nodige formulieren invullen, omdat de mogelijkheid bestond dat een alleenstaande kandidaat om wat voor reden ook zou afvallen, waardoor ik diens plaats kon innemen.

'Wie weet?' zei de maatschappelijk werkster. 'Misschien kunt u aan het eind van het jaar uw aanvraag voltooien en volgend jaar al een baby hebben.'

Ik verliet het bureau met een filosofisch gevoel. Ik wist dat ik een kind veel te bieden had, en een kind mij. Als de adoptie zou slagen, moest het zo zijn. Als het er niet van zou komen, zou zich wel een andere mogelijkheid voordoen; dat wist ik zeker. De adoptie zou misschien een paar jaar duren, maar dat was goed. In de tussentijd had ik nog het een en ander te leren. Bovendien had ik al zoveel doorgemaakt dat ik wist dat ik een langdurige en ingewikkelde procedure als deze best aankon. Het belangrijkste was mijn beste beentje voor te zetten.

Op weg naar huis deed ik mijn oortelefoontje in en zette ik mijn iPod aan. Sinds kort nam ik mijn iPod overal mee naartoe: in de metro, op zakenreisjes, naar de fitness en op wandelingen door de City. Ik ontdekte mijn cd-verzameling opnieuw en verdiepte me weer in allerlei soorten muziek, van rap tot country. Het was drie jaar geleden sinds ik voor het laatst belangstelling voor muziek had opgebracht. De eerste periode na Tommy's dood wilde ik bij thuiskomst alleen maar in bed kruipen om urenlang hersenloos tv te kijken. Het kwam niet bij me op om mijn stereo aan te zetten. Muziek had te veel blije associaties om iets van troost te bieden. Tegenwoordig sloot ik bij thuiskomst de iPod op de installatie aan en bleef ik luisteren. Ik begon er zelfs van te genieten om alleen thuis te zijn. Soms betrapte ik me er in de huiskamerspiegel op dat ik danste.

In de lift van mijn appartementencomplex hoorde ik op een dag het nummer 'Shining Star' van Earth, Wind & Fire via mijn iPod. Ik ben gek op dat liedje. Omdat er toch niemand anders in de lift stond, zong ik uit volle borst mee. Ik ging zo in de muziek op, dat ik niet in de gaten had dat de lift stopte en er een buurman instapte. Toen ik mijn ogen opendeed, zag ik dat hij met me mee danste.

We bleven dansen tot de lift op de parterre was aangekomen.

31 ❖ Kruispunt

John en Claudia, Ann, Julia, Claudia, Marcella en Pattie

CLAUDIA:

De ochtend van mijn trouwerij troffen Pattie en ik elkaar bij een yogales. Dat leek me een perfecte manier om de dag van mijn bruiloft te beginnen. Ik was al gehecht geraakt aan de combinatie van kracht en rust die yoga biedt. Na de les ging ik terug naar mijn kamer voor een rustgevend bubbelbad. Gehuld in een ochtendjas van het hotel ging ik op het terras zitten dat uitzag op de palmbomen, het witte strand en de turquoise zee van de Bahama's.

Het geluid van de branding, de warme zon en de zeebries brachten een overweldigend gevoel van rust. Ik praatte met Bart en met mijn vader om hen te bedanken dat ze me hadden geholpen de vrouw te worden op wie John verliefd was geworden.

Ik sprak met Johns moeder om te zeggen dat het me speet dat ik haar nooit had gekend, en om haar te bedanken dat ze haar zoon zo'n fantastische opvoeding had gegeven. Daarna vertelde ik De Jongens dat de club hun alle liefde stuurde en hoopte dat het wederzijds was.

Sinds onze aankomst was ik vrij geweest van bruiloftskriebels. Het enige wat ik wilde, was mijn leven met John delen en een spirituele plechtigheid ten overstaan van God, onze beste vrienden en familieleden ondergaan. Al het andere moest gewoon maar op zijn plek vallen.

Ik ging naar de kapper. Ik wilde alleen een strak, laag knotje in mijn nek. Omstreeks het middaguur kwam de club naar mijn kamer om zich klaar te maken. Ann, Julia en Pattie kwamen met de jurken van de bruidsmeisjes, drie roze en witte japonnen van chiffon met een patroon van rozen en hibiscus. Mijn zwager Larry – directeur van de Amerikaanse tak van het Duitse modebedrijf Escada USA – had de meisjes aan die schitterende jurken geholpen. Ze waren licht, vrolijk en zaten makkelijk: perfect voor een tropische trouwerij.

Mijn eigen jurk wachtte in de verpakking. Ik had hem op een dag tijdens lunchtijd uitgezocht. Ik wist wat ik niet wilde: de geijkte, lange strapless bruidsjapon. Ik was verliefd geworden op een ivoorkleurige rechte jurk van zijde met een haltertop van gaas en een laag uitgesneden rug. Hij was chic en elegant, een beetje in de Hollywood-stijl van de jaren dertig. Aanvankelijk was ik bang dat hij niet echt traditioneel was, maar Kathleen stelde me gerust.

'Het is je tweede huwelijk, Claudia; je hoeft niet bang te zijn om er een tikje sexy uit te zien.'

Ik besefte dat het geen alledaagse gebeurtenis is dat je zwager en schoonzus je helpen om je bruidsjurk en de japonnen van de bruidsmeisjes uit te kiezen, maar Barts familie, die ook op de trouwerij kwam, had bewezen allesbehalve een doorsneeschoonfamilie te zijn.

De club lurkte champagne en ritste, verschikte, lachte en

proostte. Ik wilde mijn eigen make-up doen. Meestal doe ik het zonder, en ik was bang dat de eilanddames het er te dik op zouden leggen; ik wilde graag op mezelf lijken. Ik scharrelde door het beetje cosmetica dat ik had en kwam erachter dat ik zelfs de gewoonste dingen miste.

Ik keek naar Pattie en vroeg: 'Kun je op je trouwdag mascara van een jaar of vijf oud gebruiken?'

'Moet je dat aan mij vragen?' antwoordde Pattie. 'Maar ik zou zeggen van niet...'

Gelukkig schoten Ann en Julia me te hulp.

Mijn moeder en mijn zus Marcella arriveerden met mijn neef Alex en nicht Andrea, die de ring en de bloemen zou dragen. Toen we foto's maakten en proostten, ging de telefoon. Het was mijn getuige Roger. Hij en de bruidsjonkers waren met John onderweg naar de kerk en hadden geen ringen. Roger was ervan uitgegaan dat John ze had en andersom. Ik dacht dat ze veilig en wel in de slaapkamer lagen, maar toen ik ging kijken, kon ik ze niet vinden. Zelfs daarvan werd ik niet nerveus. Zo nodig zouden John en ik trouwen met de ringen van een blikje cola. Gelukkig kwamen de ringen snel boven water; ze lagen onder een kleedje in de kluis.

Ik bleef kalm tot het moment dat ik op het punt stond de kapel de betreden. John en ik waren verliefd geworden op de intieme, Europese charme van de kerk, met de witgekalkte stenen en rode houten deuren, tussen de palmbomen en roze bougainville. Ik had de pastoor gevraagd of mijn bruidsmeisjes door de zijdeuren aan de voorkant van de kerk naar binnen mochten, zoals bruidsjonkers vaak doen. Ann, Julia en Pattie zaten al binnen op hun plaats. Marcella en ik stonden alleen buiten. Ik pakte mijn zus' arm. Nu het zover was, werd ik overweldigd door emotie; de tranen stonden me in de ogen. Tot nu toe had ik van mezelf niet mogen geloven dat het ooit zover zou komen.

Marcella ging het eerst naar binnen en daarna ging ik in het portaal staan. Ik had besloten in mijn eentje door het middenpad te lopen. Zelfs van zo'n afstand zag ik Johns kamerbrede glimlach en felblauwe ogen. Ik bleef kijken naar de man met wie ik dolgraag mijn leven wilde delen. De kerk zat vol familie en vrienden. Toen ik mijn entree maakte, draaide iedereen zich om om naar me te kijken. Het was alsof hun liefde en blijdschap een tastbaar wezen was dat in plaats van mijn vader naast me liep.

Toen ik naast John stond, greep hij mijn hand en liet hem niet meer los. Het voelde alsof ik was thuisgekomen. Ik luisterde naar de krachtige en kalmerende stem van de pastoor en wilde ieder woord in mijn geheugen prenten. We hadden heel veel tijd besteed aan het uitkiezen van de voor te lezen bijbelteksten, en toen Johns zus Trisha strofen uit het Hooglied voorlas, luisterde ik goed naar de betekenis:

> *Zet mij als een zegel op Uw hart, als een zegel op Uw arm*
> *Vele wateren zouden deze liefde niet kunnen uitblussen;*
> *ja, de rivieren zouden ze niet verdrinken.*

Toen Marcella's man JC opstond om de litanie der overledenen te bidden, zette ik me schrap. Hij zou Barts naam uitspreken, samen met die van De Jongens. Ik wist dat het moeilijk zou zijn voor hem en voor veel andere aanwezigen. Maar John en ik hadden er nooit aan getwijfeld dat ook zij deel van de plechtigheid zouden uitmaken.

De pastoor begon aan zijn toespraak. Hij vertelde dat onze aparte levens in het huwelijk één zouden worden. Hij pakte twee kaarsen en bracht de vlammen bij elkaar om het te demonstreren. Hij zei dat het huwelijk op een lekkere kop koffie leek. Als de room er eenmaal aan is toegevoegd, zijn de twee elementen niet meer te scheiden. Vervolgens bracht de pastoor onze gezichten dicht bij elkaar en zei dat we de woorden van Jezus moesten gedenken: 'Hebt elkander lief zoals ik u heb liefgehad.'

Toen het zover was om de geloften uit te wisselen, vroeg de pastoor aan John of hij Claudia Ann... en toen struikelde hij over de vraag welke achternaam hij moest gebruiken. John schoot hem hoffelijk te hulp.

'Ik, John Francis Donovan neem Claudia Gerbasi Ruggiere tot mijn echtgenote.'

Toen het mijn beurt was, merkte ik dat mijn stem krachtiger was dan ik had verwacht. Ik wilde dat alle aanwezigen mijn gelofte van liefde en trouw aan John zouden horen.

'Ik zal je alle dagen van mijn leven liefhebben en eren.'

Voor het eind van de plechtigheid beklommen we het altaar om het huwelijksregister te tekenen. Ik hoorde de solist met een zware, trage bas een lied aanheffen.

This little light of mine, I'm gonna let it shine...

Toen ik mijn handtekening had gezet, keek ik op. De stem van de solist was krachtiger en harder geworden, en inmiddels klapte de hele congregatie in de handen en zwaaiden de mensen in de ware gospeltraditie zingend heen en weer. Toen we naar de voorzijde van het altaar liepen om ons gehuwd te verklaren, vroeg de priester aan John om zijn vrouw aan de congregatie voor te stellen. John stelde me voor als Claudia Ann Gerbasi Ruggiere. Lachend verbeterde ik hem en kondigde mezelf trots aan als 'Claudia Ann Gerbasi Ruggiere Donovan,' met het verrukte besef van de betekenis van ieder onderdeel van mijn lange, ingewikkelde naam.

JULIA:

Als er vroeger iemand trouwde, kon ik alleen maar denken: dat had ik ook! Zo'n leven heb ik ook gehad! Als ik naar een trouwerij ging en er stond een leuk stel op de dansvloer, dacht ik altijd: bah, als Tommy er was geweest zouden wij een veel beter danspaar zijn geweest dan zij. Ik vond het verschrikkelijk zonder hem op de dansvloer. Ik wilde niet alleen dansen. Als ik naar een bruiloft ging, zocht ik ofwel een vriend om mee te dansen, of ik keek langs de zijlijn toe.

Maar op de bruiloft van Claudia en John voelde ik me niet bedrogen, maar blij. Wat was er nu mooier dan een medeweduwe die het geluk weer had gevonden? Het gaf ons allemaal weer hoop. Op de receptie hield John een ongelooflijk mooie toespraak. Eerst herdacht hij afwezige vrienden en familieleden, ook zijn moeder en Claudia's vader. Vervolgens hief hij het glas op De Jongens, op Bart, Ward, Tommy en Caz. Vervolgens besloot John na een heel geestige inleiding met:

'Claudia is de liefste persoon die ik ken en ze maakt een beter mens van me. Wilt u allemaal zo vriendelijk zijn het glas te heffen op de liefde van mijn leven?'

Ik kan oprecht zeggen dat Johns eerbewijs aan De Jongens, zijn vreugdevolle toast op zijn nieuwe bruid en de hele ervaring van mijn aanwezigheid op die bruiloft hebben meegeholpen om mijn leven te veranderen. Zijn woorden deden iets verschuiven vanbinnen. Voor het eerst mocht ik van mezelf geloven dat een weduwe opnieuw kon liefhebben en dat haar nieuwe man haar verlies kon aanvaarden en haar er zelfs des te meer om kon beminnen. John en Claudia waren het bewijs dat dit wonder mogelijk was.

Voor het eerst sinds lange tijd ging ik de dansvloer op om met volle teugen te genieten. Ik zong mee, sprong in het rond en maakte mijn gebruikelijke grapjes. Ik ging uit mijn dak en was oprecht. Ik had geen partner en dat kon me niets schelen; dat weerhield me er niet van om volop feest te vieren. Die avond danste ik tot mijn voeten zeer deden. Er ging geen minuut voorbij of er stuiterde wel een weduwe in roze en wit over de dansvloer, en meestal was ik dat.

De volgende dag – de brede glimlach van de feestelijkheden was niet van mijn gezicht te branden – vloog ik naar het kleine eilandje in de Bahama's waar Tommy en ik vijf jaar daarvoor waren getrouwd. Deze keer nam ik mijn vrienden Peter, Jennifer en Ariana mee naar het strand van Green Turtle Cay, waar Tommy en ik elkaar het jawoord hadden gegeven. Peter en Jennifer zouden met de boot vanuit Florida komen en met z'n allen zouden we vervolgens naar de plek varen waar de trouwerij had plaatsgevonden, net zoals Tommy en ik hadden gedaan.

Het was een wolkeloze voorjaarsdag en net warm genoeg om blij te zijn met de verkoelende bries van het water. Toen ik van de boot op het witte strand van Green Turtle Cay stapte, dronk ik de aanblik van het strand met zijn palmen en kleine hutjes in, en liet ik mijn herinneringen de vrije loop. Het was heel belangrijk voor me om deze plek met vrienden te delen. Tommy en ik hadden onze trouwerij niet opgenomen op video, alleen maar een paar foto's gemaakt. Nu wilde ik de hele gebeurtenis zo beschrijven dat de anderen zich een voorstelling van het tafereel konden maken. Op die manier hoefde ik niet de enige te zijn die zich herinnerde wat er zich die bewuste dag had afgespeeld.

Ik kwam op een idee en de anderen vonden het prima. Ik zou mijn trouwerij uitbeelden zodat de anderen het konden filmen. Ariane ontfermde zich over de videocamera.

Ik speelde beide rollen, plus die van de Bahamiaanse functionaris, wisselde van rol en de anderen applaudisseerden.

'Julia, wil jij...'

'Ja, ik wil...'

'Thomas, wil jij...'

'Ja, ik wil...'

De heropvoering was geen substituut voor de werkelijke gebeurtenis – we moesten zo hard giechelen dat ik amper het einde van de plechtigheid haalde – maar toch was het de enige trouwvideo die ik had en ik vond elke seconde prachtig.

Toen we die dag terugvoeren naar de jachthaven, ging ik aan dek zitten en liet mijn blik dwalen over het licht van de middagzon dat op het transparante blauwe water danste. De boot zette zich brullend in beweging en de wind blies de haren uit mijn gezicht. Opeens moest ik huilen, maar niet van verdriet. Ik huilde omdat ik het fantastisch vond dat Tommy en ik hadden besloten hier te trouwen. Het was een volmaakte plek. Voor ons was de bruiloft ongelooflijk bijzonder geweest. Ik hoefde niet langer bang te zijn naar een plek te gaan waar Tommy en ik gelukkig waren geweest. Nu wist ik dat ik verder kon gaan met mijn leven en dat mijn herinneringen aan en liefde voor Tommy gewoon mee konden.

Ik keek omhoog naar de lucht om mijn man te bedanken. Ik vroeg hem om me een teken te geven dat hij instemde met de nieuwe manier waarop ik tegen de wereld aankeek.

Een poosje later riep Ariane boven het lawaai van de motor uit: 'Kijk eens!'

Ik keek over mijn schouder om te zien wat haar aandacht had getrokken. De naam van de boot – *The Bottom Line* – stond op een reddingsboei geschilderd. Maar over de letters b-o-t zat een riempje. De resterende letters waren: t-o-m

ANN:

Eenmaal terug van Claudia's bruiloft nam ik een belangrijk besluit. Ik besloot mijn lijst met verplichtingen te beperken. Het proces van het zorgen van een grafzerk voor Ward – iets wat drieënhalf jaar op mijn 'te-doen'-lijstje had gestaan – was achter de rug. Ik had een hoofdstuk van mijn leven afgesloten. Nu ging ik een nieuwe fase in.

In het begin van het jaar had ik mijn werk aan de wilgen gehangen en de deur dichtgetrokken van een firma waarvoor ik twintig jaar had gewerkt. Voor het eerst in mijn volwassen bestaan werd ik 's morgens wakker zonder uit bed te hoeven springen om een douche te nemen en een pakje aan te trekken. Meestal was ik thuis met de vrijheid om mijn eigen agenda te bepalen. In plaats van mijn oppas de kinderen klaar te laten maken voor school, kon ik aan de ontbijttafel met hen praten. Ik kon hen gedag wuiven wanneer ze op de schoolbus stapten. Ik was thuis wanneer ze 's middags uit school kwamen.

Sinds mijn afstuderen had ik een volledige baan gehad. De enige 'vrije dagen' die ik had genomen waren direct na de geboorte van mijn kinderen (toen ik amper tijd had om te douchen, laat staan na te denken) en de vier maanden na de dood van Ward waarin ik niet op mijn werk was verschenen (toen ik geestelijk niet in staat was om iets bij te dragen aan een kantooromgeving, of welke omgeving dan ook, trouwens). De afgelopen drieënhalf jaar had ik op en neer gereisd naar mijn kantoor, mijn werk zo goed en zo kwaad als het ging gedaan, het huishouden zonder Ward bestierd, de gezinsboekhouding gedaan, de nalatenschap geregeld, een druk sociaal leven geleid, en al die tijd was ik een alleenstaande moeder voor mijn kinderen geweest. Terugkijkend leek het bijna niet te geloven dat ik in staat was zoveel te doen terwijl ik tegelijkertijd zo'n intens rouwproces doormaakte. Maar in de weer blijven was ook nodig geweest: zonder lange lijst met bezigheden had ik voor mijn geestelijke gezondheid gevreesd.

Nu, met zoveel vrije tijd terwijl de kinderen op school zaten, had ik talrijke ideeën om mijn dag te besteden. Ik knapte mijn werkkamer op en organiseerde mijn agenda zodanig dat ik alle taken die ik mezelf had opgelegd eigenhandig aankon: meer betrokkenheid bij de school van de kinderen en hun activiteiten, plaatsnemen in twee besturen van organisaties zonder winstoogmerk, proberen mijn eigen zaak te beginnen en dit boek schrijven. Ik maakte een lange lijst van doelen: fotoalbums bijwerken, nieuwe foto's inlijsten, software installeren op een computer die ik al ruim een jaar had, al die dingetjes die drukke mensen willen doen, maar meestal onder op de lijst zetten. Ik maakte alle routineafspraken voor het gezin met de dokter en de tandarts die ik doorgaans uitstelde tot er iets dringends aan de hand was. Ik sloot me aan bij de plaatselijke YMCA. Ik volgde een squashcursus en schreef me in voor golfles.

Maar na terugkeer van Claudia's trouwerij draaide ik mijn wekelijkse rooster uit, wierp er één blik op en gooide het weer weg. In de navolgende weken trok ik me terug uit een van de besturen. Ik besloot het beginnen van mijn eigen bedrijf nog even uit te stellen. Ik nam de bewuste beslissing om op te houden zoveel van mezelf te eisen.

Ooit geloofde ik dat het leven maakbaar was, dat je de dag in een doosje kon doen en je de toekomst kon regelen. Ik ben financieel strateeg. Mijn hele beroepsleven was erop gericht om verrassingen te elimineren en ervoor te zorgen dat het leven in evenwicht blijft. Maar wat ons gezin was overkomen had eens en voor altijd aangetoond dat er maar heel weinig voorspelbaar is, positief of negatief, zelfs voor de beste strateeg ter wereld. Nu wilde ik mezelf de kans geven het leven te ervaren, in plaats van het altijd en eeuwig op te delen in taken, lijsten en schema's.

Bovendien zouden de kinderen me behoorlijk in beslag nemen en heel tevreden houden, en ze reageerden zonder meer positief op het feit dat ik meer tijd voor hen had. Ik raakte regelmatiger betrokken bij de scholen van Billy en Elizabeth, wat ik nooit had kunnen doen toen ik nog werkte. TJ verwachtte algauw dat ik hem naar zijn sporttrainingen bracht en ik vond het heerlijk om naar zijn voetbal-, hockey- en lacrossewedstrijden te kijken. Het was ongelooflijk hoe mijn dagen voorbijvlogen. Ik verveelde me nooit. Ik genoot volop van mijn afgeslankte agenda. Als ik mezelf erop betrapte dat ik me zorgen maakte dat ik niet productief genoeg was, herinnerde ik mezelf eraan hoe kostbaar onze tijd op aarde is en dat ik die moest koesteren in plaats van weg te wensen. De kinderen zouden niet eeuwig thuis wonen. Nog even en TJ zou naar de universiteit gaan. Billy leek wel dagelijks groter te worden. Ik moest de tijd om bij hen te zijn benutten zolang het nog kon.

Mijn 'te-doen'-lijstje was gekrompen tot er nog maar twee dingen op stonden: mijn kinderen en Kevin. Tegenwoordig zocht ik de tijd die ik alleen kon zijn om na te denken op in plaats van er bang voor te zijn. Toen ik mijn baan had opgezegd, besefte ik dat wat ik goed voor mezelf waande – een eigen bedrijf beginnen – niet echt goed voor mij was, althans voorlopig. Ik maakte tijd om te genieten, om 's morgens, in de stilte die de kinderen hadden achtergelaten, bij een kop koffie mijn e-mails te lezen. Het was een waar genoegen om die nieuwe kant van mezelf te ontdekken, een kant waarvan ik het bestaan nooit had vermoed.

Ik wist dat mijn relatie met Kevin meehielp om gas terug te

nemen. Een deel van mij had rust gevonden. Ik had iemand om de avonden en weekeinden mee te delen, iemand die ik een paar keer per dag kon bellen om te praten over wat me bezighield, of over niets. Ik wist dat ik een partner had om mijn toekomst mee te delen, iemand van wie ik op aan kon en die ik vertrouwde. Mijn relatie met Kevin maakte me tevredener en blijer. Ik was verliefd. Als ik in de spiegel keek, zag ik een stralend gezicht, een gezicht dat niet langer bleek en gespannen was.

Wat me nog wel het meest deugd deed, was hoe goed de jongens reageerden op de nieuwe man in huis. Billy is gek op Kevin en springt een gat in de lucht wanneer hij komt. TJ is oud genoeg om in te zien dat Kevin me gelukkig maakt en dat dit goed is voor ons allemaal. Er was een tijd waarin ik dacht dat mijn gezin nooit meer heel zou zijn. Hoewel mijn gezin nooit meer hetzelfde zou zijn, wist ik inmiddels dat het nog steeds een prachtgezin kon zijn.

Dit voorjaar ving ik op een dag een gesprek op tussen Kevin en Billy terwijl ik in de keuken het eten klaarmaakte. Kevin zat achter mijn computer foto's van Lucia in te scannen voor een video die zou worden vertoond op een sponsorgala ter ere van haar en de stichting die zij had opgezet voor transplantatie-patiënten en hun gezin.

Billy weet van Lucia omdat haar ingelijste foto op het nachtkastje in de slaapkamer staat, tezamen met foto's van De Jongens van de club. Mijn zoon stond achter Kevin naar het scherm te kijken. Het waren foto's die hij nog nooit had gezien en het was duidelijk dat ze hem intrigeerden.

'Is dat jouw vrouw?' wilde hij weten.

'Ja,' zei Kevin.

'Wat doet ze op die foto?' vroeg hij wijzend.

Kevin legde het uit.

'Wat doe ze daar? En daar?'

Er viel een stilte, en vervolgens vroeg Billy Kevin het volgende: 'Hou je evenveel van mama als je van je vrouw hield?'

Ik stond met gespitste oren in de keuken.

'Billy,' zei Kevin, 'ik hou heel erg veel van je mama en van Lucia. Liefde is iets wonderbaarlijks. Die houdt niet op wanneer er iemand doodgaat. Ik zal die liefde voor Lucia altijd in mijn hart meedragen, net zoals jij die voor je papa. En het mooiste van liefde is dat ze kan groeien, en dat je van meer dan één persoon kunt houden, net zoals mama van jou en TJ en Elizabeth houdt. Ze houdt van jullie allemaal, en ze houdt van je papa, en ze houdt van mij, omdat liefde groeit. Daarom hou ik ook van haar.'

PATTIE:

Ik maakte mijn eerste uitstapjes van het seizoen naar het tuincentrum om planten te kopen voor de achtertuin van het huis aan het strand. Ik kocht witte margrieten, geraniums in de knop en felblauwe lobelia's. Ik knapte de perken op, maaide het gras en verrichtte reparaties. Binnenkort zou ik weer weekeindgasten krijgen. Mijn leven hier zette zich voort, bitterzoet als altijd, voorgoed een gewijzigde vorm van wat het was geweest.

Op een dag in de lente maaide ik het gras, waarbij ik mijn hele gewicht gebruikte om de machine de hoge graswallen naast het zwembad op te duwen. De kring van bomen om het perceel vertoonde verse groene blaadjes en vogels ritselden in de takken. In plaats van de komst van het nieuwe seizoen te verwelkomen, kon ik alleen maar denken aan het gat in de oprijlaan dat nodig gedicht moest worden. Aan de buitenkant van het huis zat gevaarlijke elektrische bedrading, blootgesteld aan weer en wind, en die moest gemaakt worden. Het tuinhek hing uit zijn scharnieren. Ik besefte dat het huis een last kon zijn voor me, hoeveel ik er ook van hield. Het huis was in feite te groot om op eigen kracht te onderhouden. Toch was ik er weer, en ik had het punt bereikt waarop ik zelfs bang was voor de komende zomer in dit huis. Het was niet alleen het onderhoud dat me dwarszat. Ik was ook bang voor de last van de herinneringen die door de wisseling van de seizoenen werden opgeroepen.

Toen ik daarna naar het huis keek, zag ik het in een ander licht.

Het huis was maar een omhulsel.

Haalde je het huis weg, dan zouden de herinneringen aan vroeger tijden me blijven vergezellen.

Ik wilde niet bang zijn om hier te komen. Ik wilde dat mijn herinneringen aan dit huis bijzonder voor me waren, dat ze een glimlach op mijn gezicht zouden brengen. Als ik hier bleef, bestond de kans dat ik mijn nieuwe ervaringen altijd zou vergelijken met mijn ervaringen met Caz. Dan zou ik mijn nieuwe ervaringen geen kans geven om tot bloei te komen.

Misschien kon ik het huis verkopen en verhuizen. Wie weet? Het huis aanhouden was nooit de bedoeling van Caz geweest. In de herfst van zijn dood zouden we het in de verkoop doen. Hij had het huis altijd gezien als een opstapje naar iets anders. Als ik besloot het nu te verkopen, wat kon ik dan niet achterlaten? Een paar planten waren het enige waarvan ik zeker geen afscheid kon nemen, en die kon ik uitgraven en meenemen.

Al ruim een jaar had ik een oogje op een leegstaand huis dat te koop stond op een perfecte plek op een steenworp afstand van het strand. Het was kleiner dan mijn huidige. Het zag eruit als het huis van een kindertekening: keurige vierkante ramen, een vrolijk dak en een pas geverfde voordeur. Het stond midden op een hanteerbare driehoek grond. Niet de beste plek voor een gezin, maar perfect voor een alleenstaande als ik. Een Engelse cottage aan zee.

Het huis stond op een splitsing van vijf straten en een daarvan heette *Crossroads*, kruispunt.

Ik bevond me op een kruispunt in mijn leven. Het universum probeerde me iets te vertellen.

De volgende morgen reed ik naar het huis en probeerde alle deuren. De laatste zat niet op slot, dus liet ik mezelf binnen. De woning was helemaal gerenoveerd. Hij was klein, maar er was voldoende ruimte voor logés. Alles was wit. Witte kroonlijsten, witte lambrisering, witte tegels. Al rondlopend haalde ik me mijn leven in elke kamer voor de geest. Ik stelde me voor hoe ik hier vrijdagavond zou komen en mijn auto voor het weekeinde in de garage zou zetten. Ik zou een Vespa kopen, net zoals ik in Italië had gezien. Ik zou er het weekeinde op rondscheuren en in mijn nieuwe tuin ontspannen.

Ik hoorde Caz al zeggen: 'Ga naar het zuiden, ten zuiden van de snelweg. Leef een beetje!'

Toen ik Kia over mijn nieuwe plannen vertelde, zei ze dat Caz, als hij in mijn schoenen had gestaan, het huis al gekocht zou hebben, een uitkijkpost zou hebben gebouwd om zijn inkomen aan te vullen met foto's van de beroemde buren voor *The National Enquirer*!

'Of hij zou suiker zijn gaan lenen bij de buren en tegelijkertijd hebben gevraagd of ze een huwbare dochter hadden...' voegde ik eraan toe.

Nadat ik een week over het huis had nagedacht, wist ik dat het goed voelde – gezond zelfs – om een bod uit te brengen. Ik deed een laag beginbod. De eigenaar wilde er niet eens over praten.

'Potverdomme!' zou Caz gezegd hebben.

Geduld, hield ik mezelf voor. Alle goede dingen komen voor zij die wachten. Ik zal mijn bod na Labor Day verhogen. Intussen ging ik elk weekeinde een kijkje nemen. In gedachten richtte ik het al in. Ik zag het op verschillende momenten van de dag. Ik maakte een begin met de schoonmaak van het strandhuis voor de verkoop. De makelaar belde om te horen wanneer ze kon komen om het huis aan potentiële kopers te laten zien.

Ik werd overspoeld door hartzeer. In tranen belde ik Kia.

'Waarom doe ik dit? Waarom moet ik dit alleen doen? Ik vind het verschrikkelijk. Wat een rotleven.'

Verstandelijk wist ik best dat het huis slechts een symbool van mijn herinneringen was, maar toch was het de meest concrete manifestatie ervan die ik bezat. Ik was nog altijd niet zover om dit door te zetten. Hoewel ik vanbinnen wist dat de verkoop van het huis een slimme zet was, veranderde er niets aan het raadsel hoe ik mijn leven moest voortzetten terwijl ik het verleden met me meesleepte.

Ik bevond me in een geestelijk niemandsland. Ik had mijn aanvraagformulieren voor de universiteit ingestuurd, maar nog niets vernomen. Ik wist niet wat er met het huis, met mijn liefdesleven en met mijn werk ging gebeuren. Ik wist niet of ik ooit een gezin zou krijgen. In zekere zin was ik terug bij af. Ik was weer het meisje dat alleen leefde in New York, niet wetend of ze ooit een man of een gezin zou krijgen, maar vastbesloten er het beste van te maken door te reizen, te leren en de wereld te ervaren. In bepaalde opzichten was ik weer het meisje dat ik was geweest toen ik Caz leerde kennen.

En tegelijkertijd kon ik dat meisje met haar ongecompliceerde optimisme en levensverwachtingen nooit meer zijn. Ik was nog niet eens veertig en ik had heel jong een grote liefde en een groot verlies meegemaakt. Caz was vijf korte jaren door mijn leven geraasd, maar hij had me onherroepelijk veranderd.

Ik weet dat het niet mijn bestemming is om voor altijd in dat huis bij de zee te wonen. Meer dan ooit weet ik dat ik mijn leven weer wil delen. Ik zoek die bijzondere persoon op wie ik kan bouwen. Ik wil iemand die me voorleest uit boeken voordat we in elkaars armen in slaap vallen. Dit heeft het verlies van mijn zielsverwant me geleerd: dat liefde – de verstrengeling van twee levens – een heerlijk geschenk is dat het leven rijker, de kleuren feller, de harten groter en het bestaan beter maakt. Ik weet dat ik dat ooit weer wil.

Nawoord

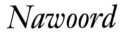

Een juiste instelling ten opzichte van de dood – als we die kunnen
vinden – is de bron van het leven.

P.J. KAVANAGH

'Op De Jongens': mei 2005

Pattie, Claudia, Julia en Ann

De dag nadat Claudia van haar huwelijksreis terugkwam, troffen we elkaar in haar appartement voor onze wekelijkse bijeenkomst om aan ons boek te werken. We hadden ons erop ver-
heugd elkaar weer te zien, opgewonden als we waren om
bruiloftsverhalen uit te wisselen en te horen hoe Claudia's huwelijksreis was verlopen.

'Nou?' vroegen we. 'Hoe voelt het om een getrouwde weduwe te zijn?'

'Weet je,' zei Claudia, 'ik verwachtte niet echt dat ik me na
de trouwerij anders zou voelen. Maar het is wel zo. Ik weet niet
precies waarom. Maar mijn band met John voelt nu nog hechter.'

Claudia was bruin en ontspannen van haar reis teruggekomen. We konden aan haar ogen zien hoe gelukkig ze was, en wij deelden in die vreugde. Die was besmettelijk. We bespraken hoezeer iedereen van de bruiloft had genoten, wat een geweldige dag het was geweest, wie erbij waren geweest en met wie we contact hadden gehad: al onze gekoesterde ogenblikken op de dansvloer en daarbuiten.

'Nou, vertel het haar dan!' zei Ann, terwijl ze Julia aanstootte.

'Wat moet ze mij vertellen?' vroeg Claudia.

'Nou, in de tijd dat jij weg was, heb ik iemand ontmoet...' zei Julia.

'Wie is het?' wilde Claudia weten.

Nu ze erbij stilstond: Julia had al sinds haar komst een brede glimlach op haar gezicht.

'Het is een vriend van Kevin,' legde Julia uit.

'En raad eens waar ze hem heeft ontmoet?' kwam Ann tussenbeide. 'Op de eerste heilige communie van mijn zoon...'

Op de zaterdag na de trouwerij was Julia op het feest van Billy's eerste communie geweest. Kevins boezemvriend Chris, die het jaar daarvoor ook bij het 'zwarteschapenetentje' was geweest, was overgekomen uit Boston. Hij bleek, sinds Julia hem voor het laatst had gezien, net weer vrijgezel te zijn. Die avond hadden ze erg veel plezier met elkaar gehad. Het contact was direct en onverwacht geweest. De volgende dag had Julia Chris in de City ontmoet voor een wandeling door Soho om verhalen uit te wisselen en elkaar beter te leren kennen. De volgende dag belde hij om te zeggen dat hij een zakelijk etentje had afgezegd, en of ze elkaar ergens konden ontmoeten. Zo had een en ander zich ontwikkeld. Geen van tweeën was op zoek geweest naar een relatie, maar ze voelden zich toch sterk tot elkaar aangetrokken.

We konden ons niet herinneren Julia ooit zo opgewonden te hebben gezien.

'Ik sta ervan te kijken hoe zoiets kan gebeuren terwijl je het helemaal niet verwacht,' zei Julia. 'Hadden jullie me een maand geleden voorspeld dat ik me nu zo zou voelen, dan had ik het niet geloofd.'

Maar Julia voelde zich op dat moment heel geweldig. Ze vertelde Claudia over haar uitstapje na de trouwerij, over het teken op de boot en hoeveel beter ze zich sindsdien had gevoeld.

'De bruiloft was een geweldig keerpunt voor me,' legde Julia uit. 'Ik heb het gevoel dat ik het leven dat ik leid in plaats van het leven dat ik kwijt ben eindelijk op waarde weet te schatten. In mijn hart heb ik Tommy een plaats gegeven, en dat geeft me de rust om de draad weer op te pakken...'

Voor Julia was er niet één bepaalde dag waarop ze 's morgens wakker werd en vaststelde dat haar verdriet achter haar lag en besefte dat ze haar leven weer kon hervatten. Ze merkte gewoon dat ze zich Tommy blij en dankbaar voor de tijd die ze met elkaar hadden gehad kon herinneren.

Voor het eerst sinds heel lange tijd voelde ze dat haar hart weer open was.

Voor we aan het werk gingen, brachten we een toast uit 'op De Jongens', zoals we altijd deden.

Uiteindelijk gingen we zitten om aan het werk te gaan, om een nieuw hoofdstuk door te nemen, om onze ervaringen bij elkaar te leggen, en verhalen uit te wisselen over onze echtgenoten en over de dingen die we van hen hadden geleerd. Door het allemaal op te schrijven, zagen we zwart-op-wit hoe ver we waren gevorderd en hoeveel we elkaar hadden geholpen. Sinds onze kennismaking hadden we alle vier meer geleerd en waren we meer gegroeid dan we ooit voor mogelijk hadden gehouden. Het is net alsof we met elkaar een tweede puberteit hadden doorgemaakt, een periode van snelle veranderingen en emotionele chaos, waarin vriendschap en liefde sleutelbegrippen waren. Samen hadden we een punt bereikt vanwaar we ons leven konden overzien om vast te stellen hoe waarachtig gezegend we zijn. We zorgen er terdege voor dat we alle goede dingen die ons overkomen koesteren, want niets is zeker in het leven.

Niettemin erkennen we, drie jaar na onze eerste ontmoeting op Park Avenue en vier jaar na de dood van onze echtgenoten, dat de reis nog niet volbracht is. Dat is uitermate moeilijk. Het verlangen gaat niet weg. Het verlies zal altijd in ons hart gekerfd staan. Maar we hebben een enorme afstand overbrugd; de pijn begint eindelijk draaglijk te worden. Die huist nu op een dieper niveau, zoals lagen in gesteente die niet zichtbaar zijn aan de oppervlakte, maar die er altijd zullen zijn, die ons met beide benen op de grond houden en ons de stabiliteit geven om met rechte rug en geheven hoofd door het leven te gaan.

We blijven inspiratie putten uit alle mensen die we tegenkomen en over wie we lezen, die in hun leven een tragisch verlies te boven zijn gekomen, of het nu gaat om het verlies van een ouder, of om de verwerking van een scheiding, een miskraam of een ziekte. Hoewel wij eerder dan talrijke vrienden zo'n verschrikkelijke ervaring hebben moeten doormaken, beseffen we dat iedereen moeilijke tijden krijgt. En wanneer onze vrienden ons nodig hebben, zijn wij er om hun de helpende hand toe te steken.

Voor ons is vriendschap de Poolster geweest, die ons liet koersen naar een plek vanwaar we kunnen zien dat alles verliezen pijn met zich meebrengt, maar ook een cruciaal nieuw perspectief oplevert. Het rouwproces heeft ons de kans gegeven om meer medeleven te voelen, complexer te zijn, en beter afgestemd te zijn op de wereld om ons heen. We delen iets onbevreesds en hartstochtelijks, iets wat met intens lijden te maken heeft. Nu zien we het leven met al zijn eisen, broosheid en schoonheid. Het leven met al zijn mogelijkheden.

Misschien ligt het aan de intensiteit van het feit dat we het hebben overleefd, maar er schuilt betekenis in de kleinste bijzonderheden: in het hartelijke gebaar van een vreemde, in het uitlopen van nieuwe blaadjes in de lente, in de glimlach van een kind.

Dit is wat De Jongens ons geleerd hebben. We weten dat de toekomst altijd uitdagingen in petto zal hebben. Maar hoeveel moeilijkheden er ook op ons pad komen, wij zullen er altijd zijn om elkaar eraan te herinneren: houd het hart open. Na verdriet kan er weer hoop zijn. Omring jezelf met liefde. Dompel jezelf onder in alle dingen die het leven niet zomaar draaglijk, maar de moeite waard maken. Sluit geen deuren. Doe juist het tegenovergestelde: blijf ze opengooien. Koester de liefde die je ontvangt. Vergeet nooit dat de capaciteit van het hart voor liefde onbegrensd is. Neem de beslissing om te leven. Het zou verkeerd zijn om dat niet te doen.

Woord van dank

Bovenal willen de schrijvers hun beminden dank zeggen. Dit boek zou niet tot stand zijn gekomen zonder alle mensen die ons trouw zijn gebleven – niet alleen tijdens het schrijven, maar ook bij alle beschreven ervaringen. Ook bedanken we onze agent Emma Pary, onze schrijfster Eve Claxton, onze uitgever Ellen Archer, onze redacteur Leslie Wells en onze pr-agente Katie Wainwright.

Een deel van de royalty's van dit boek gaat naar een goed doel.

Informatie over het Thomas J. Collins Memorial Fund vindt u op www.thomasjosephcollins.com.
Voor informatie over het Bart J. Ruggiere Adaptive Sports Center, zie www.bartcenter.com.
Voor meer informatie: www.loveyoumeanit.com